CW00429005

FRÈRES DE CHAIR

Michael Marshall, né en 1965, s'impose comme un auteur majeur dans le monde du suspense. Ses derniers romans publiés en France, *Le Sang des anges* (2005), *Les Morts solitaires* (2004) et *Les Hommes de paille* (2003), ont tous rencontré un très grand succès. Également scénariste, il vit au nord de Londres.

Paru dans Le Livre de Poche :

LA PROIE DES RÊVES

MICHAEL MARSHALL

Frères de chair

ROMAN TRADUIT DE L'ANGLAIS PAR HÉLÈNE COLLON

CALMANN-LÉVY

Titre original :

SPARES

Première publication : HarperCollins Publishers, Londres, 1996

Pour Paula, qui illumine la forêt.

« Les gens comme nous. Nous autres, quoi. Nous tous qui avons entamé la partie avec une queue de billard tordue, nous qui voulions tout et n'avons rien eu, nous qui avions tant de bonnes intentions et qui nous en sommes si mal sortis. »

Jim THOMPSON,
The Killer inside me (Le Démon dans ma peau).

REMERCIEMENTS

Je remercie Steve Jones, pour qui j'ai écrit la nouvelle où est contenu en germe ce qui va suivre ; les Filous et Filoutes pour leur détresse fort appréciée et pour leur ciselage ; les archimisérabilistes Kim « Crispy » Newman et Paul « The Duck » McAuley pour leurs bons conseils (que je m'apprête à suivre) ; Rob et Steve pour m'avoir aidé à ne pas finir trop tôt ; Clive Barker pour ses commentaires élogieux et Neil Gaiman pour m'avoir évité des poursuites en justice ; Kingsley Amis et Tori Amos pour la source d'inspiration qu'ils m'ont fournie chacun à sa manière ; Rachel Baker, Dick Jude, Chris Smith, Paul Landymore et d'autres pour avoir soutenu mon premier livre, et les représentants de chez HarperCollins parce que ce sont des vedettes incontestées ; Howard et Adam et Jenny et Les et Val et Mandy et Jo et Richard et Suzanne et Zaz, pour avoir nui à ma santé ; Jane Johnson pour m'avoir supporté et Jim Richards pour m'avoir traité sans indulgence ; Ralph Vicinanza, Lisa Everleigh, Linda Shaughnessy, Nick Marston et Bob Bookman ; Margaret et David et Tracey et Spangle et Lintilla parce qu'ils sont ce qu'ils sont ; et pour finir Nana Harrup (Baisse un peu ta garde) et Grand-maman Smith (Oh, et puis zut, tiens) pour avoir été ce qu'elles ont été.

I

CODE MORT

1

Plan large.

New Richmond, Virginie. Pas l'*ancienne* capitale historique de l'ancienne Virginie, historique aussi, ce pensum tentaculaire qui craquait aux jointures, non : la *nouvelle* Richmond. L'autre a été détruite il y a plus d'un siècle. Complètement rasée pendant les deux mois d'émeutes. Après avoir supporté des décennies ses affreux centres commerciaux, sa Vieille Ville d'un ennui ahurissant et son absence de restaurants corrects, les habitants sont tout à coup sortis de leurs rails ; ils se sont mis à arpenter la ville tels des anges exterminateurs en détruisant tout sur leur passage. Un grand moment.

Les commentateurs officiels ont successivement invoqué le délabrement du centre-ville, la guerre entre gangs dealers de crack et les phases de la lune. Pour ma part, je crois que les gens s'ennuyaient à mourir ; quoi qu'il en soit, bon débarras. L'ancienne Richmond n'était qu'un vaste cafouillage sans contenu, de toute façon ; du gâchis pur et simple de bonne terre bien plate, avec vue dégagée sur les jolies montagnes pointues de la chaîne Blue Ridge. Tout le monde a été d'accord pour dire que le coin se rendait plus utile depuis qu'il servait de piste d'atterrissage et de point de ravitaillement en carburant aux MégaComms.

Les MégaComms sont des appareils volants mesurant près de huit kilomètres carrés sur deux cents étages de haut ; ils transportent majestueusement leurs passagers d'un bout du continent à l'autre, ainsi que de leur base au sommet ; en fait, ils les prennent là où ils sont pour les déposer là où ils ont le plus envie d'aller. En matière de formes oblongues, on n'a jamais fait mieux ; celles-ci sont d'un noir attrayant dépourvu de tout naturel et piquetées de millions de points lumineux. Tellement grandes qu'elles transcendent la notion même de fonction pour redevenir de simples formes.

Toutes les formes oblongues veulent devenir Méga-Comms quand elles seront grandes.

À l'intérieur, des milliers de grands magasins, des atriums de vingt étages, des ensembles de restaurants grands comme des bourgs de moyenne importance, des dizaines de cinémas multisalles et un éventail d'hôtels susceptible de convenir à tous les portefeuilles, du moment qu'ils contiennent une Carte Or. Le tout — et la liste n'est pas exhaustive — disposé autour de larges avenues circulaires, de mille coins et recoins confortables, et de plantes vertes si nombreuses qu'elles finissent par former leur propre écosystème. Cela bien à l'abri du reste du monde, dans un cocon planant à vingt mille pieds dans les airs.

Le paradis sur terre, ou plutôt juste au-dessus ; on y trouve toutes les bonnes choses bien propres — et surtout *achetables* — qu'on peut imaginer, entassées comme dans un parc d'attraction à étages multiples.

Il y a quatre-vingt-trois ans, le vol MégaComm MA 156 s'est arrêté pour se réapprovisionner en carburant, tout à fait normalement, sur le site de l'ancienne Richmond — et n'en est jamais reparti. Au départ, ce ne fut qu'un simple contretemps administratif. Le genre de problème que n'aurait su résoudre toute la puissance cérébrale accumulée par l'humanité durant la totalité de son histoire, mais qui n'aurait pas représenté d'obstacle pour un quelconque bureaucrate sous-payé. Enfin, s'il s'en était donné la peine. Et si cela ne s'était pas passé pendant sa pause.

Au bout de quelques heures, les clients les plus fortunés ont quitté le navire par voie terrestre, n'ayant pas le temps d'attendre que ça s'arrange. Ils ne pouvaient tout de même pas rester là. Les autres ont rouspété un peu, passé commande d'un plat supplémentaire ou acheté une autre paire de chaussures en se préparant à prendre patience.

Encore quelques heures et il est apparu qu'on avait un problème de moteurs, mais mineur. Là, c'était tout de même plus grave. Quand on tombe en panne de voiture, on ouvre le capot, un point c'est tout. On n'a pas de mal à localiser la pièce défectueuse. Mais quand le moteur a la taille d'un Empire State Building sous anabolisants, on se dit que la nuit va être longue. Il faut déjà quatorze personnes rien que pour porter le mode d'emploi. Les ingénieurs ont bien expédié des droïdes jusque dans les coins les plus reculés, mais ils ont fini par rentrer en secouant la tête (enfin, l'équivalent électronique) et en sifflant entre leurs dents (enfin, l'équivalent mécanique). Le problème était mineur, ça, ils en étaient certains ; malheureusement, ils ne voyaient pas du tout ce que ça pouvait être.

La nouvelle a suscité le départ d'autres passagers, mais d'autres ont décidé de rester. Ce n'étaient ni les téléphones ni les salles de réunion qui manquaient, et le Méga possédait son propre nodal Matriciel. Dans ces conditions, on pouvait travailler. La nourriture était présente en quantité énorme, de même que les autres biens de consommation courante, on n'avait pas de mal à faire blanchir ses draps… Donc, on pouvait vivre une vie normale. Franchement, comme cadre de vie, il y avait pire.

On n'a jamais pu remettre les moteurs en marche. Ils étaient certainement réparables, mais on s'y est peut-être pris un peu tard. Au bout de deux ou trois jours, les gens de l'extérieur ont commencé à envahir le Méga ; ceux qui n'avaient plus de domicile depuis le grand incendie de Richmond ; ceux qui vivaient dans la cambrousse alentour ; ceux qui avaient entendu parler de ses supermarchés et laissaient parler leur estomac… Ils ont afflué de partout — de la plaine comme des montagnes — pour venir frapper à la porte du Méga. Au début, les vigiles les ont dûment repoussés ; mais ils étaient nombreux, et parfois en colère. Pour eux, à part être obligés de vivre à Richmond, il n'y avait rien de pire que de ne *plus* pouvoir y vivre.

Le personnel de sécurité s'est alors réuni et a mis sur pied un plan. On voulait bien laisser entrer les gens, mais pour ça, on allait les faire payer.

Pendant environ six mois, le Vol MA 156 est demeuré dans un état instable : nul ne savait s'il reprendrait les airs un jour. Puis le vent a tourné ; on a compris qu'il n'y avait plus rien à attendre de ce côté-là. Mais en fin de compte, ça arrangeait les habitants. Ils s'y sentaient chez eux, maintenant. Alors on a fait tomber des cloisons, abattu des bâtiments, remodelé le paysage urbain. Les passagers d'origine se sont réservé les étages supérieurs et ont construit leurs résidences au-dessus du centre commercial proprement dit, en se concurrençant mutuellement pour voir qui s'éloignerait le plus des pauvres, ceux des niveaux inférieurs qui, eux aussi, entamaient leur ascension. Ensuite, une agglomération annexe s'est édifiée au niveau du sol, tout autour du Méga, et on l'a appelée la « Porte » de la ville.

Les sociétés locales de service — eau, électricité, etc. — ont fini par desservir cette cité improvisée et c'est ainsi que New Richmond a vu le jour. À part ses origines inhabituelles et sa forme indéniablement oblongue, c'est à présent une ville comme les autres.

Quand on n'est pas au courant, on peut n'y voir qu'un phénomène d'urbanisation aberrant.

Pourtant, on dit que dans une pièce oubliée, au plus profond des entrailles de la cité, repose une valise également oubliée, abandonnée là par une des premières familles de déserteurs ; un témoin muet de la naissance de la ville. Personne ne sait où se trouve cette pièce et pour la plupart des gens, c'est une simple rumeur urbaine. Puisque l'ensemble formé par l'ex-vol MA 156 mérite à présent le qualificatif d'« urbain ».

Personnellement, j'y ai toujours cru ; de la même manière, la nuit, je me demande parfois si la ville lève les yeux pour voir passer lentement au-dessus d'elle les autres MégaComms. Surveille-t-elle le ciel, les voit-elle, sait-elle qu'en un sens, c'est là-haut qu'est sa place ? D'un autre côté, nous entretenons tous des croyances de ce type, et nous sommes bien peu à voir juste.

« Deux cents dollars », m'a-t-il dit en essayant de se composer un regard à la fois décontracté et circonspect — et en échouant sur toute la ligne. Mais il ne parlait pas de ce que j'avais à vendre. Je n'étais même pas encore à New Richmond. Il était plus de huit heures du soir, ma patience s'amenuisait et je n'avais plus beaucoup de temps devant moi.

« Qu'est-ce que c'est que ces conneries ? j'ai répliqué. Le tarif, c'est cinquante. »

Il a ri. De toute évidence, je l'amusais sincèrement.

« Vous revenez de voyage ou quoi ? L'époque où on demandait cinquante, je m'en souviens même plus tellement c'est loin !

— Cinquante », j'ai répété. Peut-être qu'en répétant le mot autant de fois qu'il faudrait, je finirais par le programmer neurolinguistiquement. Je me tenais devant une porte dérobée au sous-sol d'un immeuble de… la Porte, justement. Ce cauchemar à base de gratte-ciel déglingués et de semi-taudis qui cerne New Richmond proprement dite. L'immeuble en question était collé au mur d'enceinte et je voulais passer de l'autre côté. J'avais déjà supporté la fouille à l'entrée de la baraque — un gang quelconque en contrôlait l'accès — et acquitté en outre une « taxe » de vingt dollars sur mon pistolet. Ces deux cents dollars, je ne les avais plus ; en fait, il m'en restait à peine cent. Et de toute façon, je n'avais pas le temps.

Le type a haussé les épaules. « Si c'est comme ça, vous n'avez qu'à passer par l'entrée principale. »

J'ai fourré mes poings dans les poches de mon blouson en réprimant colère et panique en quantités égales. « Et vous avisez pas de sortir votre flingue, a poursuivi l'autre sans hausser le ton, parce que trois copains à moi que vous avez même pas vus sont tout prêts à vous faire la peau. »

Il m'était impossible de passer par l'entrée principale, et il le savait fort bien. On ne se baladait pas dans ce quartier de la Porte quand on pouvait pénétrer dans New Richmond par un des accès légaux : ça voulait dire utiliser sa persoCarte, donc clamer son patronyme sur tous les toits, notamment celui des flics et de la municipalité, sans parler de tous les gens qui s'étaient connectés frauduleusement au réseau.

« Écoutez, j'ai repris. Ce n'est pas la première fois que je passe par là. Je n'ai pas besoin de guide, seulement de franchir ce barrage. Or, j'ai cinquante dollars sur moi, pas un de plus. »

Le type s'est retourné et a fait un signe à un ou plusieurs individus invisibles. Plusieurs paires de pieds sont sorties de la zone non éclairée pour venir dans ma direction.

« Vous bossez toujours pour Howie-les-bons-plans, les gars ? » ai-je négligemment lâché. Les bruits de pas ont cessé et le type a reporté sur moi un regard prudent.

« Qu'est-ce que vous savez sur m'sieur Amos ?

— Pas grand-chose », ai-je menti.

Howie était un truand de modeste envergure ayant établi sa base opérationnelle au huitième étage. Il faisait travailler quelques filles, possédait un bar et était si bien introduit sur le marché de la drogue, et ce jusqu'au bas de l'échelle, que les vrais caïds lui foutaient la paix. C'était un type gras et sympathique, affublé d'une étonnante masse de cheveux blonds, mais bien plus en forme qu'il n'en avait l'air et tout à fait capable de garder un secret. En fin de soirée, quand la plupart des clients étaient partis, il lui arrivait de se joindre à son groupe de blues et le résultat était surprenant. Il n'avait pas les yeux de feu, mais il aurait pu. Il était du genre loyal et fidèle en amitié.

« Juste assez, ai-je poursuivi, pour décrire à *certaines* personnes *certaines* affaires qu'il traite dans leur dos. Or, si jamais il se mettait en tête que les renseignements en question viennent de vous, les gars…

— Et pourquoi il se mettrait ça en tête, hein ? » s'est-il enquis sans grand enthousiasme. Ces voyous-là n'atteignaient même pas le premier barreau de l'échelle. D'ailleurs, l'échelle, ils ne savaient même pas où elle était ; ils étaient obligés de prendre l'escalier. Ils n'iraient jamais plus loin que le seuil de cette porte. Ils ne cherchaient pas à s'emberlificoter dans la jungle de New Richmond. Ils savaient bien qu'ils n'étaient pas à la hauteur.

« Alors là, je ne vois vraiment pas. Bon, disons cinquante dollars maintenant et les cent cinquante autres en ressortant. »

Il ne pouvait pas savoir si je ressortirais un jour, mais cinquante dollars, c'était mieux que rien, sans parler des ennuis potentiels. Il a donc fait un pas de côté. J'ai compté les billets et il m'a ouvert la porte.

« J'en rajouterai vingt si vous m'oubliez sur la liste que vous revendez aux flics.

— Je ne vois pas de quoi vous voulez parler », a-t-il rétorqué sans s'émouvoir. Toutefois, quelque chose a changé dans son attitude. « Mais je ne dis pas non, pour les vingt dollars de plus. »

J'ai opiné et franchi le seuil. La porte s'est refermée derrière moi et je me suis retrouvé à New Richmond pour la première fois depuis cinq ans.

J'étais dans un ancien couloir de service qui menait au bloc moteur inférieur en serpentant sur des kilomètres dans un labyrinthe de galeries humides bien peu rassurantes. La zone ne renfermant rien de rentable, on n'avait pas vu d'inconvénient à ce que l'urbanisation extérieure en bouche l'entrée. Personne ne tenterait jamais de remettre les moteurs en marche, de toute façon. Une rumeur ancienne prétend qu'un droïde de maintenance y est encore à l'œuvre quelque part, depuis tout ce temps, et qu'en vieillissant, il est devenu fou ; mais moi je n'y crois pas.

La porte est restée longtemps dans l'oubli ; puis, en la redécouvrant, on a bien vu les services inestimables qu'elle pouvait rendre en donnant discrètement accès à la ville. Un passage partant du couloir de service mène, via les tuyères d'échappement, à un escalier dérobé peu connu qui, à son tour, conduit au premier étage de l'ancien Méga.

Mais ce n'était pas par là que je prévoyais de passer. Sans perdre de temps, j'ai parcouru deux cents mètres dans le couloir ; de part et d'autre, des panneaux métalliques tachés et incrustés de rouille. Il règne dans ce coin-là un silence irréel ; c'est peut-être le seul endroit de la ville où il n'y a *vraiment* pas de bruit. Le couloir a brusquement viré à droite ; quatre cents mètres plus loin, les plafonniers dispensant une lumière terne et instable disparaissaient au tournant. Au lieu de me repérer sur eux, j'ai bandé mes muscles et sauté en l'air, les bras dressés au-dessus de la tête. Mes poings ont heurté un des panneaux du plafond, qui s'est soulevé avant de basculer sur le côté, révélant un néant obscur. Après un rapide coup d'œil en arrière, histoire de m'assurer que personne ne me voyait, j'ai fait un nouveau bond sur place, et cette fois je me suis hissé par le trou.

Dès que j'ai eu remis le panneau en place, je me suis retrouvé dans le noir total, si l'on exceptait les rais de lumière jaune s'échappant des fentes du sol. Je me suis redressé en rentrant la tête dans les épaules, comme l'exige la circulation dans les conduits d'aération de New Richmond, et je me suis élancé. De temps à autre me parvenait un signe de vie émanant de la cité. Un gargouillis venu de si loin qu'il avait eu le temps de vieillir ; une série de tintements issus du fond des âges ; un spectre de phrase inachevée qui, accidentellement pris dans un dédale quelque part au-dessus de ma tête, se répercutait jusque dans ce cimetière pour sons. Le couloir me rappelait invariablement la matrice stérile et décatie de l'ancienne Richmond ; mais il faut dire que j'ai toujours été un peu con.

Au bout de quatre cents mètres, je suis arrivé sous une des entrées principales. On les repère au bruit : des milliers de pieds y circulent dans les deux sens. Je me suis perdu un instant dans mes souvenirs. Autrefois, il m'arrivait d'emprunter ce passage secret juste pour le plaisir, mais si on veut prendre toute la mesure de l'endroit, il faut passer par la surface. Le visiteur entre alors par un grand hall de vingt étages qui donne un avant-goût de l'opulence qui l'attend s'il peut se faire admettre au-delà du 100ᵉ. Dans le temps, ces vingt galeries superposées étaient vitrées côté hall ; puis elles sont devenues le repère des malfrats et on les a murées. On se croirait dans la plus grande, la plus tapageuse de toutes les cabines de douche. On gagne la réception, on introduit sa persoCarte dans la machine et on reçoit ou non le feu vert. Moi à l'époque, j'habitais les 70, comme on dit : entre le 70e et le 80e étage, quoi ; alors je me dirigeais ensuite vers un des ascenseurs express, qui me propulsait vers le ciel.

Mais ce soir, ça ne se passerait pas comme ça. Ce soir, j'allais me faufiler comme un serpent dans une interminable enfilade de tunnels, et je n'irais pas au 72e ; je n'avais plus rien à y faire. Si j'étais là, c'était que j'avais besoin d'argent, et que je connaissais un seul moyen de m'en procurer. Je voulais repartir aussitôt l'affaire conclue, et tourner le dos pour de bon à la Virginie.

On avait atteint l'agglomération de la Porte tôt dans la soirée. Il pleuvait depuis le matin et la température baissait au même rythme que le jour. L'État de Virginie ne rigole pas avec l'hiver, surtout par les temps qui courent. Il vous dit : « Tu veux de l'hiver ? Eh ben tiens, en voilà ! » Et là-dessus, vlan ! Les *alters* ne sentaient plus leurs jambes — d'accord, la plaisanterie n'était pas de très bon goût, mais je m'en moquais. Ils ne savaient pas ce que c'était que le froid, et les lambeaux de tissu prélevés sur mes propres vêtements ne leur étaient pas d'un grand secours.

Heureusement, on n'avait pas rencontré grand monde dans les rues. On ne vient pas à la Porte pour se balader, surtout la nuit ; autant rester chez soi et s'agresser soi-même dans le confort de son appartement. D'ailleurs, Howie Amos employait une brigade qui ne faisait que ça : on l'appelait en disant qu'on envisageait d'aller à la Porte et il envoyait quelqu'un vous casser la figure — dans la demi-heure, sinon on avait une réduction d'un dollar. Ça marchait du tonnerre.

J'avais regroupé les alters en rangs serrés et je les poussais devant moi ; on rasait les murs en évitant les zones éclairées ; je comptais sur Suej et David pour m'aider à faire avancer les autres en bon ordre. Je leur avais tout expliqué, ils savaient que ça pouvait me poser des problèmes. Ils obéissaient docilement. On a progressé ainsi à bonne allure sur plus d'un kilomètre avant d'arriver devant chez Hal.

J'ai marqué une pause, le temps de regarder en arrière en retraçant le chemin parcouru. À la Porte, les rues sont droites et rayonnent à partir de New Richmond, qui en occupe logiquement le centre, en dessinant une toile d'araignée géante. Quand on se plante au milieu de la chaussée, on voit aussi loin que le permet la pluie. Cette rue-ci était jalonnée de réverbères qui projetaient des flaques de lumière jaune, épaisse et moelleuse comme de la crème qui va tourner. Plus loin, à perte de vue, s'étendait la lisière de la Porte, puis la route qui s'enfonçait dans l'obscure campagne virginienne, avec, tout au bout, très loin, les montagnes appelées Blue Ridge. C'était de là qu'on venait. Une tranche de géologie tout ce qu'il y a de plus prosaïque, avec beaucoup d'arbres dessus. Tout à coup, j'ai perçu une forte ressemblance entre les rues de la Porte et mes « tunnels ». Alors j'ai accepté l'évidence : ce que j'avais vécu ces cinq dernières années était *réel*.

J'ai donné un coup d'épaule dans la porte de l'immeuble et poussé les alters dans l'entrée, dont le sol disparaissait sous plusieurs centimètres d'eau glacée. De la musique résonnait à grands coups sourds dans les étages supérieurs. J'ai ordonné aux alters de se tenir tranquilles et de se cacher si on venait ; puis j'ai gravi quatre à quatre l'escalier en colimaçon dont les marches en bois montaient dans le noir. Arrivé au deuxième étage, j'ai pris mon courage à deux mains et frappé à la porte de Hal.

Il a eu un sursaut de stupeur digne d'un comique de bas étage, puis il est resté bouche bée, une main tenant toujours le battant. Il portait un bermuda élimé révélant des jambes couvertes de cicatrices, et son tee-shirt minable moulait une bedaine que je ne lui connaissais pas ; en outre, on aurait dit que ce tee-shirt avait été porté par cinq personnes successives — et pendant toute leur vie — sans jamais voir une goutte d'eau. À part la pluie. À l'intérieur brillait une ampoule nue, et quelque part dans les profondeurs s'élevait un fumet de… de nouilles sautées, évidemment ; pas de doute là-dessus. Jamais je ne l'avais vu manger autre chose, du moins de son plein gré.

Il a fini par reprendre ses esprits, battre des paupières et s'efforcer de sourire.

« Jack, a-t-il coassé tandis qu'un calme étrange semblait compenser son extrême stupéfaction. Qu'est-ce que tu fous là ?

— Tu vois, je viens te rendre une petite visite de courtoisie. En souvenir du bon vieux temps.

— Ben voyons. D'ailleurs, j'attends aussi le pape. » Il a fermé les paupières de toutes ses forces, l'espace de quelques secondes ; puis, se pinçant l'arête du nez : « T'as des ennuis, c'est ça ?

— Eh oui ! » J'ai souri en réprimant une envie de me dandiner. La tension. J'avais au moins sept raisons d'être tendu. J'ai eu un mouvement de tête en direction de l'appartement mal éclairé. « Qu'est-ce que tu mijotes ?

— Des nouilles, a-t-il répondu en me considérant avec méfiance. T'en veux ?

— Ça dépend quelle quantité tu en as fait. Je ne suis pas tout seul.

— Ah bon ? Et tu as amené combien d'amis ? »

J'ai pris mon souffle. « En tout, on est sept. » Il a ouvert de grands yeux et secoué la tête. Pas pour dire non — plutôt pour exprimer son ahurissement. J'ai voulu lui faciliter la tâche. « Enfin, disons six et demi.

— Ça fait pas mal de nouilles, ça, dis-moi.

— Trop ?

— Pas forcément. Je les achète en gros. » Il s'est détourné une seconde en se mordant la lèvre inférieure ; manifestement, il calculait. Il n'avait pas son baudrier ; que fallait-il en conclure ? Rangé des voitures ou moins parano qu'avant ? En fait, le plus probable était que je le dérangeais pendant qu'il nettoyait son arme. Je ne le voyais ni se ranger des voitures ni devenir moins parano.

Puis il m'a regardé en haussant les sourcils, l'air résigné. J'ai lu de l'amitié dans son regard. Avec un soupir, il m'a demandé : « Où sont-ils, ces invités ? Et dans quel pétrin je risque de me fourrer si je les fais entrer dans ma vie, même brièvement ?

— Je les ai laissés en bas. » D'ailleurs, j'avais intérêt à les récupérer en vitesse, quelle que soit l'issue de mon entrevue avec Hal. Son immeuble, c'est justement là où vont les gens louches quand ils ont envie de s'amuser un peu. C'est bien pour ça qu'il est parano — et aussi qu'il s'y plaît. « J'ai seulement besoin de te les laisser une heure. Après ça, on fout le camp.

— Tu aurais pu téléphoner pour prévenir.

— Quand je veux demander un service complètement dingue à un vieux pote, je préfère le faire en chair et en os. En plus, je n'avais pas de monnaie.

— Et qu'est-ce que je risque ?

— Ça dépend. Ton échelle de risque est graduée jusqu'à combien ? » Je barjotais. La tension. Je devais rassurer Hal, sinon il était capable de flipper. D'ailleurs, il y avait de quoi, mais ça, je ne voulais pas qu'il le sache. Pas encore.

« Jusqu'à dix.

— Alors… » Tout à coup, je cédais à l'affolement.
« Je dirais dix. Peut-être même plus. Et ça monte de
minute en minute. »

Hal a lâché la porte. « Fais-les monter. »

Un bref soupir de soulagement. « Tu sais, Hal… »

Il a balayé du geste mes remerciements. « Ouais,
ouais, je sais. Rapporte-moi des pickles japonais. J'ai
oublié d'en acheter.

— Ça tombe bien, je vais en ville. Je t'achète le plus
grand pot de ta vie. Des Samoy ? »

Il a levé les yeux au ciel et secoué la tête. « Ça, c'est
quand on a faim. Des Frapan sinon rien.

— Pour un type qui bouffe autant, t'as vraiment des
goûts de merde.

— Tu l'as dit. » Il s'est remis à secouer la tête. « Y
a qu'à voir comment je choisis mes amis. »

J'ai souri, puis franchi les deux mètres qui me séparaient de la cage d'escalier. Je m'apprêtais à appeler
quand le visage anxieux de Suej m'est apparu dans la
pénombre. Je me suis contenté de lui faire signe. David
et elle ont fait monter les autres, qui nous ont rejoints
à la queue leu leu. Ouvertement intrigué, Hal ne disait
rien. Sous la lumière moins sale qui régnait dans le
couloir, je l'ai trouvé rougeaud sans parler des rides au
coin de ses yeux. Ça aussi c'était nouveau.

On ne rajeunit pas, lui et moi. Tout à coup, voilà qu'on
a presque quarante ans. Voilà qu'on devient vieux.

C'est David qui a atteint le palier en premier. Les
mains dans les poches de son jean, il boitait du côté
de sa jambe opérée. Le blue-jean, c'était moi qui le lui
avais donné ; il en avait maladroitement roulé le bas et
une ceinture le retenait à la taille. Il ne paraissait pas
ses quinze ans, malgré l'expression querelleuse qu'il
arborait depuis le départ de la Ferme. Juste derrière
venait Jenny ; emmitouflée dans son manteau, elle avait
toujours l'air aussi effrayée, aussi solitaire. Depuis la

veille j'essayais d'arranger les choses avec elle, mais elle persistait à croire que tout était de sa faute et je n'avais pas vraiment eu le temps de la détromper.

Ensuite venait Suej, qui tirait Nanune par la main. À part la cicatrice qui lui barrait le visage, elle n'avait rien d'anormal ; elle ressemblait à n'importe quelle gamine de quatorze ans. Nanune était affolée, et avec une seule jambe, elle avait du mal à monter. En me voyant elle a paru momentanément soulagée, ce qui m'a fait plaisir. Plus personne n'avait l'air soulagé en me voyant. Depuis bien longtemps.

Monsieur Deux fermait la marche, son paquet dans les bras. Hal avait plutôt bien réagi devant les autres, mais quand il a vu débarquer un adolescent de près de deux mètres trimballant un sachet brun dont sortait une tête, je crois l'avoir vu broncher. Monsieur Deux s'est planté tout droit sur le palier et a lancé un regard furibond à droite puis à gauche. Alors sa tête est retombée sur sa poitrine comme si on venait de le débrancher. L'alter du sachet a lâché le mot : « Dodo. »

S'il vous plaît, les gars. Essayez de vous comporter comme des gens normaux.

« Il va nous laisser entrer, ton ami ? » a demandé Suej.

Je lui ai fait signe que oui. Il faudrait un bon bout de temps avant qu'ils sachent s'adresser à un autre que moi. Rayonnante, elle a murmuré quelques mots à l'oreille de Nanune.

« On y sera bien ? Et Ferraille, il est là aussi ? a interrogé cette dernière.

— La réponse est non dans les deux cas, malheureusement, ai-je répondu en lançant un clin d'œil à Hal. Mais au moins on sera à l'abri de la pluie. »

J'ai présenté les alters à Hal, un par un. Suej et David lui ont serré la main ; il a bien vu que David avait des doigts en moins. Puis il s'est écarté pour les laisser entrer. Ce qu'ils ont fait, en file indienne. Monsieur Deux a dû baisser la tête pour passer la porte.

L'appartement n'avait pas beaucoup changé, d'après le souvenir que j'en gardais. En d'autres termes, je savais à quoi m'attendre. Mais les alters, non. Dix ans plus tôt, Hal avait fait tomber toutes les cloisons pour rendre omniprésente sa grande baie vitrée, qui donnait en plein sur New Richmond. Lui qui avait choisi de résider dans le faubourg sous prétexte qu'il aimait quitter à intervalles réguliers la sombre effervescence de la vie en ville, il avait pourtant déstructuré son chez-lui pour l'avoir sous les yeux à tout instant. La décoration intérieure ne surprenait pas de la part d'un célibataire saoul la moitié du temps et péniblement sobre pendant l'autre moitié. En d'autres termes, c'était le bordel. Une pagaille baroque empestant les nouilles chinoises, celles-ci formant, je l'ai dit, l'essentiel de son alimentation.

Nanune en a fondu en larmes. Hal lui a jeté un regard noir, puis il a fait de la place à grands coups de pied.

« Ton expo, tu l'as toujours ? » ai-je discrètement demandé. Comme il acquiesçait en silence, j'ai ajouté : « Tu ne pourrais pas… je ne sais pas, moi… La cacher derrière un rideau, par exemple ? »

Avec un grognement, il est allé en traînant les pieds tirer sur une cordelette près de la fenêtre. Un drap tombé du plafond a recouvert les photos punaisées au mur, qui représentaient des victimes d'assassinat. Malheureusement, le drap ne s'est pas arrêté dans sa chute. Avec un juron étouffé, Hal a attrapé une chaise et entrepris de remettre en état son installation de fortune.

Pendant ce temps j'ai entraîné les alters vers le coin salon, ou ce qui en tenait lieu. J'ai dû déplacer des brassées de saloperies pour qu'ils puissent s'installer à peu près confortablement. Jenny avait resserré ses bras autour d'elle et son regard se perdait dans le vague. La lumière diffuse d'une lampe à demi enfouie la rendait très belle, très fragile. Nanune semblait toujours aussi terrifiée mais Suej, blottie contre elle, lui parlait tout bas. Ce n'étaient pas vraiment des mots qui sortaient de sa bouche, mais même moi elle réussissait à me réconforter. C'était ce que j'appelais du « tunnelien ». Quant à Monsieur Deux, il avait l'air prêt à encaisser un tir de missiles tactiques — et à bout portant en plus ; l'alter qu'il tenait sur les genoux devait aller bien aussi. Enfin, autant que possible dans son état.

« On va rester combien de temps ici ? » a voulu savoir David. Tout à coup je me suis aperçu qu'il était à bout de forces, même s'il gardait les yeux grands ouverts, comme un enfant déterminé à se coucher tard.

« Pas très longtemps. Disons deux ou trois heures. Le temps que je trouve de l'argent. Puis on achète une camionnette et on fiche le camp.

— Pour aller où ? » Il me serinait la même question depuis vingt-quatre heures.

« Je ne sais *toujours* pas. Là où on sera en sécurité. » Jenny a relevé la tête et je lui ai fait un clin d'œil. J'ai obtenu en retour une fantomatique ébauche de sourire.

« En Floride ? a suggéré Suej, pleine d'espoir.

— Possible. » Longtemps auparavant, je lui avais parlé d'un endroit que je connaissais là-bas et dans sa tête, c'était devenu une espèce de paradis. Je n'avais pas le cœur de lui avouer qu'on risquait fort de se faire arrêter bien avant.

Je me suis retourné vers Hal. « Comment est l'eau, chez toi, par les temps qui courent ? Et ne me réponds pas "mouillée", s'il te plaît. Il y en aura assez pour tout le monde ?

— Pourvu que vous ne restiez pas trop longtemps, oui. » Hal m'avait toujours compris à demi-mot, surtout quand je lui demandais un service. J'ai fait signe à Suej, qui elle aussi a saisi l'allusion et dressé l'ordre de succession sous la douche. Les alters n'avaient pas l'habitude de rester longtemps sans se laver ; en le leur permettant, j'augmentais sensiblement leur niveau de vie — à court terme. Heureusement, d'ailleurs ; parce que je n'avais pas grand-chose d'autre à leur offrir, et selon toute probabilité, ça n'allait pas s'améliorer dans l'immédiat.

« On lavera les vêtements… plus tard », ai-je conclu en restant sciemment dans le vague, avant de me diriger sans hâte vers la fenêtre.

Il pleuvait toujours. À la Porte, on a l'impression qu'il flotte tout le temps, de toute façon. L'été par grosses gouttes sales et l'hiver par fines stries mordantes. Enfin, il y a au moins quelque chose qui tombe du ciel. Les indigènes croient que ce sont les riches qui se font une joie de leur pisser dessus, eux, les rien du tout, depuis le toit de la cité. Et à voir la couleur de la pluie, parfois, il y a de quoi se poser des questions.

La ville de New Richmond était égale à elle-même. C'en était même irréel. Je n'aurais pas dû m'en étonner, et pourtant si. Je l'avais entraperçue de loin, sur la route de la Porte, mais ce n'était pas pareil. La voir s'encadrer comme ça dans la baie vitrée de Hal, c'était comme me regarder à nouveau dans certain miroir bien précis après une longue absence. Je me suis empli les yeux des points lumineux qui cloutaient par milliers sa surface démesurée. Elle était toujours aussi extraordinaire, et tout en elle me disait : *Viens.* Comme d'habitude.

« Ça va ? »

Hal me tendait une cigarette.

« Ouais. »

J'ai savouré la sensation salement décapante de la substance carcinogène dans mes poumons. J'étais à court depuis le matin, mais je n'avais pas osé entrer dans un magasin tant que les alters n'étaient pas en sécurité. Hal est resté un moment sans rien dire, puis il m'a posé la question qui lui brûlait les lèvres.

« On peut savoir où tu étais passé ? »

L'espace d'un instant, dans la pénombre de l'appartement, j'ai trouvé qu'il n'avait pas changé du tout. Le temps n'avait pas passé, tout était comme avant, un foyer m'attendait quand j'aurais fini de faire la causette avec lui. Saisi d'un frisson, j'ai compris que j'atterrissais d'un coup ; l'adrénaline commençait à virer à l'aigre.

« Phieta ne t'a rien dit ? Je lui avais pourtant demandé de te tenir au courant.

— Je ne l'ai jamais revue, Jack. *Personne* ne l'a jamais revue. Quand tu as disparu, j'ai demandé qu'on se renseigne, au cas où elle aurait été dans le coup ; mais elle était aussi introuvable que toi.

— Excuse-moi, Hal. J'ai bien pensé t'appeler, mais… Je n'ai pas pu. »

Il a hoché la tête. Peut-être qu'il comprenait, après tout. « Je suis vraiment désolé, pour ce qui s'est passé. »

J'ai opiné en silence. Pas question que j'aborde le sujet.

« Si ça peut te consoler, on dit que Vinaldi a des problèmes en ce moment. »

On était encore suffisamment proches pour qu'il se permette de prononcer ce nom devant moi ; je m'en suis réjoui. « Quel genre de problèmes ?

— Certaines rumeurs circulent. C'est lui le caïd, maintenant. Le plus probable est qu'un autre veut sa place. Les conneries habituelles, quoi. J'ai pensé que ça t'intéresserait. » Il a secoué la tête. « Tu ne restes que deux heures, tu es sûr ? »

J'ai acquiescé. « Je suis trop dans la merde. Je ne m'en tirerai pas comme ça. Il faut qu'on disparaisse, et pour de bon.

— Une fois de plus. » Un sourire. « Y a un truc qu'il faudra que je te dise, quand même. Plus tard, avant que tu t'en ailles. » Sa grosse patte s'est abattue dans mon dos, puis il s'est retourné vers les alters. « Des nouilles chinoises, ça vous dirait, les mômes ? »

Ils l'ont regardé en ouvrant de grands yeux.

« Ils ne savent pas ce que c'est, l'ai-je informé.

— Alors ils ne connaissent rien à la vie. »

Il avait raison.

J'ai marché longtemps dans les entrailles de New Richmond ; mon estomac gargouillait et je regrettais de n'être pas resté pour les nouilles. Mais le temps manquait. Nous avions à nos trousses des gens qui ne plaisantaient pas, et notre refuge n'était que provisoire : bientôt *ils* se rendraient compte que je leur avais donné un faux nom et une fausse adresse en arrivant à la Ferme. Et là, ça allait barder.

Il y avait trois kilomètres de mon point d'entrée jusqu'au pied de l'échelle ; trois kilomètres de ténèbres en relief et de sons étouffés. Une fois le puits d'aération en vue, j'ai fait rouler ma tête sur mes épaules en regrettant — aussi brièvement qu'inutilement — d'être fumeur. Puis j'ai posé le pied sur le premier barreau de l'échelle vissée au mur.

Au bout de dix minutes, j'avais mal aux bras et aux jambes, mais j'étais au niveau du conduit d'aération vertical n° 8. De nos jours, dans le MégaComm, le circuit d'aération d'origine est totalement désaffecté et presque intégralement empli d'ordures, de gadoue et d'innommables immondices en tout genre émanant de mille sources différentes. Une espèce de rivière souterraine au tracé oublié, cent fois recouverte, détournée, dissimulée, mais qui apparaît encore dans les fissures, les interstices. Les brèches. Les trappes d'entretien étaient soudées depuis longtemps, à l'exception de deux. J'espérais qu'on n'avait pas condamné celles-là pendant mon absence. Sinon, j'étais dans le pétrin.

Je me suis extrait du puits d'aération en opérant un rétablissement et, plaqué contre le sol du conduit horizontal, j'ai braqué ma torche miniature dans l'obscurité. La voie était toujours libre. J'ai rapidement franchi huit cents mètres vers le nord, jusqu'au panneau mural que je visais. J'en ai desserré les écrous avant de chausser des lunettes noires. Pas par coquetterie, non. Il ne fallait pas qu'on me reconnaisse. Le risque était assez faible, mais je n'aime pas les risques, fussent-ils justifiés, sauf si j'ai envie de m'amuser un bon coup. Mais les lunettes avaient une autre raison d'être : la trappe débouchait dans les toilettes pour dames d'un restaurant situé au 8e. Dans un des boxes, pour être précis.

J'ai tiré le panneau d'un millimètre : personne. Je suis donc passé par le trou aussi prestement, aussi silencieusement que possible. Ce qui n'était pas une mince affaire. Je mesure plus d'un mètre quatre-vingts et je suis plutôt carré. Ces trappes ne sont pas vraiment faites pour les types dans mon genre. De la musique pulsait à l'extérieur, mais apparemment il n'y avait personne devant les lavabos.

J'ai remis le panneau en place et poussé la porte du box. Erreur : je suis tombé sur une jeune femme. *Bien joué, Jack. Je vois que tu n'as pas perdu la main.*

Elle était courbée au-dessus d'un lavabo, tout au bout de la pièce. Très mince, elle avait d'épais cheveux bruns et portait une robe d'un bleu iridescent. Ses jambes gainées de bas fins étaient jolies et ses escarpins très pointus.

Je vois, ai-je songé en pariant sur la profession de la belle. Elle s'est déplacée de quelques centimètres ; j'ai entrevu un miroir de poche et un billet de cent dollars roulé. Sans bruit, j'ai fait un pas vers la porte ; peut-être était-elle trop occupée pour s'apercevoir de ma présence.

Erreur, là encore. Elle a levé les yeux ; la direction de son regard était imprécise, mais le temps de réponse très bref.

« Chouette ! Un grand costaud. Super. » Elle était entre joliesse et beauté, le nez était un peu trop grand pour la première catégorie mais la structure globale trop régulière pour la seconde. Les yeux étaient d'un vert pâle qui semblait naturel.

« Vous avez l'ouïe fine, ai-je constaté.

— Eh oui. C'est un don. » Avec un reniflement, elle a entrepris de se poudrer l'autre narine. Puis elle a eu une idée et reporté son regard sur moi. « Qu'est-ce que vous faites là ?

— Dératisation.

— Mon œil. De toute façon, j'ai un permis. J'ai le droit de "ratisser" dans le coin, *moi.*

— Et si je m'en allais, comme ça, tout simplement ? Si vous ne vous posiez pas de questions ? »

Elle a médité un long moment en me dévisageant, puis haussé les épaules. « OK. » Elle s'est repenchée sur son miroir. J'ai pris la porte.

Un bout de couloir conduisait au restaurant. J'ai obliqué vers la sortie. On approchait des neuf heures du soir ; pour le restaurant, c'était donc une période de transition. Au 8e, on observe une espèce de roulement. On s'y ébat bruyamment vingt-quatre heures sur vingt-quatre, mais concrètement, le cycle se décompose en trois périodes, trois « soirées » de huit heures. Il m'est arrivé de faire deux fois le tour de l'horloge. Je déconseille formellement l'expérience, sauf comme tentative de suicide onéreuse. La salle était à moitié pleine et la clientèle principalement constituée d'habitants des 60 et 70, pour la plupart au bord de l'inconscience ou tellement speed qu'on entendait presque leurs dents vibrer. Pimpants et enthousiastes, les nouveaux venus, au contraire, se frottaient les mains par avance.

Personne ne m'a vu sortir des toilettes, personne ne m'a prêté la moindre attention quand j'ai traversé la salle. Légèrement enivré par le spectacle de pareille foule — je n'avais plus l'habitude —, j'ai fui vers l'avenue.

Le 8ᵉ est une anomalie au sein des étages inférieurs. On peut dire qu'il y règne un certain degré de civilisation. Entre le 1ᵉʳ et le 7ᵉ, puis entre le 9ᵉ et le 49ᵉ, les étages sont infréquentables, chacun à sa manière, selon l'individu qui y fait la loi à tel ou tel moment ; en règle générale il vaut mieux les éviter, surtout les 20 et les 30. Cette zone-là est comme du code mort, inactif, coupé de la boucle formée par la vie normale ; elle est livrée à elle-même et la purulence y va bon train.

D'ailleurs, le 8ᵉ n'est guère plus fréquentable, mais au moins, il a quelque ambition. À l'origine, c'était là qu'on trouvait les premiers restaurants dans la progression verticale, et l'étage était resté un lieu où l'on venait principalement manger, boire ou s'amuser. Quelles que soient vos préférences sexuelles, vous êtes sûr de trouver l'objet de vos désirs en train de danser sur une scène microscopique. On y trouve aussi toute la panoplie des drogues douces, ou peu s'en faut, sans risquer d'être pris dans une fusillade. Tout ou presque y est au niveau du sol, sans galerie supérieure, et on n'y allume pas les projecteurs du plafond — on préfère s'en tenir aux réverbères orange qui bordent les avenues. Quand on n'y regarde pas de trop près, le 8ᵉ a finalement une sorte de charme bancal ; on se sent un peu comme dans un centre-ville décrépit mais plein de vie de capitale européenne, ou comme dans le Vieux Quartier de La Nouvelle-Orléans. Le plafond est tapissé de plantes grimpantes et de feuillages, à tel point que les rues ressemblent à des sentes forestières. En général, dans les forêts je chope la Trouille, mais pas au 8e; je m'y plais; je m'y suis toujours plu. Il y a partout des néons, du jazz automnal, de bonnes odeurs de nourriture et je ne sais pourquoi, une sensation d'immédiat après-pluie. Naturellement, il ne pleut jamais, mais c'est toujours l'impression que j'en retire.

J'ai rapidement gagné le milieu de la rue en repérant ce qu'il y avait de nouveau et ce qui, à l'inverse, n'avait pas changé. Les artères proprement dites n'étaient pas très animées mais presque toutes les portes ouvertes déversaient de la musique, sur laquelle des strip-teaseuses peu appliquées semblaient flotter en ondulant sur les tables. Quelques sans-abri occupaient les coins de rue; bloqués en « Erreur système », de leurs mains tendues ils semblaient s'offrir au curseur du chaland, mais avec cette allure-là, personne n'aurait osé cliquer sur eux. Question d'image. Ils auraient dû s'associer et se payer un conseiller en image publique, faire diffuser des spots télévisés, bref, faire croire que la mendicité était du dernier chic. Je suis sûr qu'il y a de l'argent à se faire là-dedans.

Sans pouvoir m'attarder, je voulais tout de même réussir mon ultime séjour. Je me suis arrêté quelques minutes devant une infoborne pour regarder les nouvelles comme autrefois. À New Richmond, on peut se tenir au courant vingt-quatre heures sur vingt-quatre et à chaque carrefour. Partout des écrans plats pendent comme des oriflammes en se contorsionnant pour balancer de l'info aux passants pris par surprise. Ainsi, les étages supérieurs ont l'impression de se tenir au courant. Évidemment, c'est une illusion, mais on passe tellement de temps à commenter les vingt pour cent d'actualité couverts par le réseau que personne ne soupçonne l'existence du reste.

J'ai appris ainsi qu'Arlond Maxen avait ouvert une nouvelle école au 190ᵉ. Tu parles d'un coup. Quand on habitait dans ces sphères-là, on avait tellement de fric que le matin, on devait prendre des calmants pour ne pas devenir littéralement fou de joie. Il n'y avait pas plus rupin que le 190ᵉ et le 200ᵉ, à part les étages rajoutés sur le toit — qui appartenaient tous à Maxen, roi *de facto* de tout le tas de ferraille. Le reportage le montrait égal à lui-même : distant ; un habitué du tube cathodique. C'était à se demander s'il avait une existence en dehors de l'infomur qui courait sur la face de New Richmond, perpétuellement inaccessible.

Le sujet suivant annonçait que le chef de la police, McAuley, faisait pression pour reloger les habitants du 100ᵉ et bétonner entièrement ce dernier afin que les plébéiens ne puissent plus accéder aux étages supérieurs. *Pas bête. Et tant pis si les* vrais *truands ont tous des baraques superbes au 185ᵉ.* Le chef de la police est un salaud de première ; le roi du pot-de-vin. Il n'a jamais connu l'échec.

À part ça, j'ai appris que le dernier passe-temps en vogue chez les jeunes cons était le « saut-au-mur » : cela consistait à se balancer par la fenêtre depuis les étages les plus élevés, mais sans filin ni parachute. Par ailleurs, une femme victime d'un désaxé s'était pulvérisée sur une surface de vingt mètres carrés au 92ᵉ ; le meurtrier l'avait « défigurée à un degré non spécifié » et les flics espéraient l'arrêter rapidement. Tu parles.

Bref, ça n'avait pas beaucoup changé.

J'ai eu un peu de mal à passer sans m'arrêter devant les étalages de bouffe. La seule chose que Ferraille n'avait jamais pu apprendre à cuisiner correctement, c'étaient les hamburgers, et au bout de cinq ans j'avais fini par en faire une véritable religion. J'ai quitté la grand-rue pour une série d'artères plus petites, pour parvenir enfin à destination. L'enseigne était plus grande et plus voyante qu'avant, mais sinon le bar n'avait pas changé. J'ai contemplé quelques instants la façade, l'encadrement en bois verni des fenêtres et, à l'intérieur, les flaques de lumière aux contours vagues. À une époque, je venais très souvent ici. Avant que ma vie change. Tout à coup, je me suis senti vieux et fatigué. Et triste à en avoir le souffle coupé.

Au moment de pousser la porte, j'ai eu l'impression bizarre qu'une petite main se nichait au creux de ma paume, au niveau de ma hanche. Une main tiède et potelée, une menotte de fillette de huit ans qui cherchait à m'entraîner.

Dès que j'en ai pris pleinement conscience, la sensation s'est évanouie ; j'ai eu beau scruter la rue dans les deux sens, je n'ai aperçu personne. Je suis resté un instant immobile, le souffle court et un tic sous l'œil gauche. Jusque-là, j'avais réussi à refouler mes sentiments — pourtant normaux —, mais ça ne durerait pas éternellement. Pour la première fois depuis des années, je mourais d'envie de posséder certaine substance présentée dans de petites feuilles de papier aluminium roulées ; je la désirais de toutes mes forces, je l'appelais de tous mes vœux et le manque était tel qu'il défiait la raison.

Je me suis forcé à pousser le battant. Dans le bar, seulement quelques accros à la bière qui piquaient du nez dans leur verre. Je me suis dirigé tout droit vers la salle du fond ; elle est plus petite, plus douillette, mais surtout, c'est là que le propriétaire se tient la plupart du temps.

« Jack Randall », ai-je entendu derrière moi. Je me suis retourné.

Howie était assis à une table ; éparpillés devant lui, des tas de reçus et autres paperasses sans intérêt. Ces trucs-là me donnent envie d'en revenir au système du troc, mais lui, c'est toute sa vie. Près de son coude droit, une bouteille de Jack Daniels, un grand seau à glace et deux verres vides. Il s'était un peu arrondi en cinq ans ; il avait perdu quelques cheveux et hérité d'une inquiétante cicatrice au front. Mais à part ça, lui non plus n'avait pas beaucoup changé. Il m'a adressé un sourire affable ; l'image même de la décontraction.

« Je vois que tu n'es pas tellement surpris de me voir.

— De te voir, non. En revanche, te voir *vivant*, surtout aujourd'hui… Dath ? Paulie ? » Howie a eu un mouvement de menton en direction des deux accros aux anabolisants attablés au fond. Aussitôt ils se sont divisés : l'un est allé surveiller l'entrée principale, l'autre la porte de derrière. Je suis plutôt du genre prudent, mais Howie, lui, dort avec un bazooka sous l'oreiller. Dath m'a fait un signe de tête en passant. « Les vigiles de l'entrée m'ont passé un coup de fil », a repris Howie en laissant tomber deux glaçons dans les verres avant de verser le whisky. « D'après leur description, ça ne pouvait être que toi.

— Tu as mis la dose, dis donc, ai-je constaté en prenant le verre qu'il me tendait.

— C'est toi qui me dis ça ? Arrête, Jack ; je t'ai vu plus d'une fois inconscient à l'heure qu'il est, et même plus tôt. Il fut un temps où, à neuf heures du soir, tu commençais à trouver que la soirée traînait en longueur. Tu veux du Raviss pendant que tu es là ? »

J'ai secoué la tête en le maudissant d'avoir déchiffré mes pensées. « Je me suis un peu rangé, de ce côté-là. »

Il a ri. « C'est ce que tu crois. » Il a levé son verre. « Quand on s'en est envoyé autant que toi, on ne fait qu'en prendre momentanément congé. »

Nous avons trinqué. Howie a vidé son verre d'un coup, puis s'est laissé aller en arrière sur son siège en se tapotant le ventre de contentement.

« Et les affaires, ça marche ?

— Ça court, même. Écoute un peu l'idée que j'ai eue. Tu sais que les petits couples n'arrêtent pas de se téléphoner pour s'inviter mutuellement à dîner. Or, sur le moment, ils trouvent ça chouette — picoler un peu, discuter le coup, jeter un œil dans le décolleté de l'invitée si l'occasion se présente… Puis le jour fatal approche et là, tout le monde s'en mord les doigts. Les hôtes vont devoir se taper les corvées — remplir le bar, cuisiner des mets délicats, s'assurer que, dans la salle de bains, les tubes d'Adieu-la-chtouille sont bien planqués. Les invités, eux, pensent à ce que ça va leur coûter en taxi et en baby-sitter ; en plus, ils n'auront pas le droit de fumer. Bref, c'est pas la joie. Tu me suis ?

— Oui, ai-je répondu sans grande conviction.

— Bon, alors tiens-toi bien. Mon idée, c'est un service de Décommandement. La veille du jour dit, les invités appellent pour se décommander poliment, avant le début des préparatifs. Les uns et les autres sont ravis qu'on ait eu envie de les voir, mais les uns sont libérés de la vaisselle et les autres n'ont plus à trimballer les photos des gosses à l'autre bout de la ville. On peut rester bien au chaud chez soi et d'autant plus profiter de la soirée qu'on pensait devoir sortir.

— Et toi, quel est ton rôle là-dedans ?

— Moi, je fournis les alibis. Même pas en béton, puisque personne n'a très envie d'aller jusqu'au bout. Tu peux tout aussi bien annoncer : "J'ai la tête qui a explosé et Janet s'est transformée en œuf" ; la réponse sera invariablement : "Oh mon pauvre, pas de chance ; mais ce n'est que partie remise, hein ? Ouais, super, salut."

— Et le fric, dans tout ça ?

— Je prends ce qu'auraient coûté la bouffe, les boissons et le taxi. D'accord, les premiers temps ça ne rapporte pas grand-chose, mais attends un peu que ça gagne les étages supérieurs ! Je vais me faire une petite fortune, avec ça. Alors, qu'est-ce que tu en penses ?

— Que c'est encore une de tes inventions à la noix ! » J'ai ri. « Encore pire que le service Agression.

— T'as peut-être raison, a-t-il admis en souriant de toutes ses dents. Enfin… Ce n'est pas pour ça que tu es venu. Mon autobiographie, tu n'es pas si pressé de l'entendre ; alors, qu'est-ce que je peux faire pour toi, grand chef ?

— Est-ce que ça se sait déjà ? » Je connaissais déjà la réponse, mais bon.

« La rumeur s'est tellement répandue qu'elle se mord la queue. "Planquez-vous. Jack est de retour."

— Plus la peine de se planquer, alors. »

Howie m'a regardé d'un air neutre. « Je sais. Et pour être franc, ce n'est pas ce qu'on raconte. On t'a repéré à la Porte, c'est tout. » Il a allumé une cigarette avant de me regarder sous le nez. « Comment tu vas, Jack ? »

Je savais bien ce qu'il entendait par là. Mais je n'étais pas encore prêt à parler de ça. En tout cas pas avec lui. D'ailleurs, si ça se trouvait le moment ne viendrait jamais. Ni avec lui ni avec personne.

« Bien. Seulement, je suis salement dans la merde.

— Ça, je veux bien le croire. Alors, qu'est-ce que je peux faire pour toi ? »

J'ai sorti le processeur de ma poche. C'était un petit objet oblong en perspex transparent — quatre centimètres sur deux, et cinq millimètres d'épaisseur. Sur une largeur, une série de minuscules contacteurs en or permettant au module de s'interfacer avec une carte mère. Le nombre 128 était imprimé sur la partie supérieure. Rien de bien extraordinaire. Je l'avais trouvé dans mon sac après notre départ de la Ferme. Ce n'était pas moi qui l'y avais mis. Donc, ça ne pouvait être que

Ferraille. Howie me l'a pris des mains et l'a examiné de très près ; puis il a reniflé.

« C'est quoi ?

— Cent vingt-huit gigas de RAM, je crois.

— Je ne reconnais pas la marque. D'où ça vient ?

— C'est un ami qui me l'a donné.

— Tu as de la chance, m'a-t-il annoncé. Le marché est très instable et cette semaine, justement, la cote est élevée. Je peux probablement t'en donner huit cents dollars sans me faire trop avoir.

— Je suis assez pressé. »

Il a passé la main sous la chaise et en a sorti une grosse boîte à recette métallique qu'il a posée sur la table. Elle contenait des liasses de billets sales. Mais à New Richmond, de toute façon, l'argent est toujours sale, au moins au sens figuré. Pas un billet qui n'ait trempé dans une quelconque combine ou transité par une valise à un moment ou à un autre de son existence. Howie a compté huit cents dollars en billets de cinquante et m'a tendu le tout entre deux doigts. « Tu as besoin d'un prêt, en plus ?

— Non merci, ai-je dit en secouant la tête. Je ne sais pas quand je repasserai dans le coin. Peut-être jamais.

— Alors fais comme si j'étais ton ami et considère ça comme un don. »

Avec un sourire, je me suis levé en glissant les billets dans ma poche intérieure. « Tu *es* mon ami, et ça ira comme ça, merci. »

Il m'a regardé en faisant la moue. « Tu sais que ta tête est mise à prix ? »

Je l'ai regardé fixement. « *Déjà ?* Ou bien elle n'a jamais cessé de l'être ?

— Je ne sais pas. Mais je crois que c'est récent. J'en ai entendu parler il n'y a pas vingt minutes.

— Et combien vaut-elle ?

— Cinq mille. »

— Je me sens insulté. Si ça monte jusqu'à dix mille, avertis-moi. Là, je commencerai à surveiller sérieusement mes arrières. »

À la porte, Dath s'est effacé devant moi. J'ai pris le temps de le dévisager. Dath est un cauchemar ambulant, mais bien fringué et rasé de près. La rumeur prétendait qu'avant de bosser pour Howie il était homme de main à Miami, qu'il avait commencé tout en bas — au tri du courrier, genre — pour se spécialiser ensuite dans le coup de poing. Il avait gravi un par un tous les barreaux de l'échelle, à l'ancienne, en commençant par l'intimidation. Par exemple, pour cent dollars il s'introduisait chez vous, vous jaugeait de la tête aux pieds en disant : « Très joli, votre costume » sur un ton très ironique ; là-dessus, il s'en allait. Sa spécialité, c'était la « conversation de proximité ». Où que se rende sa « cible » — au restaurant, dans un bar, aux toilettes —, Dath était là, invisible mais tout proche, à disserter sur le postmodernisme d'une voix *très* sonore. Ça finissait immanquablement par rendre les gens cinglés.

Mais il avait toujours démenti ces rumeurs. Je n'avais aucune certitude à son sujet.

« Tu es au courant, pour le contrat que j'ai sur le dos ? » Voyant qu'il acquiesçait, j'ai ajouté : « Tu en es ?

— Bof. Je crois que je vais attendre que ça monte à dix mille », a-t-il répondu sans empressement.

Il m'a lancé un clin d'œil et je suis passé devant lui en souriant.

Adieu, tout ça, me disais-je.

2

Le type derrière le comptoir me regardait bizarrement, mais je me suis dépêché d'arpenter les travées poussiéreuses de sa supérette pour amasser ce dont on allait avoir besoin. J'ai pris au passage deux paquets de barres au soja, du lait en poudre, de la nourriture de base en boîte de conserve autochauffante… et le plus grand pot de pickles Frapan que j'ai pu trouver. Toutes les deux minutes je jetais un œil vers l'extrémité du magasin; le type me regardait toujours. Pas tout le temps, mais trop souvent quand même. Ça commençait à m'emmerder sérieusement.

En ressortant du tunnel d'entretien, j'avais remis aux types de l'entrée les cent soixante-dix dollars que je leur devais. Agréablement surpris, ils m'ont dit que c'était un plaisir de faire affaire avec moi et m'ont donné leur carte au cas où. L'un d'eux a ajouté que M. Amos leur avait demandé, à l'avenir, de me laisser passer gratuitement. J'ai répondu que je ne reviendrais pas.

« Ouais, il nous a prévenus que vous diriez ça. »

Tout ça me laissait à peine sept cents dollars, c'est-à-dire de quoi acheter une camionnette déglinguée et assez d'essence pour quitter l'État. Après, on ne pouvait pas savoir. En tout cas pas moi. J'étais de mauvaise humeur; j'aurais dû boire un autre verre avec Howie, et même plusieurs, histoire d'oublier un peu mes alters. Je n'ai jamais été très doué pour les responsabilités. Ça au moins ça n'avait pas changé.

Tout ce que je percevais de l'avenir, c'était un bruit de pneus sur le goudron et un froid de soir d'hiver en terrain inconnu. Après une si longue absence, je m'étonnais que tout se soit aussi bien passé : une affaire rondement menée, et hop ! retour vers la nature sauvage. Mon incrédulité est devenue telle qu'à un moment, je me suis retourné pour contempler la ville. Les passants étaient obligés de me contourner en marmottant et en jetant des regards furibonds à ce type qui regardait fixement un gratte-ciel avec une expression intermédiaire entre l'amour et la haine.

À mi-chemin de chez Hal je me suis arrêté dans une supérette pour m'approvisionner. Je prévoyais une corvée de courses rapidement expédiée, pas le regard insistant dont me gratifiait ce type. D'accord, mes vêtements étaient en mauvais état et j'avais des cicatrices sur la figure, mais je ne suis pas le seul, de nos jours. Nous vivons une époque à cicatrices. Elles sont inévitables. D'ailleurs, le gérant n'était pas particulièrement charmant, lui non plus. Il avait les jointures aplaties de celui qui a passé toute son enfance et son adolescence à se bagarrer, et le regard vide des gens capables d'assister à un spectacle écœurant sans broncher. Ses épaules étaient carrées mais son abdomen ramolli ; quant à son visage, on avait dû s'amuser pendant tout un après-midi à l'aplatir à coups de pelle. Les rares clients attrapaient une bouteille de mauvais alcool et allaient en traînant les pieds déposer sur le comptoir des piles de petite monnaie. En d'autres termes, c'étaient des clochards servis par un ancien truand dans un magasin au lino jauni, usé jusqu'à la corde et qui s'enroulait à tous les raccords pour révéler en dessous le ciment tout taché.

J'avais peut-être l'air trop chic, en fait.

Au bout de la travée, un miroir en plastique convexe au centre enfoncé par un impact ancien, opacifié par la saleté, était censé empêcher les gens de chaparder dans l'angle mort que le gérant ne pouvait surveiller directement, mais à mon avis, il ne devait y distinguer que des spectres de clients. En me dirigeant vers le rayon frais, j'y ai aperçu mon reflet, tout cabossé. J'avais peut-être l'air un peu allumé, et c'est vrai que dans certaines conditions d'éclairage, mes yeux ont un reflet bizarre. Pour commencer, j'ai les yeux de feu, même si ça ne se voit qu'en lumière rasante. En tout cas, sûrement pas dans la clarté glauque qui suintait de ces néons fatigués.

Sachant que le type me voyait, tout occupé qu'il était à envelopper une bouteille pour un géant noir, j'ai sorti mon portefeuille et compté mon argent avec ostentation, pour bien montrer que j'en avais. *Ne t'en fais pas, mon vieux, je vais payer.* Mais son gros visage est resté impassible ; rien n'indiquait que mon message avait été reçu. Son regard était vide ; je n'étais même pas sûr qu'il me regardait. Peut-être avait-il seulement la tête tournée vers moi.

Ou alors j'étais parano. J'ai reporté mon attention sur le contenu du bac réfrigéré.

« À votre place j'éviterais. » Une voix contenue. Au lieu de me redresser, j'ai roulé des yeux dans tous les sens ; rien. Et je ne sentais personne derrière moi. « Franchement, je ne vous le conseille pas », a ajouté la voix. J'avais pratiquement la main dans la poche intérieure de la veste quand j'ai enfin compris qu'elle émanait du frigo lui-même.

« Comment ? ai-je fait tout bas.

— N'achetez pas de produits réfrigérés.

— Pourquoi ?

— Parce qu'ils ne sont pas frais. Je suis en panne depuis six mois et *il* ne veut pas me faire réparer. Il dit qu'il fait assez froid dehors.

— Et vous n'êtes pas d'accord.

— Vous voyez ce fromage à pâte molle, là ? Il y a un mois qu'il est là. Encore deux jours et il explose. En plus, *il* ne nettoiera pas. Cette tache sur le côté, là… C'est un yaourt qui a atteint sa masse critique le mois dernier. »

J'ai vérifié que le gérant ne me regardait pas ; les rayonnages me dissimulaient. Je me suis appuyé sur le rebord du frigo et j'ai repris tout bas :

« Vous pouvez me parler un peu de lui ?

— Un rustre. En un mot comme en cent.

— Mais encore ? C'est quoi, son problème ?

— Écoutez, je suis qu'un frigo, moi ! Tout ce que je sais, c'est qu'il ne faut pas acheter mes produits. »

J'ai pris un pot de fromage blanc.

« Vous allez le regretter.

— Possible. »

De l'autre côté de l'allée se trouvaient les produits d'entretien ; j'ai pris une boîte de pansements grande taille et deux savonnettes. Après réflexion, j'y ai ajouté du désinfectant et une serpillière qui avait l'air d'occasion et je me suis dirigé vers la caisse.

Une autre loque humaine se réapprovisionnait en achetant ce qui constituait l'essentiel de son existence. Un paquet de cigarettes, un sachet de dope et une bouteille de Wild Thyme. Bonne soirée en perspective ; quant à savoir si sa vie en général était aussi réjouissante… Du coin de l'œil, j'ai surpris une palpitation lumineuse à côté de la caisse enregistreuse : une antique télévision petit format, raccordée à la diable à un lecteur de CD-ROM qui avait perdu son châssis en cours de route. Un vieux film porno instable et brumeux mobilisait l'attention du client tandis que le gérant lui rendait la monnaie. Il est parti en souriant dans le vague. Il devait se représenter mentalement une scène bien précise.

Pas con. Si on filoute d'un dollar tous les crétins absorbés par le porno, à la fin de la journée ça fait un joli petit pourboire.

J'ai déposé en vrac mes achats sur le comptoir et jeté un rapide coup d'œil derrière, au cas où quelque chose y serait planqué. Mais non, rien d'extraordinaire. À vue d'œil, rien de dangereux.

« Vous avez un sac en papier ? j'ai demandé tandis qu'il enregistrait les articles.

— C'est un dollar.

— Vous voulez rire ! »

Il a haussé les épaules et posé la main sur l'article suivant, les sourcils haussés, sans même me regarder. J'ai ressorti mon portefeuille et posé un dollar sur le comptoir. C'est que j'avais pas mal de chemin à faire.

« Votre frigo ne marche plus », ai-je déclaré en détournant le regard. Qu'est-ce qui me prenait de provoquer ce type ?

« Il fait assez frais dehors.

— C'est drôle, j'étais sûr que vous diriez ça. » J'ai ouvert le pot de fromage blanc. Son contenu déjà douteux était en outre coiffé d'un bon centimètre de moisissure bleue, absolument répugnante. Le gérant a eu un sourire indéchiffrable. Son regard était toujours aussi mort. Même ses lèvres avaient du mal à bouger. Seul le côté gauche de sa bouche avait bougé, et encore, imperceptiblement, comme si son visage avait subi des dégâts en profondeur.

« Vous n'avez qu'à pas le manger.

— Où est-ce que je peux acheter du vrai lait ?

— Y'en a dans le frigo.

— Non merci. »

50

Il s'est remis à faire mon addition. Des grognements assourdis aux tonalités métalliques s'échappaient du poste de télé. J'ai ajouté : « Je vérifierai ma monnaie.

— Ben voyons. » Il a sorti de sous le comptoir un sac en papier très usagé dans lequel j'ai entassé mes achats en prenant bien soin de mettre les articles les plus lourds au fond, comme me l'avait appris Henna. De temps en temps, ce genre de chose remonte à la surface, après tout ce temps. Puis, au dernier moment, j'ai ajouté une bouteille de Jack Daniels. En fait, ce n'était pas du tout une impulsion. L'idée était là depuis le début — et bien là. J'avais bien tenté de la refouler, mais quelque part au fond de moi, quelque chose avait cédé.

Ma note s'élevait à soixante dollars. Or, je n'avais plus aucun moyen de me procurer de l'argent. Je ne pouvais pas non plus me servir de ma persoCarte, sous peine d'allumer aussitôt un néon géant clamant : « Par ici, ennemis de Jack Randall ! » Mais les aliments étaient des concentrés déshydratés ; au moins on ne mourrait pas de faim, quelle que soit notre destination. Le manque d'argent ne ferait qu'avancer le moment inévitable où on se ferait prendre. J'ai payé, pris mon sachet et marché vers la porte.

« Lieutenant ? »

Je me suis figé sur place. Dehors, il faisait très sombre ; je voyais des paillettes de pluie glaciale frapper la vitrine fendillée et y tracer de fines rayures.

« Vous vous souvenez pas de moi, hein ? »

Je me suis retourné lentement. Les bras croisés, il n'avait pas bougé. Dans ses yeux s'était allumée une lueur qui ressemblait presque à de la vie.

« Pourquoi, je devrais ?

— C'est vous qui m'avez mis en taule. »

Oh, merde. Fallait-il lui tenir tête ? Non, son regard m'en a dissuadé. Il m'avait reconnu, un point c'est tout.

J'ai détourné les yeux une seconde et cela m'a suffi pour comprendre que ces cinq années pouvaient s'envoler d'un coup ; qu'en un sens, je n'étais jamais parti.

« J'avais sûrement une raison.

— Trois ans, c'est long.

— Ça m'étonne, mais je ne me souviens pas de cette histoire.

— C'est parce qu'on ne s'est jamais rencontrés. Je n'étais qu'un intermédiaire. »

Je l'ai dévisagé calmement ; comment jouer ce coup-là ? J'avais bien besoin de ça, tiens ! On s'est regardés un moment ; j'entendais le sang battre dans mon crâne. Puis je me suis rendu compte que je tenais mon sac de commissions à deux mains contre mon ventre et je suis passé à la vitesse supérieure. Il pouvait me mettre en pièces sans même que j'aie le temps de passer ma main dans mon blouson.

« Je vois que vous vous en êtes bien sorti, ai-je fini par articuler.

— J'suis tombé à la place de quelqu'un d'autre, et depuis, ce quelqu'un veille sur moi.

— Je ne suis plus ce que j'étais à l'époque », ai-je répliqué abruptement.

Son expression a changé ; un grand sourire vicieux s'est lentement épanoui sur son visage. « Je sais. Je crois qu'on a tous été au courant, à l'époque.

— C'est une allusion ? »

Son sourire s'est évanoui. Son regard est redevenu inexpressif. À la place des yeux, il avait de nouveau deux pièces de monnaie très anciennes enfoncées dans de la pâte à modeler blanc sale. Ces gars-là avaient souvent l'air distant ; et leur visage avait quelque chose d'inachevé, comme entraperçu sous l'eau trouble.

Avec un léger sourire, je l'ai salué de la tête. Le vent s'était levé, la pluie virait à la neige fondue. Au moment de franchir le seuil, je l'ai entendu qui disait :

« Lieutenant ! » Au lieu de me retourner j'ai continué à avancer, et la fin de sa phrase s'est mêlée au hurlement du vent et à celui d'une sirène dans le lointain.

« On se reverra », disait-il.

Arrivé au coin de la rue j'ai pressé le pas en jurant tout bas, sans passion mais à jet continu. Un coup d'œil furtif derrière moi : personne ne me suivait, mais ça ne me consolait guère. Il lui suffisait de passer un coup de téléphone. Pourtant, ce type était tellement bas dans la chaîne alimentaire que même le plancton devait se foutre de sa gueule quand il avait le dos tourné.

Moi, tout ce que j'avais voulu, c'était vendre ma RAM et rester seul une heure. Ça n'aurait pas dû poser plus de problèmes que ça. Les gens normaux arrivent généralement à se balader sans s'attirer trop de galères. Mais voilà : on était en ville depuis à peine trois heures et déjà la poisse me tenait en joue. Or, ladite poisse — qui rate rarement sa cible —, quand c'est moi qu'elle a dans le collimateur, elle ajoute carrément un viseur laser. Une rencontre fortuite avec un truand rangé des voitures et un contrat de cinq mille dollars sur ma tête. Bravo Jack.

Il était temps de filer avant que je me retrouve au lit avec l'épouse légitime du bon Dieu en personne.

Au rez-de-chaussée de chez Hal, la porte de l'unique appartement était ouverte ; maintenant, on entendait *vraiment* la musique. Deux types négociaient un plan dope dans l'entrée. Ils m'ont lancé un regard au passage, mais j'ai haussé les épaules pour signifier que j'étais inoffensif.

Tandis que je gravissais pesamment la deuxième volée de marches en me préparant sans enthousiasme à remettre les alters en route, et en envisageant de les confier à Hal le temps de trouver une camionnette, une balle a sifflé à mon oreille avant d'aller faire littéralement éclater un panneau mural.

Je me suis laissé tomber à genoux sur une marche sans me soucier de mes achats, qui se sont éparpillés ; j'ai maladroitement tenté d'attraper mon arme en tentant de savoir si le coup de feu était venu d'en haut ou d'en bas. Nouvelle détonation. Cinquante centimètres de rampe d'escalier se sont pulvérisés et j'ai eu la réponse à ma question : ça venait de l'étage au-dessus. J'avais enfin réussi à dégainer ; j'ai introduit un chargeur dans le magasin. Des pas ont dévalé l'escalier ; j'ai battu en retraite derrière le coin du mur ; que faire ? Si seulement Hal entendait les coups de feu et me venait en aide !

Un silence ; le tireur prêtait l'oreille en se demandant ce que j'allais faire. J'ai délibérément posé le bout du pied devant moi, sur une planche qui grinçait. Une troisième balle a creusé un sillon détrempé dans le plâtre du mur.

J'ai décidé de jouer mon va-tout et foncé tête baissée, en arrosant tout ce qui se trouvait au-dessus de moi dans l'escalier.

Deux de mes balles se sont perdues, une autre est passée assez près du tireur pour l'obliger à se replier. J'ai poussé mon avantage en grimpant les marches quatre à quatre. Je sentais le point lumineux d'un viseur à laser danser sur ma nuque, mais j'ai crânement poursuivi mon chemin.

Là-dessus, voilà que je glisse sur une marche mouillée et que je m'affale contre le mur ! Heureusement, ça me sauve la vie : une balle passe tout près de moi et s'enfouit dans les boiseries. Je me redresse en prenant appui sur une main et, en pivotant, je vois un type penché sur la rampe à l'étage supérieur ; il me vise et son doigt se crispe déjà sur la détente. Comme je n'ai ni le temps de réagir autrement ni grand-chose à perdre, en fin de compte, je lui décharge mon arme dans le buffet.

La première balle l'atteint à l'épaule, déviant la trajectoire de la sienne ; la seconde se loge dans ses poumons ; il tombe en avant. Je bondis sans cesser de tirer, rafale après rafale, dans le noir, en sentant mon arme se cabrer et tressauter dans ma main.

Au bout de sept détonations, il ne tire plus. Je me suis gardé une balle. Plié en deux, j'escalade les dernières marches ; je fais attention en débouchant au coin, mais je le vois tout contorsionné contre le mur alors je me risque à découvert.

Je le rejoins d'un bond, je lui fais sauter son arme des mains et je lui soulève la tête sans ménagement. Son visage m'est inconnu ; une de ses paupières se contracte à toute allure et sa respiration est irrégulière. Plus bas, une bouillie qui n'a aucune chance de survivre. Je lui balance une gifle histoire de le réveiller un peu. « Je veux un nom.

— Je t'emmerde, articule-t-il enfin. T'es mort.

— Pas encore, comme tu vas t'en rendre compte ; en tout cas pas autant que toi. *Qui t'envoie ?* SécuRéseau ? »

Il a réussi à esquisser un sourire. Mais il a gardé le silence.

« C'est ta dernière chance », j'ai insisté. Il a voulu énoncer un nouveau « Je t'emmerde », mais c'était trop demander. En plongeant mon regard dans le sien, j'ai su qu'il ne me dirait rien. Et ça, je respectais. Alors je l'ai pris à la gorge et je l'ai traîné jusqu'à la rampe ; là, je l'ai cogné de toutes mes forces contre les lattes. Elles ont cédé et il est passé à travers avant de dégringoler l'escalier.

Pendant la chute, ses jambes ont heurté la rampe de telle manière que tout son corps a pivoté et que l'impact suivant a été pour son crâne. Quand il a atterri en bas, il a fait un bruit de sac plein de bâtons détrempés qui tombe dans une mare peu profonde.

La porte de Hal avait l'air fermée, mais en m'approchant, j'ai vu que le battant ne touchait pas tout à fait le chambranle. J'ai retenu mon souffle, tendu l'oreille et introduit un nouveau chargeur dans mon pistolet.

Je n'entendais rien du tout. J'ai balancé un instant entre la manière douce et la manière forte, ou plutôt la silencieuse et la bruyante, puis perdu patience et décoché un grand coup de pied dans la porte.

La pièce tout en longueur, déserte et plongée dans le noir. Une casserole de nouilles renversée, encore toute fumante, non loin de moi. Tout au fond, par terre, bras et jambes écartés, un corps immobile.

J'ai fait un pas dans la pièce puis pivoté sur la droite. Personne. J'ai inspecté la chambre, la salle de bains. Toujours rien. Puis j'ai couru vers Hal.

Une dans la tempe, une dans la bouche, une dans la nuque.

J'ai perdu les pédales pendant cinq bonnes minutes.

Quand j'ai repris mes esprits j'avais mal à la gorge ; j'avais dû beaucoup crier. Le cadavre était toujours dans la même position ; mon épisode incontrôlé ne l'avait ni soigné ni rendu moins mort. Maintenant que je ne faisais plus de bruit, j'entendais bouger dans le couloir. J'ai gagné la porte à grandes enjambées et je l'ai ouverte à la volée.

C'étaient les deux types du rez-de-chaussée, venus voir ce qui se passait, s'il y avait de l'argent à se faire.

« Allez vous faire foutre », leur ai-je suggéré. Le premier, une vraie face de rat, s'est appuyé à la rampe, plein de nonchalante assurance.

« Sinon ? » m'a-t-il demandé avec un sourire, le reste de son visage restant neutre. Cet air-là, je connaissais. On l'apprend le jour où on s'aperçoit qu'on peut tenir tête au prof. Qui ne peut rien contre. Après on s'en ressert dans le vaste monde, en cas de situation déplaisante.

Quand on leur tient tête avec assez de conviction, la plupart des gens se tassent.

Malheureusement, je ne suis pas la plupart des gens. C'est bien là mon problème. Enfin, entre autres.

J'ai plaqué mon canon contre le front de Face-de-rat. Encore un peu et je lui faisais un trou dans le crâne. Puis j'ai articulé bien nettement :

« Sinon, je te fais sauter la tête et ton copain en aura plein la figure. Après quoi je lui fais sauter la tête à *lui*. Ensuite, je descends chez vous et je tue tout le monde, jusqu'à ce que je sois à court de balles, ou toi à court de copains. »

Il m'a regardé en ouvrant de grands yeux et descendu une marche. Puis il a craché adroitement par terre à mes pieds. Il battait en retraite, certes, mais le protocole exigeait une réplique finale avant qu'il ne sorte de scène. Ça me donnait envie de me taper la tête contre les murs mais j'ai attendu que ça se passe. Ces mecs-là, faut toujours leur laisser le dernier mot. Ça conclut l'épisode d'un côté comme de l'autre. Si les gens laissaient plus facilement le dernier mot à l'adversaire, on serait plus en sécurité dans ce monde.

« On se reverra, a-t-il enfin déclaré.

— Celle-là, on me l'a déjà faite. Rien que ce soir, on me l'a déjà faite *deux* fois. Alors trouves-en une autre et envoie-la-moi par e-mail. »

Ils sont redescendus en tirant la gueule et en faisant sonner les marches sous leurs pieds.

En me retournant, j'ai découvert Suej dans l'encadrement de la porte. Elle avait les yeux écarquillés par la terreur.

Les autres alters avaient disparu.

Moi qui croyais lui avoir sauvé la vie, à cette gamine… En fait, je l'avais trimballée de Charybde en Scylla. Je l'ai serrée dans mes bras en regardant pardessus son épaule le sang de Hal coaguler sur le plancher. On ne s'en irait pas ce soir-là.

3

Dans un vieux fauteuil éventré du bureau de Howie, Suej buvait à petites gorgées un bol de café dont l'arôme parvenait à mes narines. Assis face à la table de travail, je contemplais mes mains. La bonne odeur m'a fugitivement rappelé Ferraille, et une époque, un lieu où j'étais encore en sécurité.

On aurait peut-être dû rester à la Ferme. Toute cette aventure n'était qu'un bordel sans fin qui ne pouvait que s'aggraver. J'ai lancé un coup d'œil à Suej et aussitôt détourné les yeux. J'aurais dû m'en faire pour les alters et je n'avais que Hal en tête. Tout ce qu'on avait fait ensemble, vu ensemble. En remontant jusqu'à La Brèche, vingt ans plus tôt. Tout ça n'existait plus, à présent ; c'était devenu comme un rêve, puisqu'il n'y avait plus personne de vivant avec qui l'évoquer.

Les types de l'entrée ont ricané en nous voyant débarquer ; manifestement, ils se disaient : « M. Howie avait raison, revoilà le même mec, celui qui va droit dans le mur. » Ils ont essayé de me faire payer pour Suej, puis ils m'ont bien regardé… et aussitôt laissé tomber. Ou alors c'est l'expression de la petite qui les a décidés : l'incompréhension totale, la détresse à l'état pur. C'était la première fois de sa vie qu'elle n'avait pas David à portée de main, et le malheur, la solitude se lisaient sur son visage ; on aurait presque dit un vrai être humain. De mon côté, je comprenais enfin que je ne suffirais pas à la tâche, que les papas adoptifs, ça ne pouvait pas tout remplacer. Et au train où allaient les choses, je n'avais *vraiment* pas besoin de ça.

Pendant le trajet dans les tunnels de New Richmond, j'ai soutiré à Suej l'essentiel de ce qui s'était passé. En distribuant les premiers bols de nouilles, Hal avait cru entendre un bruit dans le couloir. Il avait essayé de faire monter les alters au grenier, mais seuls Suej et David avaient compris la manœuvre ; la petite avait grimpé l'échelle tandis que David poussait les autres à l'imiter. La perplexité affolée, la précipitation… Cela avait dû leur rappeler le départ de la Ferme, à la différence que je n'étais pas là et qu'ils devaient se débrouiller tout seuls.

Puis on avait frappé à la porte — violemment, comme pour dire : « Vous allez me faire entrer oui ou merde ? » Hal était allé ouvrir, son arme dans son dos, en prenant soin d'éteindre la lumière. D'ordinaire, c'est une saine stratégie ; malheureusement, dans ce cas précis le tueur l'avait pris pour moi et froidement abattu. Au moment où il lui logeait deux balles supplémentaires dans la tête, deux complices avaient déboulé dans l'appartement. Ils avaient frappé David et Monsieur Deux en plein visage avant de traîner tout le monde dehors. Suej avait assisté à la scène par une fente du plafond ; elle avait bien senti son impuissance et correctement raisonné : elle ne devait pas se faire tuer, c'est ce que j'aurais attendu d'elle. Les hommes avaient circulé un moment dans l'appartement, puis ils étaient partis en laissant le tueur s'occuper d'éventuels nouveaux arrivants.

En clair : moi.

C'étaient forcément SécuRéseau qui avait réussi à nous repérer. Je ne voyais vraiment pas comment, mais quelle importance ? Le résultat était le même : Hal s'était fait descendre à ma place.

Il fallait retrouver les coupables et les faire payer ; telle était désormais ma mission. Enfin une tâche dans mes cordes.

En revenant chez Howie, j'avais un plan très simple : planquer Suej, emprunter un tas de munitions à mon pote et aller tout droit réduire quelqu'un en bouillie. Il n'était peut-être pas très raffiné, mais en ce qui me concernait il avait fait ses preuves. Malheureusement, Howie, lui, n'y avait pas cru ; aidé par un Paulie légèrement honteux, il m'avait physiquement empêché de le mettre en application sous prétexte qu'il resterait quand même un tas de gens prêts à me buter pour rien, sans parler des cinq mille dollars de prime. Pour les alters, il n'était pas au courant ; je n'ai ni essayé de lui expliquer, ni mentionné SécuRéseau ; donc, il a dû croire que j'avais pété les plombs.

N'empêche qu'il refusait de me lâcher, et il avait sans doute raison. C'est pour ça que j'étais dans son bureau à fumer cigarette sur cigarette. Il avait envoyé des sbires poser quelques questions à ma place, mais de mauvaise grâce ; lui, il pensait que j'avais intérêt à prendre Suej et à foutre le camp presto. Il avait cédé devant mon obstination. On attendait les nouvelles. Installé dans son fauteuil, face à moi, il regardait à travers le miroir sans tain son bar se remplir pour la tranche horaire du petit matin.

Il a fini par se retourner et me dévisager longuement d'un air matois. « J'ai trouvé mieux, m'a-t-il annoncé. Finalement, je crois qu'il n'y a pas tant de fric que ça à se faire dans le Décommandement.

— Ça se peut, en effet. » J'ai allumé une nouvelle cigarette et attendu la suite, comme tant de fois par le passé.

« Écoute, qu'est-ce que tu penses de ça ? Tu as déjà vu comment les femmes mangent les gâteaux ? » Voyant que je ne répondais pas, il m'a donné la solution de l'énigme. « Au lieu de prendre une part normale — je veux dire, une part d'une *taille* normale —, elles choisissent d'abord un tout petit morceau. Une lichette. Mon étude préalable indique qu'il ne dépasse jamais un angle de vingt degrés. Et tu sais pourquoi elles font ça ?

— Non. » Je voyais où il voulait en venir, mais ça ne me dérangeait pas de jouer le jeu. À sa manière détournée, il m'aidait à me détendre. Et ça n'était pas du luxe.

« Elles se disent : "Cette part est tellement petite qu'en un sens, elle ne compte pas. Elle est vraiment microscopique, elle va passer entre les mailles du filet à calories, comme les sucreries qu'on mange en bagnole." Comme ça, un moment plus tard elles pourront en manger une autre — inférieure à vingt degrés, évidemment — qui ne comptera pas non plus.

— Howie, qu'est-ce que tu barjotes ?

— Tu n'auras qu'à faire gaffe, la prochaine fois que tu boufferas avec une nana. Tu verras, j'ai raison. Alors mon idée, la voilà : c'est un nouveau régime amaigrissant. Il suffit de n'acheter que des choses à manger de forme circulaire. On peut manger tout ce qu'on veut du moment qu'on n'en prend pas plus de vingt degrés à la fois. Alors ?

— C'est parfaitement absurde.

— Possible, possible... Mais qui sait ? Les femmes saisissent parfois des trucs bizarres. Peut-être qu'elles ont un sixième sens. » Il m'a lancé un clin d'œil puis s'est penché vers le frigo, dont il a sorti deux bières — il y en avait des milliers, m'a-t-il semblé. « Comme tu peux le constater, il y a de quoi boire en attendant.

— En attendant quoi ?

— Que tu daignes enfin t'expliquer. Je maintiens que tu devrais disparaître dans la nature, mais pas question de te laisser partir dans cet état. Je sais que c'est une connerie, Jack, mais cette nuit, tu vas roupiller dans mon entrepôt. Les gens à qui tu as affaire n'y vont pas par quatre chemins. Alors dis-moi ce qui se passe. »

Tôt ou tard, il faudrait en passer par là. Mais à l'origine, c'était à Hal que j'avais pensé me confier. J'ai bu une gorgée de bière — la première depuis fort longtemps — en scrutant Howie ; finalement, ce serait lui qui y aurait droit.

J'ai fait la connaissance des alters il y a cinq ans ; j'en avais alors trente-quatre. On m'a fourré dans une voiture et fait sortir de New Richmond en pleine nuit ; une femme. Une femme qui n'était pas *ma* femme, mais qui avait pris la peine de me retrouver quand tous les autres avaient renoncé. J'ai un trou de mémoire de quinze jours, et s'il y a une chose dont je suis certain, c'est que je ne veux surtout pas le combler.

En ce temps-là, je ne savais pas bien ce qu'étaient les Fermes. Enfin, vaguement. Un jour, j'en avais vu une en passant en voiture ; je m'étais demandé ce que c'était et on m'avait renseigné. À moitié. Je n'ignorais donc plus à quoi elles servaient, mais le processus exact restait un mystère et je ne m'en souciais pas plus que ça.

On est arrivés à la fin de la nuit, à cette heure pas nette où le ciel vire du noir au bleu, juste avant le lever du soleil. C'était un complexe situé à quelque cinq kilomètres de Roanoke, donc à distance commode des hôpitaux — un bâtiment d'un étage, construit à flanc de colline, et dont l'aspect austère et gris évoquait automatiquement l'armée. Devant, un petit enclos où se garaient les véhicules de ramassage pendant leurs brefs passages à la Ferme. Tout le périmètre était ceint d'une clôture électrifiée, comme tout ou presque, à notre époque. À l'arrière se trouvaient les tunnels, mais on ne les voyait pas. Ils s'enfonçaient droit dans la roche.

On m'a laissé devant l'enclos ; j'ai attendu en frissonnant que le jour se lève et que se pointe le représentant de la société mère, censé me réceptionner. Cela a duré deux heures, sûrement les plus misérables de ma vie. De toute évidence, je m'étais envoyé un truc pas net dans les veines et j'en avais la cervelle complètement bousillée. Je ne savais pas très bien où j'étais, mais ça n'était pas pour me rassurer. C'était comme être mort, mais sans la sérénité.

Enfin le type est arrivé. J'avais mal partout et je faisais de mon mieux pour ne pas le montrer, mais sans grand succès. C'était exactement le genre de type que, dans mon état, je n'avais *surtout* pas envie de voir. Petit, tatillon, vêtu d'un costume coûteux, et vivant manifestement pour les cases qu'il cochait à intervalles réguliers sur sa liasse de paperasse. Coupe de cheveux à la mode, comme ses petites lunettes rondes, mais petite tête ronde pas du tout à la mode.

Un regard lui a suffi. Il a souri. Manifestement, j'avais le profil requis.

Il ne faut pas grand-chose pour faire tourner une Ferme. Un gardien et deux droïdes d'appoint. Ce sont ces derniers qui font le gros du boulot. Le gardien, lui, supervise le tout et réceptionne les camionnettes blanches. C'est l'humain de service dans le circuit décisionnaire, de la même façon qu'il y a cent ans, les contremaîtres étaient toujours des Blancs, quel que soit le niveau intellectuel ou culturel de leurs ouvriers noirs ou de sexe féminin. Ce sont en général d'ex-vigiles, ou des agriculteurs qui ont perdu soit leur terre, soit l'ambition de la travailler. Des hommes sans qualification particulière, vu que leur tâche n'en exige aucune — à part peut-être le manque d'imagination. La plupart résident à temps plein sur les lieux. La boîte n'apprécie pas de devoir leur trouver des remplaçants temporaires, et de toute façon, ils n'ont guère de motifs d'absence. Je ne faisais pas exception à la règle. En fait, je n'avais absolument *aucune* raison de vouloir sortir.

À l'intérieur, les pièces étaient disposées de part et d'autre de deux couloirs à angle droit. La porte d'entrée donnait directement dans la salle de contrôle, où je passais le plus clair de mon temps. Au fond, dans un angle, une porte ouvrait sur le couloir principal. Il comportait trois grandes portes métalliques, chacune pourvue d'un hublot en perspex, qui débouchaient dans les tunnels ; on ne les ouvrait que pour nourrir les occupants, les faire entrer ou sortir un par un. Plus loin se trouvait le second passage, qui conduisait à la salle d'opération. Du côté opposé, plusieurs pièces : une cuisine, un atelier… Partout les murs étaient revêtus d'une couche de peinture gris terne — très gaie, vraiment ; partout régnait un silence de morgue : gardien mis à part, tous les habitants étaient dans les tunnels.

On m'a mis au courant de mes obligations et appris à me servir des quelques appareils placés sous ma responsabilité. On m'a expliqué quand arrivait le ravitaillement, en insistant bien sur le fait que ce n'était pas de mon ressort. On m'a remis le numéro de téléphone des gens compétents à l'hôpital général de Roanoke et appris dans quel cas j'étais censé appeler. J'écoutais, mais je n'étais pas vraiment là. Des crochets me tiraillaient la matière grise dans trois directions différentes en y laissant une espèce de vide tremblotant qui occultait le monde extérieur.

Là-dessus, on m'a montré les tunnels.

Je n'oublierai jamais ma première impression, quand j'ai plongé mon regard dans la pénombre qui régnait derrière la fenêtre d'observation. Tout d'abord, je n'ai distingué que de la couleur, une lueur bleu foncé, refroidie de temps en temps par des éclairs blancs surgissant du sol. Un cauchemar glacé. Le pire cauchemar. Puis j'ai discerné des formes, des mouvements. Quand j'ai compris, j'ai été pris d'un frisson, ou plutôt d'un spasme si viscéral qu'il ne s'est même pas vu.

L'espace d'un instant, j'ai eu la sensation de me retrouver *ailleurs* — dans certain lieu bien précis ; j'ai bien failli prendre mes jambes à mon cou. J'aurais bien sûr dû écouter mon intuition, faire le rapprochement tout de suite ; mais non.

Dans mon dos, le représentant de la société discourait : chacun des trois tunnels mesurait deux mètres cinquante de large sur deux mètres cinquante de hauteur et contenait quarante alters. L'expérience prouvait qu'ils devaient baigner en permanence dans un milieu tiède et humide ; il a tapoté les cadrans situés à côté de chaque porte. Il fallait que je les vérifie toutes les deux heures, en plus du contrôle informatisé. Il a répété ces instructions et je l'ai considéré d'un œil noir, histoire de lui montrer que j'avais compris. Nos regards se sont croisés pour la première fois et j'ai bien vu ce que je lui inspirais : principalement du dégoût, mêlé à une certaine lassitude et à un léger amusement. Pour lui, je n'étais qu'un élément nouveau à la Ferme, une pièce de rechange moins importante encore que la clôture électrifiée.

Il ne fallait surtout pas qu'il déchiffre mes pensées ; je me suis retourné vers la baie d'observation mais mes poings se sont serrés dans les poches de mon blouson en loques et j'ai entendu mon sang carillonner à mes oreilles. Je venais à peine de découvrir les alters, mais je crois que je savais déjà la vérité : je ne serais pas *du tout* le gardien qu'on attendait.

D'un autre côté, ce n'est pas sûr. À l'époque, je ne savais pas très bien identifier mes sentiments, quels qu'ils soient. Ma capacité de concentration ne dépassait pas un paragraphe. Il est trop facile de trouver respectivement un sens à ses actes. Non, en ce temps-là je crois que j'avais moins de but dans la vie qu'une coulée de merde sur un mur.

Le type a fini par s'en aller — une fois épuisées toutes les occasions de m'infliger son paternalisme. En remontant dans sa voiture de fonction, il m'a jeté un dernier regard par-dessus le rebord de ses élégantes lunettes, a émis un petit reniflement de commisération à lui seul destiné. J'avais dû articuler dix mots durant toute la visite. Il est sorti au ralenti de l'enclos et le portail s'est refermé automatiquement derrière lui.

Je suis rentré, j'ai vidé le sac que mon amie m'avait préparé, j'ai rangé mes affaires là où il semblait logique de les mettre. Ça m'a bien pris cinq minutes. Puis je me suis confectionné du café d'une main tremblante, j'ai posé ma tasse sur la table au centre de la pièce et je me suis préparé à attendre jusqu'à la fin de mes jours.

Une semaine plus tard j'ai reçu un colis de Phieta, la jeune femme qui m'avait amené. Il contenait des vêtements de rechange, deux ou trois livres de poche et une grande quantité de Raviss. Sans un mot. Et je n'ai plus jamais entendu parler d'elle.

Trois mois se sont écoulés avant que je ne reçoive mon premier coup de téléphone. Je me contentais de rester assis dans la salle de contrôle en regardant dans le vague et en me grillant la cervelle à intervalles réguliers. De temps en temps, je sortais dans l'enclos. De là, on voyait un flanc de colline qui grimpait en pente douce et qui, constellé d'arbres, aboutissait aux faubourgs de Roanoke. La nuit, entre les troncs, on distinguait des points jaunes, preuve que — quelque part au loin — la vie continuait. Grand bien lui fasse. Surtout, qu'elle ne s'avise pas de me rattraper. J'appréciais encore moins la colline escarpée qui se trouvait à l'arrière. De ce côté-là, il y avait bien trop d'arbres — et en ce temps-là, je croyais encore les voir bouger, de temps en temps ; et puis, je me méfiais des feuilles. Parfois, il me semblait voir une lumière bleue sourdre des fissures dans le roc, comme des rayons de soleil s'élançant vers le ciel, mais bleus. Naturellement, c'était faux. Les tunnels étaient profondément enfouis sous terre et renforcés de béton.

Donc, un jour, vers trois heures, une sirène d'alarme s'est déclenchée ; dix minutes plus tard, une ambulance est arrivée. Deux médecins se sont immédiatement dirigés vers la salle d'opération ; moi, j'ai accompagné avec circonspection un brancardier dans un des tunnels. C'était la première fois que je franchissais les lourdes portes en métal.

Je me suis retrouvé dans un espace exigu, humide et générateur de claustrophobie, qui puait la peau moite et les excréments. Partout des enfants nus, couchés par terre en position fœtale, entassés les uns sur les autres ou recroquevillés contre les murs. Je les ai enjambés avec soin pour repérer l'alter voulu. Le brancardier, lui, les écartait à coups de pied avec l'impatience nonchalante du boucher circulant dans l'abattoir. Les plus âgés semblaient comprendre : ils bronchaient ou se trémoussaient sur notre passage, se retournaient contre le mur ou tentaient de s'enfouir sous quelque corps voisin. Mon cœur s'est mis à battre à grands coups ; je transpirais, et pas seulement à cause de la température ambiante. Je ne me sentais pas en sécurité. Non pas que les alters représentent une quelconque menace — ils étaient au contraire dociles, abrutis, totalement dénués d'intention. Non, c'était le tunnel proprement dit ; il me rappelait de mauvais souvenirs ; vagues, mais c'était mieux comme ça. Sans doute à cause de l'odeur, et aussi de l'absence d'espoir.

Nous avons fini par trouver l'alter en question, Conrad Deux ; l'ambulancier l'a emmené. Il est revenu une demi-heure plus tard sans œil droit. Le cratère était grossièrement recousu, badigeonné d'antiseptique et pansé à la va-vite. Comme le brancardier le poussait devant moi pour lui faire réintégrer le tunnel, une odeur familière s'est insinuée jusque dans mon cerveau et mon estomac s'est violemment contracté. C'était celle, suave et écœurante, du dermoRépar, une substance employée pour obturer les incisions quand on ne se soucie guère du côté esthétique. J'ignorais qu'on s'en servait en dehors de l'armée, et il y avait bien dix ans que je n'avais plus flairé cette odeur-là. Ce n'est pas le genre de chose qu'on oublie si facilement.

Après le départ de l'ambulance, je suis retourné dans le couloir des tunnels et je me suis posté devant une fenêtre. Dans l'atmosphère bleutée, les petits corps titubaient et rampaient comme des larves aveugles, perturbés par les gémissements périodiques de l'alter énucléé. Celui qui se trouvait le plus près de la fenêtre a levé la tête, mais c'était un réflexe aléatoire, dépourvu de sens. Une fille. Elle n'avait qu'un bras, et du côté gauche de son visage, l'épiderme était à vif; on lui avait sûrement prélevé un greffon. Ses yeux se sont rapidement promenés sur la surface de la vitre et ses lèvres ont remué en silence; le pire, c'était que malgré ses mutilations, on voyait bien à quel point sa réplique devait être séduisante. J'ai rebroussé chemin d'un pas mal assuré, en refermant bien la porte derrière moi.

J'ai englouti la moitié d'une bouteille de Jack Daniels, je me suis injecté deux milligrammes de Raviss et je me suis allongé à plat ventre sur mon lit avec des coussins plaqués contre les oreilles. Malgré ça, tandis que je dérivais dans le crépuscule d'une surdose qui m'a laissé inconscient plus de soixante-douze heures, je croyais encore entendre des corps se tordre en se frottant machinalement les uns contre les autres dans le noir.

Heureusement — si on peut dire — Ferraille le droïde m'a trouvé. J'avais vomi sur le lit et, malin comme il était, il en a déduit que je n'étais pas au meilleur de ma forme. Il a veillé sur moi pendant deux jours, en me retournant quand je vomissais et en s'assurant que les alters étaient nourris aux heures habituelles.

Peut-être m'a-t-il aussi chuchoté des choses pendant que je dormais, car le jour où j'ai enfin regagné le monde des vivants, je me sentais investi d'une mission dont je ne comprenais pas l'origine. Pour me faire comprendre, il va falloir que je vous fournisse quelques éléments de contexte. Accrochez-vous, et je m'excuse par avance, mais la médecine, ce n'est pas mon rayon.

Voilà ce qui se passe dans les Fermes.

Le monde fourmille de dangers, même si on se tient à carreau. On a des chances de s'y faire un peu bousculer. D'attraper des maladies, de se couper, d'avoir des bleus. Dans l'ensemble, ces problèmes-là sont bien résolus, aujourd'hui. Reste un domaine où on continue de lire dans le marc de café ou d'égorger des poulets.

Le corps présente une résistance inhérente quand il s'agit d'accepter des pièces détachées en remplacement des organes lésés. Les groupes tissulaires, les organes cultivés *in vitro*, ça n'a jamais vraiment marché, alors que d'autres difficultés, pourtant plus épineuses, ont été résolues sans mal. Les organes ou les membres greffés sont invariablement rejetés, et ils se nécrosent ; la majeure partie du temps, ils compromettent la vie du patient par la même occasion. Les médecins ont collectivement considéré le problème en plissant le front d'un air soucieux, puis envisagé la chimiothérapie avant de se rabattre sur les antigènes de synthèse, la nanotechnologie, les attelles osseuses biodégradables soudées organiquement — à l'aide de cellules —, mais ça ne prenait toujours pas. Le taux de réussite augmentait, certes, mais le résultat était encore trop aléatoire, surtout que les seules personnes susceptibles de s'offrir ces traitements étaient aussi celles qui pouvaient poursuivre l'hôpital en justice jusqu'au dernier sou si la transplantation tournait mal.

C'est ainsi qu'il y a vingt ans est né SécuRéseau.

Une société fondée par un biochimiste, un amalgame de compétence scientifique et de génie pragmatique, dépassionné mais assoiffé de sang, qui, à mon avis, lui vaudra une jolie parcelle dans la région la plus surchauffée de l'enfer. Mais en fait, je suis presque sûr que non. Au paradis, on prend la carte American Express avec le même empressement qu'ailleurs.

L'idée était simple. « Bon », s'est dit ce type dans son labo, par une longue soirée d'hiver. « Là, on a un problème. Les gens n'arrêtent pas de foutre en l'air telle ou telle partie de leur corps, lequel s'obstine à affirmer : "Les pièces d'occase ne sont pas acceptées." Alors cessons donc de lui en refiler. À la place, donnons-lui ce qu'il connaît déjà. »

Il a contacté ses clients les plus aisés, obtenu *et* une réponse positive *et* un capital de départ, et c'est comme ça que les Fermes ont vu le jour. En échange d'une somme non communiquée mais qui doit largement dépasser le million de dollars, quand on a un enfant, on peut prendre une petite assurance-vie sur sa tête. En créant d'abord la vie, puis en s'appliquant systématiquement à la détruire.

Après la conception, les chirurgiens prélèvent sur l'embryon quelques cellules qu'on clone, puis qu'on cultive dans toute une gamme d'environnements, tubes à essai et autres incubateurs, en suivant d'aussi près que possible le processus naturel. Dès que le jumeau factice respire, on l'abandonne aux bons soins de droïdes jusqu'à ce qu'il acquière les compétences motrices et cognitives de base. Alors on l'emmène dans une Ferme, on le case dans un tunnel et on l'oublie tant qu'on n'en a pas besoin.

Deux fois par jour un droïde infirmier vérifie les signes cliniques des alters et remet à chacun une mixture soigneusement étudiée, riche en éléments nutritifs, afin qu'il grandisse au même rythme que son jumeau. De temps en temps on les fait marcher un peu pour éviter que leurs muscles s'atrophient. Mais à part ça, tout ce que connaissent les alters, c'est un interminable crépuscule de tiédeur bleutée, les sons incohérents émis par leurs congénères et la perpétuelle activité vague et sans but qui se déroule autour d'eux. Puis, quand le jumeau extérieur d'un alter se blesse ou tombe malade, la sirène d'alarme se déclenche et une ambulance arrive. Les médecins identifient l'alter adéquat, l'amputent selon leurs besoins et le rebalancent dans le tunnel où il gît, s'ébat et subsiste jusqu'à ce qu'on fasse de nouveau appel à lui.

Exemple. À la Ferme, il y avait eu un alter nommé Steven Deux. J'ai lu son dossier. Son frère du dehors n'était pas un cadeau. À dix ans, il s'est fait écrabouiller la main droite par une portière de voiture. D'accord, ce n'était peut-être pas entièrement de sa faute, mais dans la vie, on doit assumer les conséquences de ses actes. Sauf le vrai Steven. L'ambulance est venue, les médecins ont posé le bras de Steven Deux sur la table d'opération et tranché la main au niveau du poignet. Sur quoi ils sont allés la recoudre sur Steven. Une certaine gêne temporaire, quelques séances de rééducation pas marrantes, et le gosse avait retrouvé son intégrité physique.

À seize ans, le même Steven a pris le volant en état d'ivresse et perdu une jambe ; mais ce n'était pas grave puisqu'on pouvait en prélever une sur son *alter ego*. Après l'opération, le brancardier a ramené Steven Deux dans le tunnel, l'a calé contre un mur, à côté de la porte, et a refermé derrière lui. Le gosse a essayé d'avancer et, naturellement, il s'est cassé la figure. Il est resté comme ça trois jours.

À l'âge de dix-sept ans, Steven a reçu en pleine figure une casserole d'eau bouillante, cadeau d'une fille qu'il avait trompée. En fait, il lui avait aussi volé sa voiture et l'avait obligée à coucher avec deux de ses amis. Mais ça ne se verrait pas, puisqu'on était venu voler le visage de son frère.

Telle était l'existence des alters : vivoter dans un tunnel en attendant d'être taillés en pièces, en compagnie de corps mutilés, disséqués qui clopinaient en tous sens, frappaient dans leurs mains privées de doigts, se frottaient le visage contre les murs et laissaient la merde leur couler le long des jambes. Tous les deux jours, sans avertissement ni explication, les tunnels s'emplissaient de désinfectant. Évidemment, toute mise en garde aurait été superflue : les alters ne savaient pas parler. Encore moins lire. Et encore moins penser. Les tunnels n'étaient qu'une vaste boucherie où il arrivait à la viande de remuer encore dans son éternel bain de lumière morte et bleue.

Ils n'ont ni vêtements, ni affaires d'aucune sorte, et bien sûr pas de famille. Ce sont des fragments de code coupés du tronc principal du programme, et livrés à eux-mêmes dans le noir. Ils n'ont que les droïdes de la Ferme — et le gardien, mais bien souvent, il vaudrait mieux pas de gardien du tout. Pour nous, pas d'« obligation de soins » au cahier des charges. Notre boulot consiste exclusivement à ne rien faire tandis que les pires côtés de notre âme s'enveniment et prennent de l'ampleur. Certains font entrer des visiteurs, la nuit — moyennant finances, bien sûr. La rumeur prétend que parmi les amateurs de cette faveur toute illégale figure un des discrets actionnaires. Parfois les gens du dehors se contentent de rigoler en buvant de la bière devant le spectacle des alters, mais parfois aussi, ils se les envoient.

Quand je me suis réveillé, Ferraille était occupé à aspirer le vomi répandu autour de ma figure ; le café était déjà sur le feu. Les bruits et l'odeur se sont progressivement infiltrés jusque dans ma conscience comme l'eau à travers la roche poreuse. J'ai fini par me lever, prendre une douche et m'habiller ; puis je suis retourné à ma place habituelle, c'est-à-dire à la table. J'avais la sensation qu'on m'avait raboté le cerveau au papier de verre, je frissonnais à cause de tout le Raviss que je m'étais injecté et mes mains tremblaient tellement que j'ai renversé du café partout.

Mais cette fois, c'était différent. Pour la première fois, je pensais à quelqu'un d'autre que moi-même, je me demandais comment intervenir.

Pour le meilleur ou pour le pire, je suis effectivement intervenu.

Cet après-midi-là, je suis retourné dans les tunnels. Je me suis frayé un chemin entre les petits corps et j'ai sélectionné les enfants pas trop amochés. Dans le premier tunnel, j'ai pris David et Ragald, dans le deuxième Suej et Nanune, dans le troisième Jenny. Ceux-là étaient indemnes, excepté Suej qui avait perdu une lanière de peau sur la cuisse. Je les ai amenés dans la pièce principale et je les ai fait asseoir sur des chaises. Enfin, j'ai *essayé* ; ils n'en avaient encore jamais vu. David et Nanune en sont tombés aussitôt, Suej s'est affalée sur la table et Ragald s'est immédiatement relevé pour errer dans la pièce. J'ai fini par les rassembler dans un angle ; ils se sont assis par terre, dos au mur. Ils se sont progressivement habitués à la lumière vive et ont promené un regard ahuri sur les diverses complexités de la pièce : les surfaces et objets divers, l'espace, la rectitude des murs…

Je me suis accroupi devant eux et, l'un après l'autre, j'ai pris dans mes mains leurs petits visages, en scrutant leur regard. Je n'y ai lu que le vide et, l'espace d'un instant, mes bonnes résolutions ont faibli. Ils avaient vécu trop longtemps dans un quasi-néant intellectuel et affectif, trop de choses leur étaient inconnues. La plupart ne savaient même pas se servir correctement de leurs bras, de leurs jambes. Ils oscillaient sur place ; on aurait dit des bébés grandis d'un coup.

Je n'étais pas qualifié pour compenser tout ce qu'ils avaient perdu ; peut-être me manquait-il même les compétences nécessaires pour combler une *partie* de ce vide. Moi qui n'étais même pas capable de raccommoder ma propre vie, comment pouvais-je prétendre leur en offrir une ? La vague de détermination sur laquelle je surfais depuis le matin était en train de refluer à vitesse grand V, et je menaçais de m'échouer sur une grève déserte, faite de lassitude et d'anxiété.

« Qu'est-ce que vous fabriquez ? »

J'ai fait volte-face, le cœur battant. Ferraille et le droïde infirmier se tenaient dans l'encadrement de la porte. L'espace d'une seconde j'ai échafaudé un bobard, puis laissé tomber.

On croit que la vie consciente façonne le comportement, mais c'est faux. C'est au contraire quand on dort, quand on n'est plus là, que tout se passe. Ce temps-là compte aussi, et les soixante-douze heures écoulées avaient fait de moi un autre homme. Or, si ce changement ne se répercutait pas autour de moi, j'allais me retrouver dans le vaste monde, ce qui signerait mon arrêt de mort ; mais si je restais, si je regardais sans intervenir ces enfants se faire dépecer au fil des ans, j'étais promis à une mort tout aussi certaine. La seule différence entre eux et moi, c'est que je n'habiterais pas les tunnels.

En tout cas, c'est ce que je me suis dit. Et je ne me sentais pas capable de quitter la Ferme si tôt, d'affronter à nouveau le monde extérieur. Ne me demandez pas ce qui a motivé ma décision, des enfants ou de mes propres insuffisances ; je n'en sais rien. Et ça n'a peut-être pas d'importance.

« Je voudrais faire quelque chose pour eux », ai-je répondu.

Les deux droïdes m'ont contemplé, impassibles. « Quoi ? » s'est enquis Ferraille.

Dans mon dos, Nanune a basculé de côté et s'est abattue sur le sol. Je l'ai redressée.

« Les laisser se balader. Leur apprendre des choses. »

Ferraille a levé un de ses appendices préhensiles. Je me suis tu. Rien n'a été prononcé dans le spectre audible, mais tout à coup le droïde infirmier a paru se désintéresser de l'affaire. Il est reparti dans le couloir. Ferraille a attendu qu'il ait disparu.

« Pourquoi ? m'a-t-il demandé.

— À votre avis ? » j'ai braillé en espérant qu'il me fournirait une réponse, justement. Mais non. Alors je me suis creusé la cervelle. « Ils ont le droit d'apprendre à parler. De voir ce qu'il y a dehors. De comprendre.

— Non, Jack. Ce droit, ils ne l'ont pas. » Ferraille demeurait imperturbable, mais il manifestait un certain intérêt, comme un chimiste observant le contenu d'une boîte de Pétri en constatant que ses occupants se mettent tout à coup à jongler avec des couteaux. « Les alters n'ont d'autre raison d'être que de remplir leur fonction.

— Dehors, la moitié des gens n'ont même pas de fonction. Ça ne les empêche pas d'avoir des droits. » Je recommençais à trembler et les muscles de mon abdomen étaient contractés. Bref, je n'étais pas vraiment en état de soutenir une discussion métaphysique avec un robot. Une perle de sueur a roulé lentement le long de ma tempe avant de s'écraser sur ma chemise. C'est tout le problème du Raviss. On ne reste pas longtemps en paix.

« Vous croyez, vraiment ? » Puis, sans attendre la réponse : « Vous vous proposez donc, contre les instructions expresses de SécuRéseau, de laisser sortir les alters. De leur apprendre à lire. De leur offrir inutilement un lambeau de vie réelle.

— Tout juste », ai-je répliqué sur un ton de défi mal assuré ; je sentais bien que c'était bêtement idéaliste. Le plus curieux, c'est que ça ne me ressemblait pas du tout. L'idéalisme, on me l'avait brutalement extirpé de la tête bien des années plus tôt, disons, à l'époque du dermoRépar. Si on m'avait posé la question, j'aurais répondu que je me foutais royalement des alters et du reste. Je ne comprenais pas ce qui me prenait.

« Vous allez avoir besoin d'aide », a repris le droïde.

Il m'a fallu un moment pour me rentrer ça dans le crâne. « Vous voulez dire… de *votre* aide ?

— Oui, mais il y a une contrepartie. C'est que vous décrochiez de la drogue.

— Allez vous faire foutre. » Je suis sorti à grands pas.

Une demi-heure plus tard, Ferraille m'a retrouvé. J'étais tassé au bout de l'interminable couloir, le plus loin possible de toute forme de vie, qu'elle soit basée sur le carbone ou sur la silicone. Je claquais des dents, mes muscles étaient en proie aux spasmes caractéristiques du manque, j'étais en train de perdre pied. Une sensation de froid mordant évoquant du feu liquide remontait le long de mon épine dorsale et je commençais à avoir des hallucinations. J'ai levé des yeux chassieux sur le droïde, puis je me suis détourné. Il ne m'intéressait pas. En tout cas, moins que les petits bonhommes qui me grimpaient sur la jambe. Ils ressemblaient aux types que j'avais connus pendant la guerre, dont je savais pertinemment qu'ils étaient morts. Ils voulaient m'avertir de quelque chose, mais leur voix était trop aiguë pour mes oreilles. Donc, j'essayais de me transformer en chien pour pouvoir les entendre.

Enfin, vous voyez le genre.

Mais le droïde est resté là, et au bout d'un moment, son plateau extensible est sorti. Il me présentait une seringue. J'ai rivé sur lui un regard plein de flammes.

« Votre dose habituelle tuerait quatre personnes normalement constituées, a-t-il déclaré. Quelques secondes à peine après l'injection. Aujourd'hui, vous devez vous administrer ceci, sinon vous mourrez. Mais demain, je diminue la dose.

— Ferraille, ai-je marmonné, tu ne peux pas comprendre.

— Mais si. Je sais bien pourquoi vous êtes là. Seulement, si vous continuez, vous allez vous tuer en quelques semaines ; or, je veux que vous restiez en vie.

— Pourquoi ?

— Pour *leur* servir de professeur. »

À la fin, je ne sais plus lequel de nous deux l'a emporté ; l'avais-je convaincu par ma tirade maladroite, ou m'avait-il contraint par chantage à accepter l'idée bizarre, absurde qui s'était insinuée dans mon esprit (lequel menaçait de sombrer définitivement dans l'abîme) ? Peut-être Ferraille était-il Jésus depuis le début, et moi son Jean-Baptiste à la cervelle cramée.

Quoi qu'il en soit, j'ai décroché du Raviss dans les huit mois qui ont suivi, et la vie à la Ferme a commencé à changer.

4

Le téléphone a sonné et Howie a décroché. La première partie de mon récit m'avait pris une heure et Suej
s'était endormie, tassée dans son fauteuil. Profitant de
ce que Howie écoutait son interlocuteur, je l'ai recouverte de mon blouson. Elle a remué un peu, comme si
elle était très, très loin, puis l'inertie a repris ses droits.
Ses paupières bougeaient ; quel genre de rêve faisait-
elle ? Un beau, espérais-je.

Howie a replacé le combiné sur son socle. « C'était
Dath. Personne n'est au courant de rien dans les trente
premiers étages.

— Et Paulie ? Pas de nouvelles ?

— Il est à la Porte. » Un haussement d'épaules. « Il
appellera s'il apprend quelque chose. »

Il a eu l'air d'attendre que je lui raconte la suite, alors
j'ai obtempéré.

Ma première initiative a été d'étendre l'installation électrique de la Ferme en aménageant un second
système d'alarme. Puis, avec l'aide de Ferraille, j'ai
désactivé les circuits automatisés censés se déclencher
si les portes des tunnels restaient ouvertes plus de cinq
minutes. Étant donné que ces contacteurs provoquaient
l'apparition de voyants lumineux clignotants sur un
appareil quelconque à l'hôpital général de Roanoke et
au QG de SécuRéseau, il fallait les mettre hors circuit

avant le déclenchement de la première étape du plan. On ne pouvait se contenter de les détruire : cela aurait déclenché un autre signal d'alarme.

Une fois convaincus que nous ne risquions plus rien, nous avons ouvert les portes pour de bon — sauf quand la sirène d'alarme retentissait. Je laissais les alters aller et venir à leur guise dans tout le périmètre du Centre. Pourtant, à l'occasion, ce pouvait être angoissant. On n'est pas toujours ravi de trouver sous la table un type tout nu et sans yeux, ou une fille sans jambes.

J'ai fait une pause de quelques jours ; j'attendais de voir si cette liberté nouvelle causait de la détresse aux alters. Mais il semblait que non. Ceux sur qui Ferraille et moi avions des visées particulières préféraient sortir des tunnels, tout en y retournant pour dormir. Les autres affichaient toutes sortes de réactions — de l'incursion accidentelle dans le bâtiment principal au refus obstiné de s'aventurer au-dehors.

Après quoi j'ai commencé à leur apprendre des trucs. Sans Ferraille, jamais je n'aurais pu faire le quart de ce que j'ai accompli. J'ai bien été en fac pendant un an, mais pour étudier l'Histoire. Je n'ai jamais abordé la pédo-psychologie, l'acquisition du langage ou les méthodes d'enseignement. Et je me jetais à l'eau avec des adolescents qui n'avaient jamais connu d'interaction avec d'autres êtres humains. Normalement, le handicap aurait dû être impossible à surmonter, et si j'avais été tout seul, je ne m'en serais pas sorti ; il était beaucoup trop tard.

Toutefois, Ferraille était bien autre chose qu'un droïde d'entretien, ou que la machine dont je n'avais tenu aucun compte jusqu'à la nuit de la surdose. Pour commencer, il a trafiqué le droïde infirmier, un robot entièrement aux ordres de SécuRéseau et prévu pour obéir à ses instructions. Or, pendant cinq ans, pas une fois il n'a fait mine de nous dénoncer, pas une fois il ne s'est plaint de devoir pourchasser les alters dans tous les coins du complexe afin de relever leurs signes cliniques ou de les nourrir.

Ensuite, plus important, c'est Ferraille qui s'est chargé de faire la classe. D'accord, c'est moi qui prenais place parmi eux, qui les aidais à se tenir droits, qui leur immobilisais la tête pour qu'ils voient bien les lettres que j'agitais devant leurs yeux, qu'ils entendent les mots que je leur serinais. Et encore moi qui me tenais derrière eux en enserrant leur torse pour les obliger à se servir correctement de leurs membres. Leurs muscles étaient ridiculement sous-développés malgré les miracles que devaient réaliser les préparations nutritives du droïde infirmier. Et c'est sûrement en trimballant les alters jour après jour que j'ai moi-même conservé une musculature normale.

Oui, c'est moi qui me suis chargé de tout ça, moi qui leur ai parlé sans discontinuer, moi qui les ai serrés dans mes bras quand ils étaient malheureux, alors que ces familiarités ne me viennent pas facilement. Mais Ferraille a accompli le plus gros du travail. Il a absolument voulu que j'aie l'air responsable de tout sous prétexte que pour les alters, il était préférable d'être materné par un humain ; alors pendant des années j'en ai rajouté dans la vigilance, en leur témoignant une chaleur humaine fabriquée de toutes pièces. J'essayais de deviner leurs besoins, et quand ils ont enfin pu soutenir une conversation rudimentaire, j'ai fait de mon mieux pour que leur intelligence s'accroche à autre chose qu'à moi, pour qu'elle acquière un peu d'indépendance. Mais sans Ferraille, qui savait manifestement faire démarrer un cerveau humain en sommeil comme on lance un moteur en raccordant deux fils, on n'aurait jamais dépassé le premier stade. Lui préparait les leçons, moi je les dispensais.

Au bout d'un temps, le « projet » — si on peut appeler ça comme ça — s'est mis à rouler tout seul. J'étais moins dépendant des conseils de Ferraille. Je laissais les alters regarder la télévision, écouter de la musique. Je prenais le relais quand Ferraille ne pouvait plus fournir d'explications, par exemple sur le fonctionnement véritable du monde extérieur. Mais il a été là depuis le début, et il est intervenu à toutes les étapes.

Je me suis souvent demandé comment il avait accumulé autant de connaissances, sans jamais parvenir à une conclusion satisfaisante. Sauf peut-être une hypothèse, dont je ne saurai jamais si elle tenait debout. J'étais tenté de croire qu'il était *déréglé*.

J'ai mis longtemps avant de soupçonner quoi que ce soit — ce droïde était compétent dans tellement de domaines qu'au premier abord, l'idée semblait grotesque. Cependant, de temps en temps quelque chose attirait mon attention. Certains brusques changements d'activité, de brefs intervalles pendant lesquels il évoquait un moteur qui cale ou qui se met doucement au point mort. Sans parler de ses théories tirées par les cheveux sur la nécessité d'unifier le conscient et l'inconscient, auxquelles je n'ai jamais rien compris. Et puis il y avait le café.

Tous les jours, pendant la totalité de mon séjour à la Ferme, Ferraille a préparé du café pour une armée. Chaque fois que je me rendais aux cuisines, j'étais étonné, amusé, puis de plus en plus préoccupé par le spectacle, sur le fourneau, de gigantesques cafetières promptement remplacées dès que leur contenu commençait à dater un peu. Il avait peut-être servi comme droïde barman dans un hôtel immense ; sinon, je ne voyais vraiment pas ce qui le poussait à agir ainsi.

Un jour je lui ai posé la question, et il m'a simplement répondu que c'était « nécessaire ».

Les années passaient ; petit à petit, l'évolution des alters se confirmait. Les gosses avec qui nous passions le plus de temps comprenaient grossièrement ce qu'on leur disait. Ils se mettaient à parler, même si, durant une longue période, certains d'entre eux — dont Suej — ont adopté une espèce d'amalgame curieux entre l'anglais et ce que j'appelais le « tunnelien », un incompréhensible système de grognements et de chuchotis dont je ne suis même pas certain que ce soit un protolangage. Plus probablement un réconfort verbal. Au fil des jours, ils se sont fixés sur l'anglais et, naturellement, ils ont fini par parler comme moi, ne connaissant pas d'autre rythme d'énonciation, du moins dans le cadre de la communication directe. La télé n'est pas un exemple idéal en la matière ; d'un autre côté, quand on voit la vie réelle…

En dehors de mes alters triés sur le volet, le plus grand nombre n'apprenait rien du tout, même si on les traînait en classe et qu'on encourageait les plus jeunes à transmettre leur savoir. Quelques-uns, tels Monsieur Deux, ont acquis la maîtrise approximative d'une poignée de mots, comme un chat apprend à ouvrir les portes. Mais la plupart n'engrangeaient absolument rien ; ils se contentaient de ramper de-ci, de-là dans la Ferme, ou de se rouler par terre avant de rentrer dormir dans les tunnels en attendant le bistouri.

Car bien sûr, l'horreur continuait. On voyait toujours arriver des ambulances. Parfois, on avait l'impression que les gens du dehors prenaient plaisir à vivre dangereusement, sachant qu'ils disposaient d'une assurance particulière. Donc, de temps en temps, des hommes venaient, puis s'en allaient en laissant derrière eux un petit mutilé. Nanune a ainsi perdu la jambe gauche, une main et un long lambeau de muscle au bras. Ragald, lui, a donné son rein gauche, un peu de moelle osseuse, un bras et un morceau de poumon. En plus du greffon prélevé avant mon arrivée, Suej a perdu un fragment de muqueuse gastrique, un bout de peau sur le visage puis, six mois avant la fin, ses ovaires. À ce moment-là, elle avait assez évolué pour savoir de quoi elle se privait. David, lui, a dû renoncer à deux doigts, plus quelques petites choses par-ci, par-là. Et encore, mon petit groupe s'en sortait relativement bien.

Le pire, c'est qu'on aurait *très bien* pu s'y prendre autrement. Capables de cloner des corps entiers, les scientifiques auraient *très bien* pu faire pousser des membres, des organes à la demande. Oui mais voilà : la note aurait été plus salée, le processus moins commode à gérer, et en ce siècle de merveilles, ce sont *eux* les nouveaux dieux. Si on avait fabriqué les « pièces détachées » sur commande, leurs bénéficiaires auraient dû attendre pour pouvoir sabrer le champagne. Tandis qu'ainsi, les stocks étaient permanents.

J'ai vite vu dans quel piège je m'étais fourré. Quand le brancardier a attrapé Nanune dans le tunnel, la première fois, j'ai bien failli craquer ; pour justifier ma tentative d'intervention, au dernier moment j'ai feint de lui venir en aide. Mais de toute façon, il ne m'a pas prêté la moindre attention. Au fil des ans j'ai eu de plus en plus de mal à supporter les mutilations, devant lesquelles je restais littéralement impuissant. Si je posais le moindre problème, même mineur, j'étais viré. J'étais la propriété de SécuRéseau. Même ma persoCarte leur appartenait. Si je perdais mon boulot, j'étais dans la merde ; mais ça, c'était le cadet de mes soucis.

Si je quittais la Ferme de Roanoke, un autre prendrait ma place. Un type qui ne ferait rien pour les alters, qui les claquemurerait dans leurs tunnels ; alors j'aurais commis la plus grosse erreur de ma vie, car je leur avais donné le goût de la liberté. Oui, un homme qui bouclerait définitivement les tunnels, à part pour en extraire brutalement Jenny, Suej ou un autre gosse en plein milieu de l'après-midi, les violer et les rejeter sur le tas. Quand on embauche des hommes vides, pourris jusqu'à la moelle, on ne sait pas à quoi on s'expose. La moralité ne peut se passer de témoin ; si on est seul, elle a tendance à faiblir, voire à s'envoler. Ferraille m'avait raconté l'histoire du gardien qui avait fini par sombrer en lui-même par une longue nuit glaciale... et jouer à la roulette russe avec les alters. Évidemment, c'était toujours lui qui devait appuyer sur la détente, mais il n'avait pas eu de chance : c'était lui qui avait pris une balle dans la tête. On disait qu'un fragment de celle-ci était enchâssé dans le mur du tunnel ; et aussi que, le jour où on a retrouvé le cadavre, un alter léchait ce qu'il lui restait de cervelle.

Des plaintes ont été déposées : parfois les alters avaient à la place des ongles des moignons ensanglantés, ou bien on trouvait, en les opérant, leurs organes lésés, inutilisables ; parfois encore leur épiderme portait des traces d'entailles ou de brûlures sans rapport avec leur fonction première.

Les gens de SécuRéseau auraient dû louer les services de professionnels pour s'occuper des alters. D'ailleurs, les clients croyaient peut-être avoir affaire à des professionnels. Mais l'opération aurait été moins rentable. Certains individus croient qu'en subordonnant les décisions finales aux intérêts financiers, on aboutit à une forme de sagacité indépendante, objective. Évidemment, c'est faux. On ne fait alors qu'ouvrir la porte à l'horreur frénétique et moite, quasi impossible à distinguer du mal absolu.

Si je m'étais contenté de faire mon boulot — à savoir, laisser les droïdes s'occuper du bétail —, je m'en serais assez bien tiré, si ça se trouve. Mais j'avais choisi une autre voie, et il était trop tard pour faire demi-tour. Il m'était arrivé trop souvent, par le passé, de rebrousser chemin, de ne pas aller jusqu'au bout. Or, dans ces cas-là, on laisse derrière soi, déconnecté du reste, une tranche de cervelle qui, dès lors, surveille le passé *ad vitam æternam*, qui le foudroie du regard pour le dissuader de relever la tête ; la seule preuve que c'est bel et bien du passé, c'est que le présent, lui, commence à perdre ses couleurs, ses contours. On trimballe dorénavant une espèce d'odeur autour de soi, une odeur de caillé douceâtre, omniprésente, dont on finit par ne plus avoir conscience. En revanche, les autres la flairent, et elle vous empêche définitivement de comprendre ce qui se passe, de comprendre le présent. Définitivement.

Quand David a perdu ses doigts, je lui ai expliqué pourquoi. À un moment, flairant ma propre haleine parfumée au Jack Daniels, je l'ai regardé dans les yeux ; et là, j'ai vu mon reflet déformé par ses larmes. Pour la première fois depuis six mois j'ai eu une envie de Raviss, ou de n'importe quoi pourvu que j'oublie cette souffrance dans ses prunelles. J'étais un peu comme un père pour lui, qui n'en aurait jamais d'autre ; et je faisais comme s'il était normal que des individus débarquent de temps en temps pour l'amputer de ceci ou de cela. J'étais franc, calme, je lui disais que j'étais de son côté ; mais plus j'insistais, plus j'entendais la voix de mon propre père sortir de ma bouche.

Pendant les trois années suivantes, deux sentiments ont cohabité tant bien que mal dans ma tête tels des chats ensommeillés cherchant à cohabiter confortablement dans un panier trop petit. Le premier, c'était la conscience d'avoir provoqué une situation que je devais assumer jusqu'au bout, pour les alters mais aussi pour moi.

Le second, c'était la haine ; la haine des Fermes, de leurs propriétaires et de tout ce que ces derniers représentaient. Il fallait faire quelque chose, mais ni Ferraille ni moi ne savions quoi.

Pour finir, la décision nous a été ôtée des mains.

Le 10 décembre de ma cinquième année à la Ferme, j'ai passé la matinée dans la pièce principale avec plusieurs alters qui bavardaient ou regardaient la télévision ; certains essayaient même de lire. D'autres, à divers stades de raccommodage, étaient éparpillés dans tout le complexe, soit pour explorer, soit au gré de leurs roulades et autres reptations. À l'heure du déjeuner, je suis allé faire le tour du propriétaire ; mon haleine formait un nuage devant ma bouche. L'hiver s'était insinué dans la colline comme le froid dans les os et les arbres semblaient pétrifiés par le gel sur fond de ciel pâle ; des bâtonnets de charbon sur une plaque d'aluminium brossé. Il était bon que je sorte de temps en temps, histoire de ne pas oublier le monde extérieur. D'autre part, je voulais voir quel temps il allait faire ; je comptais sur la neige ou le brouillard : à deux ou trois reprises j'avais lâché quelques alters dans le jardin, après m'être soigneusement assuré qu'on ne pouvait les voir de la route.

L'après-midi a passé douillettement, dans la chaleur de la Ferme. J'ai aidé Suej à faire ses exercices de lecture et montré à David comment développer les muscles de ses bras. Moi-même, j'ai accompli ma ration quotidienne de pompes et autres abdos pour essayer de rester en forme. Il ne se passait pas un jour sans que j'aie envie de reprendre du Raviss, mais je m'abstenais depuis un an. La gym, le travail et Ferraille m'évitaient de rechuter.

J'ai pris une douche, je me suis servi une tasse de café (il y en avait de pleines cuves à la cuisine, comme d'habitude) et je me suis installé avec un livre dans la pièce principale.

Un soir d'hiver comme les autres à la Ferme ; j'étais détendu. Je me sentais presque digne d'intérêt.

À neuf heures, la sirène d'alarme a retenti et j'en ai eu le cœur serré à mort. *Pourquoi justement aujourd'hui ?*

me suis-je demandé farouchement, comme si le jour avait de l'importance. *Ils ne peuvent donc pas nous laisser tranquilles ?*

Les alters les plus dégourdis ont prestement poussé les autres dans les tunnels ; quand tout a été en ordre, j'ai coupé la sirène et attendu l'arrivée des médecins.

Faites que ce soit pour un des autres, suppliais-je intérieurement tout en sachant fort bien que c'était injuste, que c'était justement avec ce genre de raisonnement qu'on avait créé les Fermes. *Que ceux que j'aime soient à l'abri, et tant pis pour les autres.*

Les médecins sont venus. Pour Jenny.

J'ai fait entrer le brancardier dans le deuxième tunnel ; je n'arrêtais pas de déglutir, compulsivement. Je savais très bien que Jenny n'y était pas, mais j'ai mis un temps fou pour m'en « apercevoir ». Au bout de cinq minutes de comédie, le type m'a projeté contre un mur et enfoncé le canon de son arme dans le ventre.

« Trouve-la-moi, cette crevure. » En surface, il jouait volontairement le rôle bien établi de la brute épaisse, mais derrière cette colère prête à l'emploi, je pressentais autre chose ; la jumelle de Jenny devait être quelqu'un de drôlement important.

Nous sommes entrés dans le tunnel nº 1. J'ai contourné David et Suej, couchés face contre le mur à quelques mètres de distance. Le brancardier a donné un violent coup de pied à Suej, au niveau de la cuisse, avant de se pencher sur elle pour lui tripoter les seins. Pendant quelques secondes il m'a présenté sa nuque offerte ; un coup m'aurait suffi à le tuer. Je n'en ai pas profité. Je ne pouvais pas. Maintenant, je regrette. Suej l'a vaguement regardé en roulant de gros yeux, puis elle a basculé sur le dos et, la tête rejetée en arrière, elle a pris un air si abruti que, dégoûté, il a eu un mouvement de recul. J'ai failli sourire ; Suej se débrouillait bien. Mieux que David qui, indécis, restait prudemment tourné vers le mur. Je leur avais donné des vêtements, ils avaient pris l'habitude de s'habiller, même s'ils n'y voyaient rien de naturel — plutôt un geste d'allégeance envers un monde où régnait autre chose que le bleu absolu.

En fin de compte, je n'ai pas eu le choix. J'ai désigné Jenny au brancardier, qui l'a détaillée de pied en cap avant de la traîner vers la sortie du tunnel. À voir ses grosses pattes s'attarder sur le corps de la petite, j'ai estimé qu'elle avait de la chance : les médecins étaient plus pressés que d'ordinaire.

L'un d'eux nous attendait dans le couloir du bloc ; il nous a adressé un signe impatient. J'ai essayé de faire parvenir un message à Jenny au moment où la porte se refermait, puis j'ai rebroussé chemin, les poings serrés.

J'ai croisé Ferraille. En général, le droïde attendait à la sortie du bloc au cas où on aurait des instructions post-opératoires à lui communiquer. D'habitude nous échangions quelques paroles, nous décrivions notre sentiment d'impuissance. Mais pas ce jour-là. Nous n'étions pas d'humeur.

J'ai regagné mes quartiers et je me suis servi un whisky en attendant le verdict, qui ne pouvait être que funeste. En ces derniers instants à la Ferme, j'avais la tête fourmillante d'hypothèses ; quelles « pièces détachées » pouvait-on prélever sans que Jenny en ressorte trop mutilée ? Une phalange, peut-être. Ou bien un ligament, extrait à un endroit du corps pas trop stratégique.

Faites que ce ne soit pas ses yeux. Ils sont trop beaux. Pourvu qu'ils ne les lui prennent pas !

Alors j'ai entendu des cris, puis un choc. Quelques secondes plus tard le droïde infirmier est entré en coup de vent et a filé tout droit par la porte principale sans me prêter attention. Ahuri, je l'ai suivi du regard puis, instinctivement, j'ai couru au bloc. Au moment de négocier le dernier tournant j'ai vu Ferraille venir vers moi à toute vitesse, traînant une Jenny ébahie et terrifiée. La porte du bloc était verrouillée et, de l'autre côté, on la martelait de coups de poing. Jenny a trébuché. Je l'ai reçue dans mes bras.

« Qu'est-ce qui s'est passé ?

— Elle a parlé », a répondu Ferraille.

Jenny s'est craintivement écartée de moi. Je me suis efforcé d'adoucir mon expression, de sourire. Mais la tentative n'a pas dû être très convaincante.

« Ce n'est pas de sa faute », a promptement ajouté Ferraille. La jumelle de Jenny avait été victime d'un incendie ; outre des lésions internes, elle présentait des brûlures au troisième degré sur quatre-vingt-cinq pour cent du corps. Jenny n'aurait pas survécu à l'opération. Ils s'apprêtaient à l'exploiter au maximum, et en une seule fois. En gros, à la dépecer et l'éviscérer vivante. Tandis qu'elle était sanglée sur la table, les chirurgiens avaient précipitamment discuté de la méthode à adopter, sans se douter un instant qu'elle saisissait sinon les détails, du moins l'essentiel de ce qu'ils disaient. Les opérations n'étaient jamais pratiquées sous anesthésie ; quand le chirurgien chef s'était penché sur elle pour lui injecter un paralysant musculaire, elle avait laissé échapper :

« S'il vous plaît. Non. »

Quatre mots en tout et pour tout — seulement, elle n'était pas censée savoir parler. Aussitôt, Ferraille, qui écoutait à la porte, avait fait une entrée fracassante, violemment écarté le chirurgien, attrapé Jenny et foncé dans le couloir.

Il le savait aussi bien que moi : le moment était venu.

« Jack », a-t-il lancé.

Le brancardier accourait ; il tenait un fusil anti-émeute. J'ai attiré Jenny et Ferraille dans le couloir perpendiculaire.

« Qu'est-ce qu'on fait ? s'est enquis le droïde.

— Ça ! » J'ai attendu une seconde, puis barré la route au brancardier. Tandis qu'il mettait en joue, j'ai abattu ma paume sur son menton. Sa tête est partie en arrière. Je l'ai frappé à la gorge avant de le saisir par les épaules et de lever un genou tout en lui abaissant brutalement le visage. Un grognement étouffé ; le nez éclaté, il s'est écroulé tête la première, inconscient. Je ne lui ai pas laissé le temps de tomber : il a hérité d'un coup de pied dans la nuque qui lui a été fatal.

Je l'ai retourné du bout du pied et j'ai arraché le fusil de ses mains convulsées. Puis je me suis emparé du revolver rangé dans son baudrier et je l'ai passé à ma ceinture.

« Ne les laisse pas sortir », ai-je intimé à Ferraille en pointant l'index vers le bloc. Jenny et lui me dévisageaient sans rien dire. J'ai évité leur regard et pris la main de la petite. *Gentil tonton Jack montre ses talents cachés.* Le cœur me manquait.

Jenny s'est débattue un moment, puis elle a cédé ; elle s'est laissé entraîner vers les tunnels. Là, j'ai secoué David et Suej pour les faire lever, je les ai bousculés un peu et poussés jusqu'à la salle de contrôle. Un saut dans ma chambre pour ramasser au vol quelques vêtements, que j'ai lancés aux alters en leur criant de s'habiller. Pendant qu'ils se dépêtraient de mes guenilles ont retenti les premiers coups de feu en provenance du bloc. Un au moins des chirurgiens était armé et tirait dans la serrure. C'est que, chez SécuRéseau, les toubibs n'ont pas tout à fait le profil ordinaire du bon docteur en blouse blanche. Ils ont un passé un peu trouble, certains ont même les yeux de feu. En entendant les détonations, les alters ont bronché puis reporté leur regard sur moi, blêmes et désorientés. Je leur ai fait signe de se dépêcher.

J'ai pris mon sac de voyage dans le placard où il reposait, tel quel, depuis plus de cinq ans, afin d'y entasser quelques vêtements supplémentaires, en choisissant les pulls les plus chauds. J'étais sorti, cet après-midi-là ; je savais qu'on en aurait besoin. J'ai tassé par-dessus deux pliImpers légers, dressé le fusil contre le mur le temps d'enfiler un blouson, puis réintégré la salle de contrôle. Le droïde infirmier a fait brièvement irruption par la porte d'entrée, l'air pressant, puis il a disparu dans les couloirs. J'ai fait mine de le suivre, mais Ferraille s'est encadré dans la porte.

« Ils sont en train de sortir et je ne peux pas les tuer », m'a-t-il dit simplement. Je savais le droïde infirmier également incapable d'éliminer un humain. Sur ce plan au moins, tous deux étaient encore inféodés à SécuRéseau. « Il faut partir tout de suite.

— Écoute… » Je ne sais pas très bien ce que je m'apprêtais à lui dire. Je savais qu'il ne pouvait nous accompagner ; il se verrait comme le nez au milieu de la figure, et en plus, il serait facilement repérable par radio depuis n'importe quel satellite. Peut-être voulais-je lui demander conseil, ou bien le remercier. Mais je ne suis pas allé plus loin.

« L'un d'entre eux se sert en ce moment même d'un téléphone mobile », a brusquement repris Ferraille, mettant ainsi fin à mes incertitudes. « Partez, vite ! Vite ! Vite ! » Il a répété cette dernière injonction sur un ton étrangement uniforme qui lui donnait un côté sirène d'alarme. Il y a eu un grand bruit dans le couloir. J'ai couru vers les alters et je les ai poussés dehors, dans le parking. On entendait déjà des pas précipités en provenance du bloc. Ils se sont arrêtés un instant, sans doute devant le cadavre du brancardier, avant de débouler vers nous dans un bruit de tonnerre. Un bruit de fouet de cuir frappant des tuiles sèches, avec autant d'agressivité que de détermination.

« Monte dans l'ambulance », ai-je crié à David. Mais il n'a pas réagi. Il est resté là à me regarder fixement.

Il savait ce que c'était — il avait vu des voitures et des camions à la télévision — mais comment faisait-on pour y monter ? Dans les films, ça va sans dire. Le plus souvent, on fait l'impasse à l'image. Il s'est mis à frapper la portière du plat de la main avec une rage croissante.

Suej me regardait aussi, prête à tout pour peu que je lui dise quoi faire ; à côté, tête basse, Jenny pleurait à chaudes larmes en tenant la main de Suej. J'ai senti en moi flamboyer une haine venimeuse : pourquoi lui avais-je donné l'impression que tout était de sa faute ? Qu'est-ce qui m'avait pris ? Là-dessus, un gros morceau de chambranle m'a explosé à la figure.

Dans la vie, il y a des instants qui se contractent, qui rentrent en eux-mêmes, et des événements qui ne se produisent pas *réellement*, hormis dans le film granuleux de la vision rétrospective. Peut-être ces instants-là, ces étincelles qui s'enflamment brusquement avant de retomber hors de notre existence, sont-ils attirés les uns vers les autres, quelque part, pour finir par former un tout distinct de nous. Peut-être font-ils partie d'une autre vie. Le meurtre du brancardier avait été à mes yeux un acte simple, sauvage. Pour le chirurgien, ce fut tout différent ; là, j'ai brièvement entrevu cet *ailleurs*, ce vide émergeant des ténèbres.

Sans bruit, je me suis lentement retourné ; je l'ai vu entrer en coup de vent dans la salle de contrôle, tout entier tendu vers moi. L'expression intense, les traits tirés par l'effort, un éclat de glace dans chaque œil, il tenait son arme d'une main assurée. J'ai vu sa bouche s'ouvrir ; il m'a crié quelque chose, je n'ai jamais su quoi. J'ai armé et tiré en tenant le fusil au niveau de ma hanche. Mes mains avaient agi toutes seules, mais j'ai contemplé les conséquences de leurs actes comme si mes yeux étaient des caméras, comme si j'étais ailleurs, très loin, dans un lieu entièrement différent. Je l'avais atteint en plein ventre ; on aurait dit que ses poumons et ses intestins demeuraient en place tandis que le reste de son corps faisait un bond en avant.

Alors le temps m'a heurté de plein fouet et, chancelant, j'ai fait quelques pas en arrière ; je me suis retrouvé dans le jardin, où Ferraille répétait inlassablement son injonction pressante. Sa voix rendait un son anormal et creux ; je me suis demandé s'il avait été endommagé au passage.

La zone était illuminée par des projecteurs installés dans chaque angle. Il m'a fallu moins d'une seconde pour comprendre ce que le droïde avait en tête en quittant le complexe : crever les pneus de l'ambulance. Il ne pouvait pas se douter que nous y arriverions avant les médecins ; ne pouvant nuire directement à d'autres employés de SécuRéseau, il avait fait de son mieux en neutralisant leur véhicule, donc en leur coupant toute retraite. Bien raisonné de sa part — ou plutôt, de la part de Ferraille, mais bon ; les choses ne tournent pas toujours comme on voudrait. Tout en fixant bêtement l'ambulance, j'ai entendu dans mon dos une espèce de gloussement énervé. Ragald se tenait, tout frissonnant, dans l'encadrement de la porte. Nanune se cachait derrière lui, bouche bée devant le spectacle de la salle de contrôle dévastée. Tous deux étaient nus comme des vers.

J'ai bien failli leur crier de rentrer, mais devant Ferraille, je me suis aussitôt ravisé. David continuait à agresser le véhicule, sans relâche, et le vacarme me faisait grimacer ; j'ai lancé mon sac à Suej en lui ordonnant de s'habiller. Puis j'ai saisi David par le col pour le détacher de la portière bosselée par ses coups, avant de m'élancer vers le portail. J'espérais que Ferraille retiendrait l'autre médecin quelques minutes de plus.

J'ai tiré un coup de fusil dans la serrure, puis un autre dans chaque charnière. Le métal a plié, des brèches sont apparues par endroits, mais ce n'était pas suffisant. David et moi achevions le travail à grands coups de pied et d'épaule quand tout à coup, derrière nous, se sont élevés des braillements. J'ai pivoté en braquant mon fusil… et failli pulvériser Monsieur Deux. Quand j'ai vu qu'il avait emporté sa moitié d'enfant, j'ai bien failli tirer quand même.

Suej a eu un geste pour m'en empêcher ; ensuite, elle a choisi une veste et une salopette pour le retardataire venu se joindre à notre joyeuse petite troupe et placé la moitié d'alter dans mon sac désormais vide. Les vêtements que j'avais pris pouvaient tenir au chaud quatre personnes, mais six et demi, non.

Le portail a fini par céder, aidé en cela par un ultime coup de fusil antiémeute. J'ai appelé les alters, qui se sont approchés en file indienne, avec une lenteur exaspérante. Devant la clôture, ils se sont arrêtés avec un bel ensemble. Ils regardaient timidement dehors telle une portée de chatons ; pour la première fois la porte était ouverte, et ils ignoraient totalement le sens de ce qui les attendait de l'autre côté.

Une heure plus tard nous étions à bord d'un train CyberRail contournant à petite vitesse les faubourgs de Roanoke pour se diriger ensuite vers la montagne. Si j'avais eu le choix, je ne me serais rabattu sur le Cyber-Rail qu'en deuxième recours, voire en troisième ou en quatrième. Comme tout le monde, quand je me sais poursuivi, je tiens à foutre le camp aussi vite que possible ; or, là, j'avais l'impression de participer à une course de trottinette. Ce réseau ferroviaire ne sert qu'à véhiculer des denrées non périssables à travers la cambrousse. J'aurais eu plus vite fait en courant. Mais dès notre départ du complexe, j'ai bien vu qu'avant tout s'imposait la nécessité d'installer les alters dans un endroit inexpugnable, exploitable, et à l'abri des regards.

Ils faisaient preuve de bonne volonté, surtout Suej et David. Tous avaient passé mille soirées à rêver tout haut de franchir un beau jour la clôture. Je surprenais parfois des bribes de conversation en m'assoupissant sur mon livre, à l'autre bout de la salle. Je les laissais dire, tout en sachant — ou en croyant savoir — que ça n'arriverait jamais. Un refuge face à la souffrance, un lieu de vie plus plaisant… on a tous besoin d'une religion, besoin d'aspirer à un avenir meilleur. Mais quand je les ai fait sortir pour de bon, ils sont restés pétrifiés. C'était trop pour eux. Beaucoup, *beaucoup* trop. Ils se sont arrêtés net en essayant d'inventorier les nouveautés une par une. Et comme ça commençait par le bitume pour s'égrener à l'infini dans toutes les directions, ça pouvait leur prendre un moment. Ragald, lui, est tombé dans l'excès inverse : il a tout oblitéré en bloc et s'est mis à vibrer de joie nerveuse, une joie aveugle qui le tiraillait çà et là en menaçant de l'écarteler. Monsieur Deux, de son côté, observait la colline d'un air méditatif en décrivant un lent mouvement tournant et en énonçant le mot « spatule » à intervalles réguliers. Quant à Jenny, un peu à l'écart elle s'efforçait d'occuper le moins d'espace possible.

J'ai enfin réussi à les faire repartir, mais c'était comme traverser une fabrique de jouets avec une bande de gosses sous acide. Chaque pas apportait une découverte si magique qu'ils en restaient interdits, incapables de lui tourner le dos.

À une trentaine de mètres se trouvait une intersection. Je ne me rappelais pas où menait la route perpendiculaire. J'ai regardé alternativement dans les deux directions. D'un côté elle contournait une autre colline, sans doute pour rejoindre la ville ; de l'autre, elle devait rattraper le tronçon sud de la route touristique longeant les Blue Ridge. Nous n'avions aucun intérêt à gagner Roanoke (d'ailleurs, en général je ne vois pas l'intérêt de Roanoke). J'ai donc entraîné les alters vers la droite.

La tâche s'est révélée impossible à accomplir. À force de gueuler j'ai réussi à retenir l'attention de David et de Suej, mais pour les autres, rien à faire. Monsieur Deux refusait de marcher droit, préférant décrire de longues courbes, comme un chat ; Nanune cherchait toujours à se dissimuler derrière Ragald, et chaque fois que celui-ci se tournait pour contempler une nouveauté, elle se déplaçait de telle manière que tous deux finissaient par s'éloigner de nous. J'aurais progressé plus vite en marchant sur les mains. À reculons. Il faisait un noir d'encre et la température dégringolait en chute libre. J'étais tiraillé entre une panique naissante et un calme tout à fait déraisonnable, les deux s'alimentant mutuellement pour fusionner enfin et former un sentiment plus vaste, mouvant et tout scintillant d'appréhension.

Alors deux yeux jaunes sont apparus devant nous et j'ai poussé les alters sur le bas-côté. Une fois la voiture passée, j'ai su qu'on ne pouvait pas continuer comme ça.

On a réussi à parcourir huit cents mètres sur la route touristique ; les arbres s'épaississaient de part et d'autre du ruban goudronné. Ensuite, j'ai poussé les alters dans le bois, en leur faisant bien sentir tout l'intérêt de fermer leur gueule.

Je leur ai dit que c'était comme les tunnels quand les médecins arrivaient, mais en pire.

Je suis réparti vers la route, non sans me retourner pour m'assurer qu'ils n'étaient pas visibles ; aussitôt Ragald m'a machinalement emboîté le pas. Je l'ai placé sous la surveillance de Suej. À vingt mètres de distance, on ne les voyait plus. Ils étaient momentanément en sécurité — jusqu'à ce que SécuRéseau s'amène avec les chiens. Fusil plaqué contre la poitrine, conscient de mes maigres munitions, je me suis élancé vers l'inconnu. Il fallait que je trouve quelque chose.

Le lendemain, à la gare CyberRail, j'ai été frappé de plein fouet par une délirante allégresse à l'idée de retrouver le monde réel ; mais sur le moment, j'étais trop à cran. J'ai essayé de ne pas me faire voir et de trouver un moyen de quitter la région, point final. Pourquoi la route ne grouillait-elle pas de vigiles SécuRéseau ou de policiers de Roanoke ? Miracle. Mais il ne nous restait pas beaucoup de temps pour disparaître.

Au bout de dix minutes, je suis tombé sur la voie CyberRail ; je suis retourné chercher les alters. Entretemps, ils avaient cédé à la panique ; en outre, ils avaient tellement froid qu'ils pouvaient à peine marcher. Je les ai quand même traînés jusqu'à la voie ferrée. On n'a pas attendu longtemps : un train est bientôt apparu sur les rails sinueux. J'ai marché le long de la voie, à la même allure que lui, en hissant les alters un par un dans un wagon plein de composants électroniques pour ordinateurs.

Puis j'ai sauté à bord et fermé le panneau coulissant. Nous avions définitivement quitté la Ferme.

Howie regardait fixement ses mains, posture qu'il maintenait d'ailleurs depuis le début de la seconde partie de mon récit. Nos regards ne s'étaient pratiquement pas croisés ; je vidais mon sac. C'était la première fois en cinq ans que je parlais à une créature autre qu'un droïde ou un alter. Je venais de décrire la catastrophe par le menu, et pourtant, je me sentais mieux. Sauf que maintenant j'étais obligé d'y croire ; ça voulait dire que j'étais drôlement dans la merde.

J'ai conclu ma narration sur notre débarquement, ce matin-là, dans une gare CyberRail isolée où Ragald s'était fait littéralement couper en deux par une paire de droïdes vigiles déguisés en wagon abandonné tout tapissé de neige. Puis je me suis levé en sentant mes articulations craquer, et je suis allé me chercher une autre bière dans le frigo.

Quand je me suis rassis à table, Howie m'a bien regardé. Puis il a lentement secoué la tête.

5

Je me suis réveillé le lendemain matin avec le souvenir de rêves amers et confus. Quand, en battant des paupières, je me suis vu couché par terre, tout raide et la tête posée sur une veste roulée en boule, j'ai cédé quelques secondes à une appréhension empreinte de lassitude, comme quand on se retrouve dans un endroit où l'on n'a aucun souvenir de s'être rendu, un lieu qu'on ne *comprend* pas — et qu'on a la troublante certitude d'avoir commis une terrible erreur, mais laquelle ?

Puis j'ai vu que j'étais dans l'entrepôt de Howie, et des fragments de rêve sont venus danser devant mes yeux. Des arbres dévorés par les flammes, des feuilles noircies qui s'approchaient et reculaient tour à tour en se parant de visages sans existence réelle. Puis de vrais visages, cette fois, déformés par la peur et cloutés d'yeux où la terreur déposait une cataracte laiteuse. Une odeur, aussi ; digne du pire tunnel, mais avec un penchant vers la mort, une puanteur étrangère à la médecine — bien au contraire, elle préfigurait fidèlement la dissolution finale. Et un vol d'oiseaux orange, gais et fous, qui disparaissaient derrière une hutte.

J'ai plaqué mes poings sur mes yeux ; sous la pression les flammes se sont muées, comme par morphing, en motifs géométriques tourbillonnants et instables.

Puis j'ai cessé d'appuyer et tout a disparu. Je me suis redressé en position assise, j'ai tâtonné à la recherche d'une cigarette en regardant autour de moi.

Suej dormait encore. Après ma conversation avec Howie, je l'avais prise dans mes bras pour la déposer sur les sacs les plus moelleux. Elle s'était réveillée, nous avions parlé un peu, principalement de David et de ce qui avait pu lui arriver. La compagnie de Suej ne me faisait pas le même effet qu'avant. Maintenant, elle était seule de son espèce. Malgré ces cinq années à être toujours là pour elle et les autres alters, je commençais déjà à m'en éloigner. Mais était-ce vraiment de ma faute ? Non, c'était sans doute la conséquence inévitable de mon retour en ville, au même titre que mon envie de Raviss. Ferraille m'avait dit un jour : c'est dans les circonstances où on les a apprises qu'on se remet les choses en mémoire avec le plus d'exactitude. Se retrouver à New Richmond, se rappeler comment y vivre sans drogue… pas facile ; j'avais l'impression de me balader avec une tronçonneuse en équilibre sur le menton en étant complètement défoncé.

La veille, sur mon coin de plancher, j'avais repensé au Raviss. J'y avais même pensé des heures, songeant que les pires dépendances étaient vraiment les plus faciles à adopter. Prenez l'alcool, par exemple. L'alcool est partout, dans les grands magasins, dans les bars, chez soi. On en a en permanence sous la main. On le voit, on peut le toucher, céder à son appel. Tandis que les Raviss, ça ne se trouve pas dans le bar du salon ; mais il n'est pas très difficile de s'en procurer si on sait à qui s'adresser. Et moi, je savais.

Les clients faisaient la noce dans la salle ; un coup d'œil à ma montre : sept heures du matin. La première tranche de fêtards. J'ai réfléchi en regardant les volutes de fumée de ma cigarette. Au fond de moi, je savais que je n'avais rien à faire là, qu'il aurait mieux valu suivre le conseil de Howie et ficher le camp. Je n'avais eu aucun droit d'amener les alters dans un endroit pareil, une ville qu'ils ne connaissaient pas, pleine de problèmes qu'ils saisissaient encore moins. Et voilà que cette ville les avait subtilisés ; à trois heures du matin, on ne savait toujours pas où ils étaient.

J'avais de plus en plus de mal à croire que Sécu-Réseau les avait enlevés. Avant de m'endormir, j'avais harcelé Suej jusqu'à ce qu'elle me raconte en détail ce qui s'était passé quand les inconnus avaient investi l'appartement de Hal. Son récit m'incitait à croire que ces derniers n'avaient pas prévu les alters ; d'autre part, je ne comprenais pas pourquoi ils avaient tout cassé avant de partir. C'est que je ne passe pas inaperçu, moi ; si j'avais été là, ils s'en seraient vite rendu compte, surtout que je me serais servi de mon arme. Et enfin, pourquoi laisser un seul homme sur place pour me régler mon compte à mon retour ? Pourquoi pas deux, ou plus ?

Alors, un gang cherchant à rentabiliser le contrat lancé sur ma tête en raflant les alters au titre de butin ? Tous, à l'exception peut-être du demi-alter, pouvaient être revendus dans un but ou un autre ; mais seule Jenny avait une véritable valeur marchande.

Il fallait que je sache. Si ces types bossaient pour Sécu-Réseau, c'était foutu. Sinon, il était peut-être encore temps de récupérer les alters.

Mais avant tout, Hal devait recevoir une sépulture décente ; pas question de le laisser pourrir comme ça, éparpillé dans son salon.

Je suis allé sans bruit me raser aux toilettes, puis sorti m'asseoir sur un banc devant le bar, avec un *café au lait* acheté à un vendeur ambulant. Deux questions seulement appelaient une réponse : qui étaient les tueurs, et où ils étaient allés. Mais j'avais l'impression d'avoir raté un train pendant la nuit. Comme si je connaissais les règles du jeu tout en ayant oublié à quel jeu je jouais ; à moins que ce ne soit l'inverse.

L'infoborne au coin de la rue détournait constamment mon attention en gazouillant les pseudo-événements du jour. Une autre femme retrouvée morte, cette fois au 104ᵉ. Le reportage était un peu plus long que la veille puisqu'elle venait du bon côté d'une certaine ligne de démarcation. Là encore, son visage avait subi des lésions « indéterminées ».

J'ai froncé les sourcils ; deux homicides au mode opératoire identique, à des étages différents, deux jours de suite. L'expression « lésions indéterminées » était claire : les flics dissimulaient volontairement leur nature afin d'éliminer les revendications bidon. L'espace d'un bref instant j'ai retrouvé mes réflexes passés et cette histoire a suscité en moi quelque intérêt.

Puis je me suis ravisé ; tout ça n'était plus mon problème.

Le reste du bulletin d'informations n'était que pur remplissage. Telle ou telle avancée technologique. Des statistiques sur ceci ou cela. Un type sans doute lié à la mafia avait été retrouvé mort… et on avait découvert que finalement, l'Everest n'était pas le sommet le plus élevé de la planète.

« Un beignet ?

— Non », ai-je répondu. Je déteste manger au petit déjeuner. À mes côtés, Howie mâchonnait avec entrain.

« Tu devrais. On attaque mieux la journée le ventre plein.

— Ça donne le cancer du cerveau, ai-je répliqué. J'ai lu ça quelque part. »

Howie a pris place sur le banc et avalé une gorgée de mon café. Il a continué à mâcher un moment en regardant ostensiblement le bulletin d'infos. Puis il a tourné vers moi sa bouille toute ronde.

« Je sais, ça devient une rengaine, mais ce n'est pas une bonne idée.

— Qu'est-ce qui n'est pas une bonne idée ? »

Il m'a brandi son beignet sous le nez. « Va enterrer Hal, puisque tu en as décidé ainsi. Mais ensuite, tu te trouves une bagnole et je charge Paulie de t'amener Suej là où tu seras. Tu peux atteindre les montagnes avant l'heure du déjeuner, et un bled quelconque d'ici demain. La solution, c'est ça. Franchement, Jack, tu n'es plus comme avant — et crois-moi, c'est un compliment. En te voyant, je ne me dis plus : "Bon sang, quel malade !" Tu as mis dans la merde les gars qui faisaient tourner ta Ferme. Alors, aller rendre visite à certain bouffeur de spaghetti de notre connaissance, c'est pas exactement la chose à faire.

— Qu'est-ce qui te fait croire que je veux aller le voir ?

— C'est ta tête qui te trahit. Elle se met à luire quand tu vas faire une connerie. Et ça, ce serait une *belle* connerie.

— Ouais, ai-je conclu. T'as raison. »

J'ai hésité un moment devant la porte de Hal. J'avais déjà vu des tas de choses arriver à mes amis — surtout sous Raviss, je l'avoue —, et par la suite, je n'avais jamais pu oublier. Parfois je les sentais juste en dehors de mon champ de conscience, ou de mon champ de vision — comme s'il me suffisait de tourner la tête pour les entrevoir une seconde, lumineuses dans le contre-jour… et immortelles.

D'un autre côté, si je me décidais pas sur-le-champ, après il serait trop tard. Alors j'ai déverrouillé la porte et poussé le battant. Dedans il faisait froid ; en outre, il ne s'était pas écoulé beaucoup de temps… Bref, je ne redoutais pas trop l'odeur, tout en sachant que ce ne serait pas une partie de plaisir.

Or, j'ai eu la surprise de ne rien flairer du tout. Soulagé, j'ai refermé la porte et avancé dans la pièce. À mi-chemin, j'ai stoppé net.

Le cadavre de Hal n'était plus là.

Je suis resté bêtement planté sur place, à tourner la tête de tous les côtés en essayant de voir les choses sous un angle différent. En vain. Le corps n'était pas là, un point c'est tout. L'inspection détaillée des lieux m'a appris que le sol avait été nettoyé ; disparues, les traces de sang, d'esquilles et de substance cérébrale.

J'ai inspecté les toilettes, le coin chambre à coucher, les placards, ces derniers bourrés à craquer de bric-à-brac typique de Hal. Tout le reste était vide.

On avait emporté le corps. Et ce « on » avait fermé la porte à clef en partant.

Seul avait pu faire ça un comparse du tueur — dont le cadavre n'était d'ailleurs plus dans l'entrée de l'immeuble.

Je suis ressorti sans verrouiller la porte, j'ai dévalé un étage et frappé à la porte derrière laquelle, pour une fois, on n'entendait pas de musique. Au bout d'un moment elle s'est ouverte. L'homme à face de rat m'a enveloppé d'un regard furibond.

« Qu'est-ce que vous voulez ? » Il avait l'air drôlement nerveux.

« Vous avez vu quelqu'un monter au cours des dernières vingt-quatre heures ?

— Non. J'étais trop occupé à baiser ta mère. » Sur ce, il m'a refermé la porte au nez. Mais j'ai coincé mon pied dans l'entrebâillement. Ça a dû me faire mal mais j'étais trop à cran pour m'en rendre compte. Face-de-rat a réapparu. « Foutez le camp avant de vous retrouver dans la merde, m'a-t-il conseillé, les traits contractés.

— C'est déjà fait. » D'un coup de pied, j'ai ouvert la porte, qui l'a frappé en pleine figure. Déséquilibré, il a fait quelques pas en arrière dans l'entrée de l'appar-

104

tement avant de tomber assez gauchement sur la tête. Je suis entré, histoire de continuer à rigoler. Ça sentait mauvais. Le copain de Face-de-rat est apparu sur le seuil d'une porte ; en me reconnaissant, il a vivement battu en retraite. Je l'ai suivi et je me suis retrouvé dans une autre pièce, un flingue braqué sur le front.

Assis à une table dans un coin, un Noir costaud au crâne rasé dont le blanc des yeux brillait dans la pénombre. Une rangée de petites diodes bleues étaient incrustées dans son cuir chevelu, tout autour de sa tête. Elles clignotaient doucement. Ses traits étaient épais, brutaux, sa peau luisait. Il m'a regardé, impassible. Devant lui, divers narcotiques disposés en piles de tailles variées. Manifestement, je débarquais en plein deal — pas étonnant que ces types soient mal à l'aise. Je n'ai pas bougé. Ça ne me paraissait pas indiqué.

Au bout d'un temps, le grand costaud a abaissé son arme. Il m'a dévisagé en remuant légèrement la tête, comme pour me jauger sous une lumière différente. Je lui trouvais quelque chose de franchement bizarre, sans réussir à mettre le doigt dessus.

Face-de-rat nous a rejoints tant bien que mal et s'est mis à pousser des cris rauques, assoiffés de sang. « Tu peux dire adios à ta cervelle, fils de pute ! » a-t-il grondé. Il m'a enfoncé son canon dans la nuque et ma tête a été projetée vers l'avant.

« Ça ne se justifie pas, a répliqué le costaud sans s'énerver. D'abord, il va nous dire ce qu'il cherche.

— Tout ce que je veux, c'est savoir si on a vu quelqu'un monter depuis hier soir. » Je m'efforçais de ne pas regarder sa tête à clignotants. Je croyais les entendre tic-taquer comme sur les voitures.

« Alors ? » a-t-il demandé aux deux autres en haussant les sourcils d'un air interrogateur.

À des degrés différents de mauvaise humeur, mais avec une apparente sincérité, ils ont nié avoir vu qui que ce soit. L'autre s'est retourné vers moi. « Ça a à voir avec le macchabée de l'entrée ?

— Oui. Et on peut savoir qui vous êtes ?

— Personne en particulier. Je ne fais que passer. Juste le temps de faire affaire avec mes nouveaux amis ici présents. Moi non plus j'ai vu personne, ni reconnu le paquet d'os par terre dans l'entrée. Si c'est après lui que vous en avez, vous le trouverez dans les bennes derrière *Chez Mandy*, à la limite de la ville.

— C'est vous qui l'avez transporté là-bas ?

— Absolument. Ça faisait tache.

— Très bien. » J'ai fait mine de m'en aller.

« Maintenant, je lui fais sauter le caisson », s'est à nouveau énervé Face-de-rat.

Le costaud a émis de petits bruits désapprobateurs entre ses dents. « Pas question. Mets-toi bien ça dans la tête. »

L'interpellé a passé son arme à sa ceinture et m'a regardé sous le nez. « Bon, alors Marty et moi on le dérouille, d'accord ? » Il a consulté le Noir du regard et je me suis demandé comment s'organisait la pyramide du pouvoir, dans cet appartement.

Marty témoignait moins d'enthousiasme à l'idée de me casser la gueule ; il n'a pas caché son soulagement quand l'autre a secoué négativement la tête. « Tu peux essayer si tu veux, mais ce mec a les yeux de feu et si j'en crois mon expérience, ces gars-là s'en laissent pas compter. »

Avec un clin d'œil pour moi, il s'est remis à trier ses piles de dope. Face-de-rat m'a jeté un regard noir. Marty, lui, a reculé d'un pas en entendant parler d'yeux de feu ; puis d'un autre quand je me suis tourné vers lui. Je suis passé sans encombre entre eux deux et j'ai foutu le camp.

Une fois de retour chez Hal, je suis resté un moment à me demander quelle démarche adopter. Puis quelque chose a attiré mon attention : le tableau d'affichage à côté de la fenêtre, l'« expo ». J'ai écarté le drap qui faisait office de rideau et mes doutes se sont confirmés.

Les photos et les notes n'étaient plus là. Il ne restait que le tableau constellé de trous de punaises. J'ai laissé retomber le rideau.

Qui avait pu faire ça ? Pas Hal, en tout cas. Il n'en aurait pas eu le temps avant de se faire tuer. Et puis, dans quel but aurait-il tout enlevé ? Il était flic. C'était son job. Et il avait bien le droit d'afficher ce qu'il voulait sur ses murs, non ? Alors, qui ?

Celui ou ceux qui avaient fait le ménage dans l'appartement.

Ou alors ça s'est passé un peu plus tôt. Quand j'avais trouvé Hal mort, en revenant, je n'avais pas vérifié son « expo ». C'était bien la dernière chose à laquelle j'aurais pensé. Les bruits entendus par Suej correspondaient peut-être à l'arrachage des documents.

Quoi qu'il en soit, ça ne résolvait pas l'énigme : pourquoi faire disparaître des documents en rapport avec son boulot ? Qu'est-ce que ça avait à voir avec moi ?

Réponse : rien.

Donc, ce n'était peut-être pas à moi qu'on en voulait. Si ça se trouvait, la véritable cible, c'était Hal, et ce depuis le début.

J'ai fumé une cigarette en regardant par la fenêtre. Je réfléchissais. Ou plutôt, j'avais l'impression de chasser des mouches qui revenaient obstinément se poser sur un bout de viande : mes pensées. Puis j'ai fermé la porte à clef pour ne pas être dérangé et j'ai mis l'appartement à sac. Pas en fouillant partout, s'entend : les placards seuls m'auraient pris des mois. Non, seulement les endroits où un flic était susceptible de cacher des trucs.

Je n'ai rien trouvé, pas même un ordinateur, alors que Hal en possédait un, je le savais. Alors j'ai levé les yeux et aperçu un panneau descellé au plafond ; c'était là qu'il avait voulu faire monter les alters avant d'ouvrir la porte à son assassin. La cachette que ses bourreaux n'avaient pas repérée.

J'ai attrapé une chaise et, debout sur le dossier, en équilibre précaire, j'ai ouvert le panneau. Je me suis hissé dans le noir et j'ai attendu un instant assis au bord de l'ouverture, les jambes dans le vide. Je n'y voyais rien, mais j'étais sans crainte. Hal était un petit cachottier ; le genre de mecs qui, quand ils jouent au poker, ne tiennent pas leurs cartes *contre* leur poitrine mais carrément *dedans.* Je me suis aventuré dans le grenier comme un zombie, les bras tendus, cherchant à tâtons un interrupteur. J'ai fini par rencontrer un cordon actionnant une ampoule suspendue au plafond ; une vive lumière s'est répandue tout autour de moi.

L'espace était étonnamment bien rangé quand on connaissait Hal. Le long d'un mur s'entassaient des cartons : des rapports d'autopsie, divers autres documents imprimés à partir des fichiers électroniques de la police. Ça, c'était parfaitement illégal ; Hal était sur quelque chose et il avait pris des risques. À l'autre bout, un bureau supportant un ordinateur. Rien dans les tiroirs. Tout était propre et luisant, comme si l'ensemble venait d'être installé. Cette cachette n'avait pas encore beaucoup servi. L'ordinateur était celui que je connaissais ; à l'arrière, un boîtier de connexion cellulaire à la Matrice. À côté, une numérimage.

Au mur au-dessus du bureau, des photos. Trois cadavres de femmes ; des gros plans montrant qu'il leur manquait les yeux.

Lésions faciales indéterminées.

Je me suis laissé lourdement tomber sur la chaise en me surprenant à déglutir. Je me suis forcé à contempler les photos de ces trois femmes, et rien d'autre.

Trois meurtres, plus un tôt ce matin-là — mais Hal était déjà trop mort pour les ajouter à sa liste. Peut-être aussi… voyons. J'ai consulté les fiches signalétiques punaisées sous les photos. Non, l'assassinat de la veille n'y figurait pas non plus — Hal avait été trop occupé par moi et mes alters. Donc, cinq assassinats en dix jours, avec chaque fois le même mode opératoire.

Il avait bien dit qu'il voulait me raconter quelque chose.

J'ai empoché le disque dur de l'ordinateur, puis, après mûre réflexion, j'y ai ajouté la numérimage. Puis je suis redescendu, j'ai remis le panneau en place et pris le chemin de *Chez Mandy*.

Il n'y avait presque personne chez Howie.

Je suis doué pour arriver entre les périodes d'affluence, pour dénicher les intervalles, en quelque sorte, et m'y fourrer aussitôt. En passant dans l'arrière-salle, j'ai entendu sa voix. Il était dans son bureau.

« Alors, il est bien ?

— De quoi tu parles ? » Je lui ai lancé un regard par la porte. Debout près de son bureau, il tenait une liasse de factures.

« Le camion que tu as acheté. *Que tu étais parti acheter.* La couleur te plaît ? Il est confortable ? Tu as bien fait attention aux taches de rouille et autres bruits bizarres ?

— Je n'ai encore rien acheté.

— Sans blague. » Un soupir.

Je me suis planté devant lui. « Tu es allé chez Hal aujourd'hui ?

— Bien sûr que non. Je ne vais à la Porte qu'en cas de nécessité absolue. Par exemple, pour collecter l'argent que me doivent mes sous-traitants récalcitrants.

— Le corps de Hal a disparu. »

Une pause. Puis : « Pardon ?

— On a nettoyé par terre. C'est comme s'il ne s'était rien passé. » Je n'ai pas fait mention du tableau d'affichage.

Howie a haussé les épaules. « Et alors ? Quelqu'un l'aura enterré par pure bonté d'âme, comme ça, en tombant dessus par hasard ; et aura nettoyé par-dessus le marché.

— J'avais fermé la porte à clef en partant, hier. Et elle était encore verrouillée quand je suis revenu. »

Howie a baissé les yeux sur ses papiers. « Qu'est-ce que tu en conclus ?

— Je peux rester chez toi encore une nuit ?

— J'ai pas l'impression qu'on soit sur la même longueur d'onde, toi et moi. Quelqu'un de très organisé et de très ordonné veut ta peau, et toi, tu veux t'attarder dans le coin ?

— J'ai aussi besoin de ton ordinateur.

— Histoire de calculer combien d'essence il va te falloir pour foutre le camp très loin d'ici ?

— Active la reconnaissance vocale, Howie. Tu sais très bien que je vais rester. »

Il a à nouveau soupiré, puis indiqué sa machine. « Vas-y. Et après, viens prendre une bière au bar. T'as l'air d'en avoir besoin. »

J'ai attendu qu'il s'en aille, puis éjecté le disque dur de son ordinateur pour introduire à la place celui de Hal. Puis j'ai connecté la numérimage au port série et allumé le tout.

« Mot de passe, m'a tout de suite dit la bécane.

— Pardon ? » Je savais très bien ce qu'il voulait dire. Simplement, j'étais surpris d'entendre ma propre voix sortir du haut-parleur.

« Le mot de passe, connard.

— Je ne le connais pas.

— Alors devine. J'ai rien de mieux à faire.

110

— Samoy, ai-je suggéré au pif, et non sans ironie.

— Gagné », a répondu la machine avant d'entamer à toute vitesse la procédure d'initialisation.

J'ai secoué la tête. Hal n'avait jamais été très fort question confidentialité.

« Arrêtez de vous autocongratuler, petit malin, a aboyé la machine. Ce n'est pas ça, le mot de passe. Le vrai est une combinaison de chiffres et de lettres à trente éléments — un vrai casse-tête à prononcer.

— Alors pourquoi me laissez-vous entrer ? Et pourquoi vous me faites chier ?

— Hal a laissé une porte ouverte. Le seul type capable de nommer non pas la *meilleure* marque de pickles japonais mais celle qui vient en *deuxième* position, il ne pouvait y en avoir qu'un : vous. J'avais déjà comparé votre structure vocale avec la mienne avant même que vous ne prononciez le mot. Je vous faisais marcher un peu, c'est tout. Quant à faire chier, vous avez bien d'autres ennemis que moi, tête de lard.

— Dites donc, vous cherchez la bagarre ou quoi ? ai-je fait agressivement.

— Avec vous ? Il vous faudrait une sacrée paire de pinces.

— Il y a d'autres versonnalités sur la carte mère de Hal ?

— Possible.

— C'est oui ou c'est non ?

— Pourquoi ? Vous n'aimez pas le son de votre propre voix ?

— Ce n'est pas la voix qui me pose problème.

— Hal a tout spécialement téléchargé cette versonnalité-là à votre intention. D'après lui, il n'y avait pas plus ressemblant.

— Peut-être, mais je la supporte déjà le reste du temps, alors filez-m'en une autre.

— Sinon ?

— Sinon je démarre sur un autre lecteur et je vous efface au fer à souder.

— Dites donc, ça ne rigole pas. Bon, il y en a deux autres : Accro de la Micro et Ravissante Écervelée.

— Je prends la première.

— Pas possible. Hal l'a effacée pour faire de la place à la vôtre.

— Bon, alors l'autre.

— Vous allez le regretter.

— Vous n'allez pas vous y mettre, vous aussi ! Dites, vous n'auriez pas discuté avec certain frigo, récemment ? »

Le curseur a changé d'aspect afin d'indiquer qu'un processus assez long était en cours. J'ai cru y discerner une femme en train de se préparer pour sortir, mais le motif était trop petit, je n'ai pas pu m'en assurer. Puis l'interface s'est affichée d'un coup : une pièce en 3D, chichement meublée, avec des « agents animés » sur les côtés. Au fond, quatre portes matérialisant les accès aux canaux Matriciels. L'une était assignée de manière permanente au subréseau de la police ; les autres ne portaient pas de signe distinctif. Heureusement, Hal en était resté à l'interface 2D, à l'ancienne mode. Quand j'étais obligé de manipuler des gants de RV, je me sentais très con.

« Ah, salut ! a fait une voix féminine apathique. C'est toi.

— Oui, salut. » J'étais un peu interloqué. En général, les versonnalités de type RÉ sont plus effrontées. « Avant tout, je voudrais savoir si je peux entrer dans le subréseau.

— D'accord, si tu y tiens.

— Ça va, toi ?

Un rire amer. « Mais oui, mais oui, Jack. Ça va même très bien. Y'a pas de raison. Allez, on y va ; inutile de passer la nuit là-dessus.

— Qu'est-ce qui cloche ? » ai-je demandé. J'aurais peut-être mieux fait d'utiliser l'unité centrale de Howie, en fin de compte. Ou une règle à calcul.

« Tu veux savoir ce qui cloche ? a craché la voix féminine. Ce qui *cloche*, hein ? Mais voyons, je ne vois pas du tout. Tu me plaques, tu me laisses tomber comme une *traînée* qu'on soulève et qu'on jette quand on n'en veut plus — et tu me demandes s'il y a quelque chose qui cloche ?!

— Hé ! C'est pas une Ravissante Écervelée, ça !

— Tu peux le dire, a-t-elle répliqué, des larmes dans la voix. Et c'est bien tout le problème, non ? Voilà ce que tu voulais, en fait : une fille avec de gros seins et de beaux cheveux, que tu puisses t'envoyer quand tu en avais envie sans qu'elle ait d'existence propre. Une nana sans idées, sans rêves personnels, sans *besoins*.

— Mais enfin, bordel de merde !

— Je t'en prie, ne crie pas, a gémi la machine. Tu sais que ça me fait peur. Je ferai tout ce que tu voudras, mais s'il te plaît, ne crie pas. »

J'ai compté lentement jusqu'à cinq. « Je peux revenir à la versonnalité précédente ?

— Ne me quitte pas. Je t'aime toujours, Jack. Je t'en supplie, ne pars pas... Je veux bien qu'on se remette ensemble. Tu le sais.

— Redémarre, d'accord ?

— Alors c'est fini ? Comme ça, d'un coup ? C'est vraiment ça que tu veux ?

— Oui, bordel ! »

Un reniflement. « Adieu, Jack. Salue ta mère pour moi, tu veux ? On s'est toujours bien entendues, elle et moi. » Un geignement. « S'il te plaît, prends-moi dans tes bras... »

J'ai passé la main derrière la machine et actionné l'interrupteur central. Redémarrage sauvage. La voix s'est interrompue sur ce qui ressemblait fort à un sanglot.

J'ai attendu en bouillant de rage que l'autre interface s'affiche.

« Je vous l'avais bien dit, a-t-elle déclaré avec suffisance.

— Ce n'était *pas* une RÉ, merde ! » J'étais quelque peu ébranlé.

« Non, en effet. Hal a laissé tomber le matos en le montant au grenier. La versonnalité "Ravissante Écervelée" a été endommagée et s'est muée en "Ex-petite amie" ; vous avez de la chance, ça aurait pu être "Ex-petit *ami*". Celle-là, elle tourne autour de chez vous en voiture pendant la moitié de la nuit, vous vole votre courrier et finit par vous casser la gueule. Vous êtes obligé d'en passer par moi jusqu'à ce que Hal fasse réparer tout ça.

— Hal est mort. »

Une pause. « Mort ?

— Oui. Quelqu'un l'a buté.

— Mais pourquoi ? Pourquoi ferait-on une chose pareille ?

— C'est ce que j'essaie de découvrir. Tu vas m'aider, ou bien on continue à s'envoyer du vitriol à la figure ?

— Oui, je vais vous aider. Merde, tu parles d'une tuile.

— Ouais, et il faut que je sache si les flics sont au courant, parce que dans ce cas, pas question d'accéder au subréseau.

— Pourquoi ?

— L'intérêt d'utiliser la carte mère de Hal, c'est que ça me permet de revêtir son identité, d'emprunter son log-in. Mais si je me balade dans le subréseau des flics en me faisant passer pour lui alors qu'il est mort et qu'ils le savent, il va nous arriver des bricoles. » Je n'étais pas encore habitué à m'entretenir avec « quelqu'un » qui ait exactement la même voix que moi. Ça rappelait trop les moments où on parle tout seul, et ce ne sont généralement pas de bons moments. « Enfin, en ce qui me concerne, parce que toi, tu continueras à vivre dans un ordinateur et c'est tout.

— Et si je consultais simplement le registre des décès ?

— Non. Si les flics ont trouvé Hal, ils se sont tout de suite dit qu'il s'était fait descendre parce qu'il trempait dans des combines louches. Dans ce cas, ils n'ont pas rendu sa mort publique ; d'abord, il leur faut trouver ce qu'il trafiquait.

— Je vois. Bon, j'ai une autre idée : je répartis une requête de connexion en dix paquets cryptés et je les envoie dans l'ordre via dix ruches anonymes. Entre-temps, j'envoie un autre agent surveiller l'accès au sub-réseau à mesure que les paquets arrivent. À la seconde où je repère un problème, on ôte les autres paquets.

— Pas mal. » Je n'avais pas compris un traître mot de sa proposition. « Je ne savais pas que Hal était un bidouilleur.

— Au contraire, ce n'était pas du tout son truc. Mais bon, il faut bien passer le temps d'une manière ou d'une autre, quand on est une machine.

— Alors vas-y. »

Un des agents s'est scindé en dix tronçons égaux. Puis il s'est engouffré à toute allure dans une série de pipelines qui avaient fait leur apparition sur les bords de l'écran. En même temps s'est affichée une représentation miniature de l'épine dorsale de la Matrice. Elle tournait lentement sur elle-même, en 3D. Tandis que les paquets, matérialisés par des points, fonçaient à travers un dédale de canaux tortueux et obscurs en direction de PoliceNet, un autre agent a franchi une des quatre portes en se dirigeant tout droit vers le serveur de log-in, mais furtivement, comme pour ne pas faire de bruit. Normalement, le processus était instantané, mais avec cette méthode-là ça allait prendre un certain temps. Dans l'intervalle, l'ordinateur s'est partitionné pour qu'une fraction de son processeur puisse continuer à s'adresser à moi.

« Vous lui avez manqué, vous savez. » Là, il m'a laissé sur le cul, une fois de plus. « C'est pour ça qu'il a imité votre voix à partir des enregistrements du subréseau, et téléchargé cette versonnalité. Il n'était plus le même depuis qu'il ne pouvait plus tailler une bavette avec son collègue.

— Lui aussi, il m'a manqué. » Et c'était vrai. Du moins, quand il m'arrivait de penser à lui. Pendant la quasi-totalité de mon séjour à la Ferme, j'avais consciencieusement oblitéré tout ce qui avait trait au passé. Je n'avais pas le choix. Mais j'aurais quand même dû appeler Hal pour lui dire que ça allait. Lui et moi, on se connaissait depuis belle lurette. On s'était rencontrés bien avant d'entrer ensemble dans la police. À l'époque des Yeux-de-Feu. Et voilà, je ne l'avais *pas* appelé ; de la même façon qu'en d'autres circonstances, je m'étais souvent abstenu d'accomplir les petits gestes qui auraient fait plaisir autour de moi. Je n'étais pas doué pour ça. Je m'en rendais toujours compte trop tard ; sur le moment, j'avais toujours la tête ailleurs.

Au bout d'un long silence la machine m'a demandé : « Qu'allez-vous faire quand vous aurez retrouvé les coupables ?

— Leur faire subir le même sort. » Je le pensais sincèrement. Mais d'abord, il fallait que je sache ce qui était arrivé aux alters.

Deux petits voyants se sont mis à clignoter sur la Matrice, bientôt suivis d'un troisième. « L'agent rapporte que les trois premiers paquets sont passés sans encombre », a annoncé la machine. Sous nos yeux, quelques autres ont également atteint le serveur. « On en est à sept. La séquence clé est dans le huitième. Si le serveur coince à ce niveau-là, on n'a plus qu'à retirer les autres vite fait, et personne ne saura d'où venait la requête. »

Huit. Je retenais mon souffle.

Neuf.

Dix.

« On y est, s'est réjoui l'ordinateur. Soit ils ignorent que Hal est mort, soit ils sont loin d'avoir tout prévu question sécurisation des accès, là-dedans.

— Corrompue, mensongère, hypocrite… tous ces termes décrivent bien la police de New Richmond. Mais négligente… certainement pas. »

PoliceNet a affiché sur l'écran un message de bienvenue à l'intention de l'inspecteur Reynolds et une série d'icônes représentant des enveloppes sont tombées en pluie dans le panier « Arrivée » simulé par l'interface.

« Vous voulez lire son courrier ? m'a interrogé la machine.

— Plus tard. D'abord, affiche le contenu de la cartouche numérimage. » Presque aussitôt est apparue dans une petite fenêtre la photo que j'avais prise du macchabée dans la benne de *Chez Mandy*. « Bon. Voyons si on peut identifier ce type — par une recherche à l'échelon national. Mais avant tout, recadre l'image pour qu'on voie moins qu'il est mort. » En plus de le prendre en photo, j'avais retiré mes balles de son corps. C'est aussi plaisant que ça en a l'air. Surtout qu'il avait la peau gluante.

« La versonnalité-hôte essaie de s'imposer. Vous voulez lui parler directement ?

— Non. Je le connais : c'est un connard zélé. Tu peux t'en occuper ?

— Pas de problème. » Après une infime pause, il a repris : « Il voulait juste vous passer un savon parce que vous n'avez pas remis votre rapport hier. Et savoir où vous étiez passé.

— Qu'est-ce que tu as répondu ?

— Que j'étais parti acheter des pickles.

— Hein ! Mais pourquoi ?

— Parce que c'est ce que répondait toujours Hal. La verso est en train de faire des recherches à partir de la photo. Et au fait, vous aviez raison. C'est *vraiment* un connard zélé.

— Pendant ce temps, envoie donc deux ou trois agents voir ce qu'on a sur les homicides à "lésions faciales indéterminées" survenus depuis un mois, en insistant sur hier et avant-hier. Le mot clef est peut-être "yeux".

— Je m'y colle.

— Voyons un peu ce que Hal a sauvegardé sur sa page subréseau. » Un nouvel écran s'est affiché. Une longue liste de titres descriptifs. J'ai froncé les sourcils. Une rapide recherche de contenu via l'utilitaire *ad hoc* n'a révélé que des affaires de police tout ce qu'il y avait de plus banales. Des citations à comparaître, des comptes rendus d'audiences, le tout concernant des délits mineurs. « C'est tout ?

— Pour ce dossier-là, oui. Vous voulez le télécharger ?

— Non, laisse tomber. » Manifestement, Hal faisait *aussi* des cachotteries à l'ordinateur central du subréseau. Ce n'était pas là qu'il sauvegardait les infos qui l'intéressaient. Elles devaient se trouver quelque part sur son disque dur. Je m'apprêtais à demander à l'ordinateur de partir à leur recherche lorsqu'une fiche d'identification vierge s'est affichée. Ni visage, ni nom.

« Le mort n'était pas fiché, a déclaré la machine. Casier vide.

— Allons donc. » Les types dans son genre avaient plutôt des casiers remplis à ras bord. « Et les autres agents ?

118

— Ils sont… Ah, attendez : ils sont revenus. Tiens, c'est bizarre. » Les deux autres avaient rapporté toute une gamme de fichiers au nom grisé énumérant les intitulés et numéros d'identification des assassinats sur lesquels j'avais demandé des informations. Chacun portait la mention « Autorisation d'accès insuffisante ».

« Impossible, ai-je lancé. Hal était tout de même inspecteur à la Criminelle.

— Vous étiez plus gradé que lui. Servez-vous de votre propre code d'accès.

— Je ne peux pas. » J'avais un mauvais pressentiment, et il empirait de seconde en seconde. « Déconnecte-toi, vite. Laisse en suspens une demande de comparaison pour la photo, mais avec un hyperlien vers les archives de Hal. Fais en sorte que la requête implose si on découvre que Hal est mort avant que le macchabée ne soit découvert. » La machine a exécuté mes instructions, et tandis qu'elle se déconnectait du subréseau, je me suis laissé aller en arrière dans mon fauteuil en allumant distraitement une cigarette.

Cela fait, j'ai lancé une autre tâche : je voulais savoir qui était propriétaire de SécuRéseau. Réponse : personne. Un holding détenu par un bon milliard d'actionnaires, répartis dans l'éther de la finance comme du vin dilué dans de l'eau.

Donc, pas de point de départ. Mais dans ma tête, ça carburait sec. J'avais deux idées.

Primo, l'assassin de Hal n'avait pas de casier. Ça, ce n'était même pas *inhabituel* — c'était du *jamais vu*. Je lui avais parlé, à ce salaud ; avec une attitude pareille, impossible qu'il ne se soit pas attiré d'ennuis.

Secundo, les affaires de meurtre n'étaient jamais classées en accès protégé. À l'occasion, il pouvait y avoir une procédure à respecter, mais *jamais* les dossiers n'étaient inaccessibles. Surtout quand l'affaire n'était pas close.

Conclusion : Hal travaillait sur une série d'homicides qu'« on » ne voulait pas le voir résoudre. « On »
n'avait pas hésité à le faire tuer par un homme de main
peut-être venu d'un autre État, à qui « on » avait en
échange fourni un casier judiciaire vierge.

Cela prouvait une chose : la police était dans le coup.

6

Je suis resté un moment dans le bureau de Howie, à survoler les dossiers secrets de Hal concernant ces homicides à lésions faciales. J'ai essayé de tout reprendre au début, en commençant par les rapports décrivant les lieux des crimes, mais j'ai vite perdu le fil. Hal s'était impliqué à fond dans cette histoire et les mille facettes des comptes rendus en faisaient des cristaux impénétrables. Pour finir, je me suis contenté de prélever l'adresse des victimes et de les imprimer.

Puis j'ai rangé le disque dur de Hal dans ma poche et regagné l'entrepôt. Assise par terre, calée contre un tas de caisses d'aliments, Suej s'efforçait de déchiffrer un magazine féminin.

« Tu ne *les* as pas trouvés, hein ?

— Pas encore. Je les cherche, mais d'abord il faut que je sache qui a tué Hal. Je ne crois pas que ce soient les propriétaires de la Ferme. » Une pause. Puis : « Il y a aussi d'autres choses que je dois faire.

— Que tu *dois* faire ? »

Pour une gamine ayant passé le plus clair de sa vie dans un tunnel, elle était drôlement difficile à duper. « Disons : que j'ai *besoin* de faire. »

Elle m'a dévisagé un instant. « On est en sécurité, ici ?

— Ni plus ni moins qu'ailleurs. » Sur ces mots, je suis parti. La mémoire me revenait rapidement : quand on s'apprête à mal agir, le plus facile est encore de le faire avec précipitation. Quand la porte s'est refermée derrière moi, je me suis retourné pour la regarder. Qu'allais-je faire de Suej ? De toute façon, je ne savais pas ce que j'allais faire en général, et j'avais mal au cœur à l'idée d'être le seul à enquêter sur la mort de Hal. Pour commencer, j'avais l'impression de vivre un cliché, un stéréotype, et ça, ça ne me plaît pas du tout. Dans ces cas-là, on sait d'avance ce qui va arriver, sauf que quand ça arrive, c'est pire que ce qu'on croyait.

Cerné de paperasse, comme d'habitude, Howie était installé à une table d'angle. Je lui ai adressé un signe de tête avant d'échanger quelques brefs propos avec le droïde barman, qui a insisté pour me servir ce qu'il croyait être ma boisson préférée. Chaque fois que je lui avais adressé la parole c'était pour lui demander un whisky, donc il en avait conclu que ce matin-là aussi. Il se trompait. C'était une bière que je voulais, et je le lui ai bien fait comprendre. Il m'a rappelé qu'à sa connaissance, je prenais toujours du Jack Daniels, et que cette fois encore je m'en trouverais sûrement mieux. Il est allé jusqu'à prétendre que je me trompais, en avançant l'hypothèse que mon fichier Préférences était endommagé. J'ai été obligé de lui braquer mon arme sous le nez, sur quoi il m'a servi une bière d'assez bonne grâce.

« J'envisage sérieusement de m'en défaire, m'a annoncé Howie. Qu'est-ce que tu en penses ?

— N'hésite pas. » Je regrettais amèrement une époque que je n'avais pas connue, celle où les ordinateurs ne foutaient la merde qu'au boulot, en affirmant par exemple que l'imprimante était introuvable. De nos jours, ils sont tellement intelligents qu'ils peuvent facilement foutre la merde partout.

Howie a poussé vers moi une page-info datée de midi. En parcourant rapidement les brèves, j'ai appris qu'une supérette de la Porte avait été l'objet d'une attaque à la bombe incendiaire. J'ai cliqué sur l'icône DÉVELOPPER et après s'être vidée de son contenu pour miroiter brièvement, la page a affiché les détails de l'affaire. Qui n'étaient d'ailleurs pas bien nombreux ; une photo en niveaux de gris et six lignes de texte. C'était la supérette où j'avais fait mes courses ; le gérant, porté disparu, était présumé décédé. Naturellement, pas de témoins. Si la nouvelle figurait aux infos, c'était sans doute parce qu'un éclat de bombe avait fracassé la vitre d'une voiture de riche qui passait par là. Howie savait que ce type m'avait reconnu, la veille, quand je rentrais chez Hal. En revanche, ce qu'il ignorait jusqu'à présent, c'était que le gérant avait jadis été notoirement associé à Johnny Vinaldi.

« Je n'y suis pour rien, ai-je déclaré.

— Comme si je ne le savais pas », m'a-t-il répliqué bien que l'idée lui ait manifestement traversé l'esprit. « Ça prouve simplement que les problèmes de Vinaldi ne s'arrangent pas. » Howie s'efforçait de conserver une expression neutre. Il entretenait de lointaines connexions avec Vinaldi, je le savais — et il savait que je savais. Il savait aussi que je ne lui en tenais pas rigueur. Mais d'autres gens, notamment ceux qui s'amusaient à incendier les petits commerces, pouvaient voir les choses d'un autre œil.

« Hal m'a dit quelque chose dans ce goût-là, lui aussi. En restant tout autant dans le vague. » Essayais-je d'aiguillonner la conversation, ou au contraire d'y mettre un terme ? Je ne savais pas très bien. Entendre le nom de Vinaldi dans la bouche de Hal, ça allait ; prononcé par quelqu'un d'autre, il me faisait un tout autre effet. Il enflammait en moi un mélange de sérénité chèrement acquise et de rage muette dont je ne savais que faire.

Howie avait l'air décidé à en parler. « Ces quinze derniers jours, cinq proches associés de Vinaldi se sont fait descendre. Et je ne parle pas de *losers* comme ce laquais de supérette. Non, des types qui faisaient la loi dans les 40-50. Le meurtre le plus récent date d'hier soir. »

J'ai opiné en me remémorant le reportage vu aux infos du matin.

« Bien sûr, il les remplace aussitôt, mais ça l'énerve. En plus, les nouveaux doivent faire drôlement gaffe ; apparemment, on lui en veut à mort et on l'attaque sur tous les fronts. Ses transactions tournent mal, il se fait alpaguer par les Stups, enfin bref, tu vois le genre.

— Et alors ? Un autre truand cherche à lui piquer sa place, c'est tout. Il est bien capable de faire face. » Je savais par expérience que Vinaldi était *parfaitement* capable d'éliminer les interférences et je n'avais aucune envie d'aborder le sujet.

Mais Howie a secoué la tête. « Ça m'a l'air concerté. La vérité, c'est qu'il ne risque rien tant qu'il a la confiance de ses interlocuteurs. Mais dès qu'elle faiblira, les rats quitteront le navire pour sauter à bord du premier rafiot venu.

— Je ne vois pas qui aurait les moyens de s'en prendre à lui. » Moi-même j'avais tenté le coup, avec derrière moi toutes les prétendues ressources de la police, et après cela, ma vie n'avait plus jamais été la même.

« J'aimerais bien le savoir aussi. Chaque fois que je vais aux chiottes je suis obligé de remettre vingt pour cent de mes crottes à ses sbires, alors j'ai des intérêts dans cette histoire. Lui aussi, je pense que ça l'intéresserait de savoir.

— Avec Jack Randall, ça fait trois. Il n'a plus qu'à leur payer un cigare à chacun.

— Je suis désolé, Jack, a dit Howie avec un sourire peiné.

— Je ne veux pas en parler. » J'ai vidé ma bière d'un coup et quitté le bar.

À quatre heures, j'étais au 54ᵉ. Je frappais impatiemment à une porte pour la troisième fois de l'après-midi. J'entendais chanter derrière le battant balafré. Il y avait donc quelqu'un. Mais comme une bande de traînards s'était agglutinée à cinquante mètres au bout du couloir, je ne tenais pas à m'attarder plus longtemps que nécessaire. J'étais déjà allé au 63ᵉ et au 38ᵉ sans résultat. Une pure perte de temps. L'appartement situé à l'étage le plus bas avait déjà été pillé, et dans un rayon de cinquante mètres, personne ne voulait admettre qu'il avait connu la victime. J'étais reparti vers l'ascenseur en sentant jusqu'au bout peser sur moi des regards meurtriers. J'avais de la chance d'en être sorti entier. Au 63ᵉ, j'avais discuté avec les parents de la deuxième victime ; ils étaient encore sous le choc, leurs yeux restaient inexpressifs. Ils ne m'ont demandé ni de montrer mon insigne de flic, ni si la police allait retrouver l'assassin. Ils ne savaient rien des amis de leur fille, de son boulot, de sa vie. Elle allait et venait, elle rentrait parfois tôt, parfois tard, et un soir, elle n'était pas rentrée du tout.

Les réponses habituelles ; ni plus ni moins satisfaisantes. Je ne m'attendais à guère mieux au 54ᵉ, mais j'ai quand même continué à frapper. La porte a fini par s'ouvrir, révélant une Noire filiforme d'une vingtaine d'années qui m'a enveloppé d'un regard vague en battant des paupières.

« Qui êtes-vous ? » me suis-je enquis.

Ses pupilles avaient la taille d'une tête d'épingle et un muscle se contractait doucement sur sa joue. Progressivement, elle s'est arrêtée de chanter et a intériorisé ma question.

« Ça va pas, non ? J'habite ici, moi. C'est à *moi* de vous demander qui vous êtes, merde ! »

Je savais à présent ce que je voulais *vraiment* savoir : elle était dans les vapes, mais pas au point de me tenir des propos dénués d'intérêt. Enfin, si j'arrivais à la faire parler. Elle n'avait pas l'air d'une dure à cuire, mais son visage ovale commençait à se creuser, et en général les junkies ne font confiance à *personne*.

« Il faut que je vous parle ; c'est à propos de la mort de Laverne Latoya. Je peux entrer ? » J'ai glissé un regard dans le couloir. Les jeunes traînaient toujours au même angle. Ils ne faisaient pas mine d'approcher, mais ils nous surveillaient étroitement. Soit ils connaissaient la jeune femme, soit ils étaient montés du 40e pour la journée et envisageaient de me piquer mon fric avant de cambrioler l'appartement. Quelque chose me disait que la seconde hypothèse était la bonne, et que s'ils attendaient, c'était parce qu'ils me prenaient pour un flic.

Les épaules de la jeune femme se sont affaissées. « J'ai déjà tout dit sur Verne. » Cependant, elle a fait un pas en arrière afin de me laisser pénétrer dans l'entrée. « Je m'appelle Shelley », a-t-elle ajouté sur un ton aussi vague que son regard. « Verne, c'était ma sœur. »

Le salon était dans un état épouvantable. Tout le fond était occupé par des tas d'on ne savait quoi recouverts de draps malpropres. La raison était évidente : six jours plus tôt, Laverne y avait été pulvérisée et étalée sur une couche d'environ deux centimètres d'épaisseur. Depuis, Shelley campait dans un coin exigu, ainsi qu'en témoignaient une pile de vêtements, une bouteille de mauvais vin à moitié vide et tout un petit fourbi dissimulé à la hâte.

« Vous habitiez ici avec elle ? »

Elle a secoué négativement la tête. « Non, je ne suis là que depuis deux jours. J'étais venue lui emprunter de l'argent mais moi, j'habitais ailleurs. Si je suis là, c'est parce que j'ai dû rendre mon appartement ; j'ai pas de travail en ce moment. J'suis danseuse », s'est-elle empressée d'ajouter, avant de conclure tristement : « Comme Verne. »

Je l'ai bien regardée. Justement, elle exécutait devant mes yeux une petite danse de désarroi en essayant de se tenir droite malgré des jambes qui s'ingéniaient à saper ses efforts. Chaque fois qu'une des deux pliait, elle compensait en transférant son poids sur l'autre, comme pour esquisser un side-step ténu et mal assuré. Elle avait peut-être été danseuse, en effet ; voire *bonne* danseuse, qui sait. Dans l'état où elle était, personnellement, je ne sais pas si j'aurais tenu debout. J'ai pensé la fouiller, confisquer les doses qui lui restaient, mais elle n'avait pas l'air du genre à se balader les poches pleines. Au lieu de ça, je lui ai offert une cigarette.

D'abord les questions faciles : « À qui avez-vous déjà parlé de Verne ?

— À deux types. Puis à un type tout seul.

— Celui-là, il était différent des deux autres ? »

Shelley a acquiescé ; la fumée décrivait de petites volutes en s'échappant de ses lèvres. « Ouais, lui, il était sympa ; on aurait dit que… » Une pause, comme si elle s'apprêtait à énoncer des paroles auxquelles elle-même avait du mal à croire. « … Qu'il voulait vraiment trouver le coupable.

— En effet, il était sincère. C'était un ami à moi. Et les deux autres ?

— Des flics. » Un haussement d'épaules. Je savais ce qu'elle sous-entendait. Ils étaient venus la voir parce qu'ils y étaient obligés ; ils avaient fait venir des gens pour nettoyer, sans prendre la peine de laisser croire qu'ils rechercheraient sérieusement le type qui avait découpé sa sœur en morceaux.

« Vous vous entendiez bien avec Laverne ? » Une question calculée, cette fois. Mes deux précédentes visites m'avaient remis en mémoire la façon de procéder.

Shelley s'est ratatinée sur place. Renonçant à faire l'effort de rester debout, elle a gagné le seul fauteuil non recouvert. Sa manche est remontée sur son bras, révélant une longue succession de traces de piqûres. Peut-être était-ce pour cela qu'elle avait perdu son emploi ; mais dans ce cas, elle avait dû travailler dans une boîte sans grande classe. En général, les employeurs ne se soucient pas trop des traces de piqûre du moment qu'on enlève tout et qu'on se trémousse comme il faut.

« Oui », a-t-elle fini par répondre, tête basse.

Le récit qu'elle m'a rapporté ensuite, j'aurais pu le débiter à sa place. Deux filles qui avaient grandi dans les 40. L'une seulement avait subi des sévices sexuels, mais toutes les deux se faisaient régulièrement taper dessus. La première, c'était Laverne — parfois sur sa propre initiative, pour épargner sa sœur. La mère avait échappé aux 40 en choisissant la mort ; à leur tour, les filles avaient fui dès qu'elles avaient pu, en montant deux étages et en se faisant strip-teaseuses. Laverne était meilleure danseuse, meilleure entraîneuse ; toujours à la traîne, Shelley suivait dans son sillage aussi modeste que désespérée.

Puis, il y avait de cela un mois, Laverne avait rencontré quelqu'un. Shelley ne savait pas son nom, seulement qu'il avait de l'argent et que sa sœur avait fait sa connaissance en dansant dans les 130. Après cela, elle ne l'avait plus beaucoup revue ; elle s'était livrée de plus belle aux pratiques dont Laverne avait toujours réussi à la tenir éloignée : la drogue, et la prostitution qui la finançait. À mesure qu'elle dévidait son histoire, je devinais que Shelley avait toujours eu conscience de dévaler une mauvaise pente, mais sans chercher à lutter. Une semaine plus tôt, pour ne pas s'être présentée à l'heure à son travail elle s'était retrouvée sans argent ; elle était donc venue emprunter vingt dollars à Laverne. Et elle était tombée sur l'horreur à l'état pur. Elle avait failli repartir aussitôt en courant.

Mais elle était restée, tiraillée entre la terreur et une certitude : à part elle, personne ne se donnerait la peine de signaler le massacre à la police. Là-dessus, elle avait repéré le sac à main de Laverne, par terre au pied d'un mur. Dedans, deux cents dollars.

« Ce détail ne figure pas dans le rapport », ai-je commenté. Shelley a fondu en larmes et j'ai attendu qu'elle soit à nouveau en mesure de m'écouter. « C'est ce qu'elle aurait voulu », ai-je ajouté gentiment.

Elle a relevé sur moi des prunelles quémandant l'absolution. Son regard acceptait sa façon de vivre plus facilement que le reste de sa personne. Grands ouverts, bruns, ils n'étaient pas encore trop éteints. J'aurais voulu retrouver son père, histoire de lui enseigner quelques vérités premières.

« Vous croyez ? m'a-t-elle demandé.

— C'était votre grande sœur, non ? » En la voyant détourner promptement le regard, j'ai conclu qu'avec le temps, elle assumerait son geste. D'un côté, je m'en réjouissais ; mais quelque part au fond de moi, je savais que je la manipulais pour m'attirer sa confiance, tout simplement ; c'est ce qu'on fait quand on cherche à soutirer des informations aux témoins. Ça, ça ne me plaisait pas tellement. Et ce n'était pas nouveau. Mais bon, ça faisait partie du métier.

De toute façon, elle n'avait pas grand-chose à m'apprendre. Elle avait appelé la police, qui était venue et repartie. Les flics n'avaient posé que des questions de pure forme. Elle ne les avait plus revus. Puis, la veille, Hal avait débarqué et les choses s'étaient passées différemment. Il avait insisté, les réponses de Shelley l'avaient énervé. Mais elle ne pouvait rien lui dire. Il suffisait de la regarder pour voir qu'elle ne savait rien. Comme dans mon cas, et dans le cas général, le code programmant sa vie avait été écrit pour moitié quand elle était encore trop jeune pour comprendre. Et maintenant, tout ce qu'il lui restait à faire, c'était regarder défiler les lignes d'instructions sur l'écran de ses jours.

Je me suis levé. Elle était toujours perchée au bord de son siège, le regard perdu dans le néant. Elle ne chanterait plus cet après-midi-là.

« Il en reste beaucoup, de ces deux cents dollars ? »

Elle a eu un petit sourire crispé en continuant à regarder fixement la demi-bouteille de vin. J'ai tiré de mon portefeuille un billet de cent dollars.

« Vous savez ce que Verne vous aurait conseillé d'en faire. Ou plutôt de ne *pas* en faire. » Je l'ai posé sur une étagère de l'entrée et je suis parti.

Au 92ᵉ m'attendait un nouvel échec ; l'appartement était vide, avec sur la porte un écriteau « À louer ». Le voisin de droite était un vieux glandeur irascible ; d'après lui, la victime travaillait pour le Diable en personne, probablement dans Ses bureaux ; peut-être ouvrait-elle Son courrier, par exemple. D'un autre côté, comme il se prétendait âgé de cent quatre-vingts ans, il pouvait aussi être fou comme un lapin. Il avait scotché sur sa porte la Une jaunie et tout abîmée d'un journal dont le gros titre annonçait : « Laissez venir à moi les petits enfants ». Je n'ai pu savoir s'il s'agissait de compassion ou d'un désir plus douteux. Le voisin de gauche m'a demandé de m'identifier avant de répondre à mes questions ; mais il m'a suffi de sonder ses yeux limpides et inexpressifs pour en conclure qu'il avait déjà dû tout raconter à Hal. Demander à voir mon insigne, c'était une façon de sous-entendre qu'il était prêt à tout dire, dans les détails et à plusieurs reprises, du moment qu'on possédait une autorité quelconque.

Le temps que j'arrive au 104ᵉ, il était près de six heures et je commençais à avoir soif. Dès que j'en aurais fini avec la dernière adresse, je pourrais redescendre boire un coup. Peut-être chez Howie, peut-être ailleurs, là où je pourrais être seul pour réfléchir. J'ai franchi la ligne de démarcation du 100ᵉ par une voie détournée qui m'a coûté cent dollars. Normalement, il faut déposer une demande de laissez-passer, et je n'étais pas d'humeur. Surtout parce que je ne tenais guère à signaler ma présence à la police.

Je faisais de mon mieux pour afficher mon calme : s'il y a une chose qui flanque une trouille bleue aux témoins, c'est bien le spectacle d'un individu dont tout laisse à penser qu'il va leur tomber dessus à bras raccourcis. Quand ils ont peur, ils la bouclent ou ils mentent — ce qui ne m'aurait pas rendu service, dans un cas comme dans l'autre. Mais entre deux confrontations, mon intellect était tout entier tourné vers Jenny, David et les autres, perdus quelque part dans New Richmond ; je me disais qu'à chaque seconde, ils faisaient un pas de plus vers la fosse commune. J'ai appelé Howie depuis une téléborne, mais il m'a appris ce que je savais déjà : aucun de ses contacts n'avait entendu parler de quoi que ce soit. D'autre part, Suej demandait où j'étais et quand j'allais rentrer.

Plus on s'élève dans les étages de New Richmond, moins il y a de monde, processus qui culmine avec les 200 et plus, qui sont la propriété d'une seule et unique famille. Le 104ᵉ est le premier étage à jardins publics ; quarante pour cent de sa surface sont recouverts de quasiHerbe et d'arbres sculptés. On ne peut y faire un pas sans tomber sur un peintre du dimanche s'efforçant d'en rendre un quelconque aspect sous forme d'aquarelle. D'ailleurs, ça serait marrant de lui tomber *littéralement* dessus. Tout autour de l'étage court une rangée de bistrots et de magasins de fringues milieu de gamme, tous vendant la même chose et pratiquant des prix à hurler de rire. Au centre se dressent des immeubles de studios calibrés pour la jeunesse dorée.

L'appartement de Louella Richardson était situé dans un petit immeuble d'angle, non loin de l'ascenseur xPress. Comme on l'avait trouvée le matin même et qu'elle habitait du bon côté de la ligne de démarcation, j'ai traîné un moment dans le coin. Peut-être les flics œuvraient-ils encore sur les lieux du crime, histoire de faire croire qu'ils se donnaient du mal. N'ayant remarqué personne d'intéressant au bout d'un quart d'heure, j'ai gravi l'escalier pimpant jusqu'à la porte de Louella. Pas plus de scellés qu'aux autres adresses. J'ai frappé et attendu plusieurs minutes, par acquit de conscience, mais en vain. La porte voisine se trouvait à quelques mètres. Sous la sonnette, une étiquette annonçait un certain Nicholas Golson. Après avoir appuyé sur le bouton avec insistance, je tournais les talons quand tout à coup, la porte s'est ouverte.

« Holà ! Y'a pas de morts ici, si c'est les morts que vous essayez de réveiller comme ça. »

Un jeune type brun d'une vingtaine d'années. Coiffure stylée, vêtements soigneusement choisis pour paraître deux fois plus chers qu'il n'avait dû les payer. Derrière lui, face au miroir de la chambre à coucher, une jeune femme retouchait son rouge à lèvres. Les draps témoignaient d'une activité récente. Manifestement, le jeune Nicholas ne manquait pas d'ardeur.

« Pas mal, comme réplique, mais ça manque de naturel ; je dirais même que ça sent le réchauffé. »

Golson m'a dévisagé un instant, puis il a souri. La jeune femme s'est engagée dans l'entrée et il s'est effacé pour la laisser passer. « À un de ces jours, Jackie. » Un clin d'œil.

Elle a levé les yeux au plafond avant de rectifier : « Moi, c'est Sandy. » Elle fulminait. À petits pas, elle s'est dirigée en se déhanchant vers la cage d'escalier.

« C'est ça, c'est ça », a-t-il répondu avec un geste vague avant de reporter son attention sur moi. « Alors, qu'est-ce qu'il me veut, le grand costaud ? »

À l'intérieur, c'était mieux rangé que je n'aurais cru, sans doute grâce à la femme de ménage que Maman faisait venir à ses frais. Autre explication : quand on passait une grande partie de sa vie à convaincre les représentantes du sexe opposé de se déshabiller, on savait qu'ensuite, elles aimaient mieux retrouver leurs vêtements sans trop de mal. Le mobilier était blanc et la moquette rouge — on aurait dit l'intérieur d'une bouche. Dans le salon, trois des murs étaient tapissés de fenêtres artificielles, chacune « donnant » sur un tronçon de plage. Le bruit des vagues emplissait la pièce, flux et reflux coïncidant exactement avec le spectacle offert par les « fenêtres ». La vue m'en rappelait une autre, que j'avais connue enfant. Sauf qu'elle n'avait existé que dans mon imagination, alors ça ne comptait pas.

Au mur restant était suspendu un curieux appareil qui semblait destiné à la musculation et évoquait une grande baguette de sourcier en fibre de verre. Histoire de détendre l'atmosphère, j'ai demandé à Golson de quoi il s'agissait.

« C'est pour le saut-au-mur, m'a-t-il expliqué avec enthousiasme. Je l'ai acheté pas plus tard qu'hier. »

J'ai fait confusément le rapport avec un bulletin d'infos vu la veille. « D'après ce que j'ai compris, c'est la dernière mode.

— Ouais. C'est le truc branché de la semaine. On agrippe la tige et on se balance par la fenêtre. La liberté, mec — la liberté, si vous voyez ce que je veux dire.

— Non, je ne vois pas. Tu la connaissais bien, Louella ? »

Golson a expédié une ruade au pied de son lit, ce qui a activé un quelconque droïde intégré. De fines mains télescopiques se sont étirées de chaque côté du chevet, ont empoigné les draps et entrepris de refaire le lit.

Golson m'a lancé un clin d'œil. « On ne sait jamais, si je rencontrais quelqu'un d'autre dans la journée... » J'ai souri poliment, tout en lui faisant bien sentir que j'attendais une réponse. Il a soupiré. « Non, pas très bien. Bon, enfin... Disons : un peu. On se voyait de temps en temps. Mais tout ça, je l'ai déjà dit aux flics.

— Peut-être, mais à moi tu n'as rien raconté du tout.

— Louella était mignonne ; donc, je suis allé voir ce qu'il y avait à espérer de ce côté-là. Mais elle n'a rien voulu entendre. Dieu sait pourtant que je me suis donné du mal, et qu'en général, j'arrive à mes fins. Bref, au bout d'un moment je me suis rendu compte que je ne la baiserais pas, alors à la place, on est devenus un peu amis.

— D'après toi, qui pouvait vouloir la tuer ?

— Alors là, mon vieux, je ne vois pas du tout. Enfin quoi, vous avez vu comment elle était ? » Il a pris sur une étagère une boîte-classeur qu'il a posée sur la table avant de passer en revue son contenu : une bonne centaine d'électrophotos très fines représentant des jeunes femmes. Il a émis de petits bruits désapprobateurs en retirant la photo de celle qui venait de partir : au dos était bien lisiblement inscrit le nom de *Sandy*. « J'ai des progrès à faire, constata-t-il, manifestement navré de sa propre incompétence.

— Et Louella ? ai-je insisté.

— Ah, oui. Tenez. » La photo qu'il me tendait représentait une Louella Richardson riche, belle et intelligente. Elle avait un port de reine, comme si ses lointains ancêtres n'étaient pas sortis en rampant de la soupe primitive mais qu'ils avaient préféré prendre un taxi. Golson a haussé les épaules. « Il faudrait être drôlement égoïste pour effacer une fille pareille de la surface de la terre, non ? C'est vrai, quoi : c'est pas parce qu'on s'est soi-même fait jeter qu'il faut en priver les autres, hein ? »

En entendant ça, je me suis souvenu que je n'étais plus flic ; donc, je n'avais plus à me montrer poli au-dessus de la ligne des 100. Je me suis quand même abs-tenu de le frapper, entre autres réactions violentes. Je me suis contenté d'un sourire sans joie.

« Bon, je voudrais du concret, maintenant.

— Quoi, par exemple ?

— Par exemple ce qu'elle a fait la semaine avant sa mort, qui elle a pu voir.

— Ma foi, elle voyait tout le monde, vous savez ce que c'est.

— Pas du tout », ai-je répliqué fermement. Je regret-tais Hal et sa patience infinie. S'il avait pu débarquer ici avant moi, il m'aurait rédigé un rapport. « Qu'est-ce qu'elle faisait dans la vie ?

— Elle était Justificatrice d'Achat. » J'ai hoché la tête. Les riches qui ne trouvaient pas tout seuls de raison valable pour se payer ceci ou cela louaient les services de personnes qui leur en inventaient une. Souvent, les Justificateurs d'Achat étaient employés à temps plein ; ils apportaient leur concours jusque dans les moindres acquisitions. Mais ils pouvaient être indépendants et n'intervenir qu'en cas d'extravagance ponctuelle. C'était dans cette dernière catégorie qu'entrait Louella, qui travaillait pour plusieurs clients dans les 160 et au-dessus. C'était pour cela, dans sa vision d'écervelé, qu'aux yeux de Golson, elle fréquentait effectivement *tout le monde.* Enfin, tout le *beau* monde.

« Et en dehors du travail, qui fréquentait-elle ?

— Mais… ses copines, naturellement », m'a répondu un Golson, manifestement interloqué. J'ai inspecté mon fusil à questions — celui que j'ai dans la tête — et constaté qu'il ne restait dans le barillet que des balles de patience. Après, on passerait aux munitions en chair et en os.

« Bon. Ça veut dire toi, et qui d'autre ?

— Euh, Mandy, Val, Zaz, Ness, Del, Jo, Kate. »

Dernière balle de patience. « Et les copains, vous vous rappelez leurs noms ?

— Eh bien… non. Je veux dire, quelle importance, hein ? » Puis, pressentant que j'approchais de la masse critique, il a décidé de me donner en pâture quelque chose de plus substantiel. « Écoutez, depuis une quinzaine de jours elle fréquentait une nouvelle boîte. C'est tout ce que je sais. Je n'y suis moi-même allé qu'une fois. Plutôt ganchy. »

J'ai renoncé à lui demander ce que le mot signifiait. Je me rendais compte que je m'en moquais complètement. « Et comment elle s'appelait, cette boîte ?

— *Le Bâtard*, et non, je ne sais plus où ça se trouve parce que j'étais complètement parti. »

Golson m'a raccompagné en me vantant les mérites du saut-au-mur. Je me suis efforcé de ne pas retenir contre lui le fait qu'il représentait un énorme gâchis d'ADN et je lui ai donné le numéro de Howie — au cas où il se produirait quelque chose d'inhabituel, ou dans l'hypothèse bien improbable où il se rappellerait un détail plus important que la taille du soutien-gorge de Sandy.

Au moment où il refermait la porte, j'ai noté qu'il portait de grosses bagues en argent à tous les doigts de la main gauche. Dieu sait combien de temps Shelley Latoya aurait pu vivre avec ça. Puis je suis parti tout droit regagner par l'ascenseur un monde que je comprenais un peu mieux.

Vers neuf heures, j'ai ressenti comme un chatouillis au fond de mon cerveau rouillé. Un chatouillis d'abord lent et indistinct que j'ai chassé de mes préoccupations en le mettant sur le compte d'une ivresse imminente — les autres symptômes concordaient. Mais comme il se révélait tenace, j'ai prêté l'oreille tout en continuant à parcourir les rapports de Hal. En fait, j'attendais l'intervention d'une petite voix intérieure ; j'espérais qu'elle parlerait assez fort. Mais en lieu et place de conviction relative, je n'en ai retiré qu'un pressentiment : j'étais passé à côté d'un truc très, *très* franc et massif.

J'étais affalé au Mausolée Idéal depuis plusieurs heures. Le MI convenait parfaitement à mes besoins : il y régnait une pénombre constante, on y écoutait à plein volume de la musique d'autrefois et, dans la salle du fond, le bar mettait à la disposition de ses clients, moyennant finances, quelques terminaux Matriciels. Dès mon arrivée, j'avais demandé au barman tout son stock de Jack Daniels, que j'avais emporté dans les profondeurs obscures de la salle. Deux des terminaux étaient hors d'usage et le troisième occupé par un gamin qui participait à un forum de discussion sur la régulation des populations de phoques. Je l'ai vivement encouragé à disparaître.

J'ai sorti de ma poche le disque de Hal et je l'ai connecté. Tandis qu'il négociait avec le gros ordinateur hôte, j'ai bu une grande goulée de Jack Daniels en scrutant la pénombre. Dans mon souvenir, le MI était un bouge, et bouge il était resté. Parmi les clients, pas un n'aurait pu épeler son nom du premier coup sans se tromper ; un flic désœuvré aurait pu en arrêter la moitié pour trafic de drogue — et l'autre pour simple possession. Heureusement, plus personne ne se mêlait de faire respecter la loi dans ce domaine, ce qui faisait de ce rade l'endroit idéal pour traîner. La clientèle était trop dans les vapes pour attirer l'attention, laquelle aurait de toute façon été indésirable.

« Bon sang, qu'est-ce que c'est crade, ici !

— Comment tu le sais ? » L'écran affichait à présent l'interface utilisateur de Hal. Le Mausolée Idéal est tellement sombre que moi-même, je n'ai jamais pu déterminer la couleur du sol.

« Ce terminal est farci de virus », a répondu la versonnalité de Hal. Charmant endroit.

« Ça ne devrait pas te donner trop de mal. Quoi de neuf, à part ça ?

— Toujours pas d'identification pour le macchabée, ils ne savent toujours pas que Hal est mort et les rapports concernant les assassinats sont toujours cadenassés. Je vous déconseille toute initiative un tant soit peu recherchée à partir de ce terminal : la moitié desdits virus renvoient certainement le flot de données sur des bidouilleurs. Aïe ! Fous-moi le camp, toi ! »

Sous mes yeux, l'ordinateur a piétiné un petit virus plein de mordant qui essayait de se frayer un chemin dans sa RAM à grands coups de mâchoires.

« Je n'ai besoin que des infos stockées sur le disque de Hal, ai-je repris une fois que le combat de chiens m'a paru calmé. Tu peux retenir les hordes mongoles une petite heure ? »

La voix de l'ordinateur s'est momentanément muée en gazouillis haut perché. « Sale tête de nœud poilue ! »

La versonnalité de Hal est revenue au bout d'une seconde, considérablement irritée. « Encore une saloperie de virus. Mais je l'ai eue, l'ordure. La réponse est : ouais, c'est dans l'ordre du possible, mais ne vous attardez pas trop. »

Il s'est absorbé dans la tâche consistant à écrabouiller la production de certains esprits juvéniles ; moi, j'ai regardé les dossiers de Hal défiler sur l'écran.

Ils illustraient page après page, et dans le plus grand détail, une des vérités premières de l'enquête criminelle. À savoir : les véritables homicides ne sont jamais résolus.

Je m'explique. Il y a deux cas de figure. Primo, les assassins pris en flagrant délit par le truchement d'une caméra vidéo, ou en présence de quinze témoins, et l'arme du crime à la main, en plus. Ces affaires-là, on les boucle proprement.

Secundo, les autres. Les cas qu'on ne résout qu'une fois sur dix, et encore, au bout d'une éternité; quand on a la chance de tomber sur une empreinte, qu'on parvient à une identification inespérée par l'ADN, ou qu'un témoin de dernière minute surgit de nulle part. Une fois sur dix, donc, on arrive à quelque chose. Avec un peu de chance.

Les neuf autres fois, non.

Ces *whodunnits*, ces énigmes à suspense, restent en liberté dans la nature, intacts et exemplaires; elles s'intègrent dans la vaste tapisserie des événements et ne se rangent du côté du mal que parce que nous-mêmes les y situons. On dit toujours que le crime parfait n'existe pas, mais c'est une connerie. Le crime parfait — entendez « insoluble » — se produit des centaines de fois par jour. Les dossiers de Hal résumaient toute sa pensée. Toute sa personnalité exprimée en mots. Ils étaient patients, minutieux, complets. Par ailleurs, ils décrivaient trois de ces crimes parfaits. Pas de témoins. Pas d'empreintes. Pas d'arme du crime. Aucun indice à exploiter, médico-légal ou autre. Hal aurait pu travailler sur ces trois affaires-là jusqu'à la fin des temps, l'assassin aurait continué à évoluer librement, à faire des cabrioles et pousser de grands éclats de rire presque sous son nez, mais pas tout à fait — dissimulé derrière le rideau d'ombre qui l'envelopperait éternellement. Aucun indice matériel ne liait les trois meurtres, sinon le procédé : la folle profanation du corps féminin et le prélèvement des globes oculaires. Ce dernier élément pouvait ou non se révéler déterminant et permettre aux enquêteurs de limiter à une petite centaine le nombre de suspects potentiels. L'auteur de ces crimes pouvait être un Yeux-de-Feu. C'était en tout cas l'opinion de Hal, et cela expliquait qu'il les ait tenus à l'œil. Mais d'un autre côté, ça ne collait pas très bien avec les efforts manifestes de la police, qui tendait à bloquer une investigation déjà purement formelle. La police n'affectionnait pas particulièrement les Yeux-de-Feu ; en tout cas, elle ne ferait pas des pieds et des mains pour les disculper dans une histoire de crime sanguinaire. En plus, le coup des yeux correspondait au mode opératoire standard du psychotique post-pétage de plombs qui réussissait à passer inaperçu pendant des années. Franchement, le coupable aurait pu être n'importe qui.

Deux heures durant, grâce à de réguliers apports de whisky mais en étant constamment dérangé par les jurons de l'ordinateur en pleine chasse au virus, j'ai tenté de lire entre les lignes. En vain. Pas la moindre hypothèse autorisant au moins une version bêta. Apparemment, ces femmes n'avaient pas le moindre ami commun, ne partageaient pas d'ex-petit ami, n'étaient liées ni par leur emploi, ni par la consommation d'une même drogue ; même leur signe astrologique était différent. Elles avaient élu domicile à cinq étages distincts allant du 38e au 104e. La seule similiconclusion que j'en ai tirée, c'est que justement, elles avaient peut-être été choisies en fonction de cette totale absence de lien, ce qui suggérait un assassin fâcheusement bien organisé.

Quand deux moitiés de phrases se sont enfin percutées dans ma tête, tels des bateaux qui s'éperonnent en pleine nuit, il était presque onze heures. Les couloirs de navigation avaient eu le temps d'être embrumés par l'alcool, et c'est vraiment un coup de chance qu'elles ne se soient pas manquées.

« Hé ! ai-je lancé à l'écran. T'as deux minutes ? »

La versonnalité passait le temps en générant une version animée de ses victoires contre les virus. Graphi-

140

quement parlant, le résultat était plaisant, mais le ton un peu trop épique à mon goût. « Mais certainement, a-t-elle répondu d'un air penaud. Qu'y a-t-il pour votre service ?

— *Le Bâtard*. Un club. Qu'est-ce que tu sais là-dessus ? » Un agent d'interface a filé consulter je ne sais quelle base de données ; j'en ai profité pour m'envoyer promptement une lampée de Jack Daniels. Convaincu d'avoir enfin entendu ma petite voix intérieure, j'étais tellement sûr de moi que je tendais déjà la main vers mes cigarettes quand l'information m'a été communiquée.

Malgré cela, elle a résonné comme un coup de tonnerre dans mon crâne. J'ai fixé obstinément l'écran après avoir déchiffré le nom qui s'affichait tout en bas, puis j'ai dégagé le disque dur et fichu le camp à toute vitesse.

Au 54e régnait l'obscurité, et une espèce d'intensité planait dans l'air ; les plafonniers étaient presque tous brisés, et à chaque coin de rue rôdaient des dealers. Je suis sorti d'un bond de l'ascenseur et j'ai dévalé le second couloir en priant pour que Shelley soit toujours là. Il me fallait une confirmation, c'est tout. Je me suis attiré des ennuis avec les voyous à partir du 40e ; j'ai dû entrouvrir brièvement mon blouson pour bien faire voir ce que je portais plaqué contre la poitrine. Dans ces coins-là, ça ne représentait pas une menace réelle : ces types étaient sans doute plus armés que moi ; mais en général, les gens ne tiennent pas tellement à crever s'ils n'y sont pas absolument obligés, même de nos jours.

J'ai failli me casser la figure à l'angle du dernier couloir : je m'étais pris les pieds dans une espèce de bestiole. Je me suis retourné pour voir ce que c'était, mais elle avait déjà tourné le coin. Je l'ai trouvée un peu blafarde, un peu bizarre, mais c'était sans doute dû aux mauvaises conditions d'éclairage. Probablement un vulgaire chat des rues, encore que je l'aie plutôt vu détaler comme un insecte. On n'entendait plus chanter derrière la porte de Shelley et mes coups frappés à la porte n'ont pas obtenu de réponse. Je l'ai appelée par son nom en appliquant mon oreille contre le battant, mais en vain. Je lui ai donné une minute pour réagir, puis j'ai dégainé et enfoncé la porte d'un coup de pied.

L'entrée était plongée dans l'ombre, mais une lueur orange, instable, s'échappait de la pièce du fond. Je me suis précipité ; une bougie se consumait au milieu du silence ; autour d'elle était recroquevillé un corps mince à la peau brune. Une seringue était encore plantée dans l'artère fémorale et il ne restait que trois centimètres de cire. J'ai fait rouler la fille sur le dos ; on ne voyait plus que le blanc de ses yeux. Un filet de vomi séché sortait de sa bouche pour aller maculer le sol.

Shelley Latoya était à peu près aussi morte qu'on peut l'être ; question longévité, elle avait été battue à plate couture par une vulgaire bougie bon marché qui laissait tomber sur la moquette des gouttelettes de cire laiteuse. Une pulsation douloureuse dans la tête, le champ de vision teinté en orange par mes multiples Jack Daniels et cette petite flamme crachotante, j'ai fouillé la pièce jusqu'à mettre la main sur le petit paquet enveloppé de papier alu que je cherchais. Il était vide, mais il m'a suffi d'en goûter quelques particules pour que mes soupçons s'avèrent : c'était bien du Raviss, et presque pas coupé. Une minuscule étincelle de ténèbres a flamboyé sur ma langue pendant une fraction de seconde avant de m'abandonner face à un cadavre en train de refroidir. Je n'avais pas obtenu ma confirmation.

En approchant le paquet alu de la bougie, j'ai déchiffré un nom de boîte de nuit gravé au dos : *Les Lavements équivoques*. Si j'avais gardé en tête les informations que j'avais glanées, j'aurais compris plus vite. Si j'avais moins pensé à boire un coup, j'aurais fait plus attention à Golson. Mais peut-être pas. Ce jour-là, j'avais tout basé sur la visite des lieux et la lecture des rapports de Hal. Comment aurais-je pu deviner qu'il suffisait de mettre deux phrases bout à bout ? Qu'en m'enlisant dans les données réelles, je ne faisais que m'aveugler ?

Ces derniers temps, Laverne Latoya fréquentait un type rencontré dans une boîte. D'accord, des boîtes, il devait y en avoir une centaine dans le coin, mais *Le Bâtard*, où Louella Richardson passait son temps ces dernières semaines, se trouvait au 135e. On y servait d'un côté les jeunes ambitieux des premiers 100, et de l'autre la jeunesse dorée des 140 descendue s'encanailler. D'après la base de données consultée, on y trouvait des danseuses, et des strip-teaseuses après minuit.

Il n'existe pas beaucoup de dealers de Raviss. Ce n'est pas une drogue très répandue. Avec elle, on fait une sacrée expérience. *Les Lavements équivoques* n'avaient pas le même propriétaire que *Le Bâtard*, mais justement : quand on deale dans sa propre boîte, on n'emballe pas la dope dans du papier à son effigie. On en vole chez la concurrence histoire d'égarer les soupçons des flics.

J'étais venu demander à Shelley si *Le Bâtard* lui disait quelque chose. La pièce à conviction que j'avais sous les yeux n'aurait pas convaincu une cour de justice, mais moi, ça me suffisait. De toute façon, il n'avait jamais été question de porter l'affaire devant les tribunaux. Deux femmes étaient mortes à cause de leurs liens avec une seule et même boîte. L'ordinateur m'avait fourni le nom de son propriétaire, et quand j'ai su ce que j'allais en faire, j'ai eu l'impression que ma tête s'allumait comme une ampoule.

Avant tout, j'ai pris un drap dans l'entassement au fond de la pièce et j'en ai recouvert le corps ; puis j'ai soufflé la bougie et attendu quelques instants dans le noir. Certes, j'étais saoul et fou de rage, mais pas assez pour passer à côté de l'évidence : la mort de Shelley, je ne pouvais la coller sur le dos d'autrui. Elle était uniquement due à certain billet de cent dollars laissé par un type qui croyait rendre service.

Mais comme je ne savais pas comment me punir moi-même, je me contenterais de faire payer quelqu'un d'autre.

7

C'était quoi, la vie de flic ? Et à New Richmond en plus ? Eh bien, une perte de temps sur toute la ligne.

Je ne dis pas ça pour faire mon petit effet, pour clamer bien haut ma fierté d'avoir affronté une tâche aussi ardue dans des conditions impossibles, ou pour formuler ma vision éclairée, laborieusement élaborée, de l'état de la société. Non, si je le dis, c'est parce que c'est comme ça. Ce boulot était parfaitement inutile et sans objet. Imaginez une guerre où vous vous battez sans pouvoir vous fier à votre propre camp, où l'ennemi est encore mieux armé que vous et où vous rentrez chez vous tous les soirs. Être flic, de nos jours, ce n'est plus faire respecter la loi ; c'est comme être soldat, mais dans une guerre de pacotille : une guerre bien commode, préemballée et disponible au coin de la rue.

Du point de vue de la Criminelle, ça marche comme ça : du 1er au 50e étage, selon la terminologie officielle, on trouve les déchets humains. Noirs, Blancs, Hispaniques, Asiatiques... peu importe. Tout le monde se fout de ce qui peut bien leur arriver, sauf les Stups et la DEA[1], car c'est là qu'est basé le plus clair de l'industrie de la drogue. Malheureusement, une grosse moitié des flics rattachés à ces départements sont ripoux ; ils passent plus de temps à planquer ce qui s'y passe qu'à

---

1. Drugs Enforcement Agency. *(N.d.T.)*

résoudre les délits. Pour compliquer les choses, les flics qui palpent ne sont pas tous du même côté. On estime généralement que la moitié des homicides perpétrés du 1er au 50e sont le fait de types assermentés. On n'a pas souvenir qu'aucune affaire y ait jamais été résolue.

Du 50e au 100e, il faut faire un peu attention à ce qui se passe. Là, on trouve parfois des gens qui *ont un emploi* ! Au sens strict du terme. Donc, si quelqu'un se fait tuer, il faut au moins donner l'impression qu'on recherche le coupable. Mais on n'a pas beaucoup de chances d'y arriver parce que personne n'a jamais rien vu, personne ne sait jamais rien, personne n'est disposé à collaborer avec les flics à moins d'y être obligé, et de toute façon, les responsables sont terrés dans un des étages où les flics refusent tout net de descendre. De temps en temps le maire s'émeut des centaines de meurtres non résolus qui s'accumulent dans ce secteur et on a droit à une petite démonstration de force — une gesticulation consistant essentiellement à boucler suf-fisamment de pauvres types pour faire remonter les statistiques à un niveau acceptable. Disons, jusqu'à dix pour cent. Donc, si on est assez veinard pour se faire buter dans ces périodes-là, on a une chance sur dix d'être vengé — sinon authentiquement, du moins théoriquement. Le reste du temps, inutile d'espérer. La plupart des gens ne se donnent même plus la peine d'appeler les flics en cas de délit mineur — en cas d'assassinat, par exemple.

Du 100e au 184e, c'est différent. Si quelqu'un se fait tuer, on est censé découvrir l'assassin. Mais en règle générale, on n'y parvient pas. Certes, on dispose du sub-réseau, du pistage de suspect assisté par ordinateur, du fichier d'empreintes et de l'analyse photo. Mais le plus souvent, les délits sont commis par des gens montés des cinquante premiers étages ; ce qui exclut de leur mettre la main dessus. De toute manière, ils se sont probablement fait descendre entre-temps. On compte également quelques meurtres banals à mettre sur le compte de la jalousie, de la haine ou de la vengeance ; certains sont résolus. Les autres méfaits sont commis par les résidents des étages supérieurs au 150ᵉ, statut qui les rend intouchables. Dès qu'une affaire s'oriente vers cette autre ligne de démarcation magique, vers quelque fils chéri momentanément égaré, quelque patriarche psychotique, elle se voit coller l'étiquette « Réparation non rentable », comme les voitures.

Le 185ᵉ est l'étage de la pègre ; il compte parmi ses visiteurs assidus tous les gradés de la police, plus les hommes politiques et les hommes d'affaires du coin. Les membres de la pègre se contentent généralement de s'éliminer entre eux ; mais si l'envie leur prend de descendre quelqu'un d'autre, on a établi une fois pour toutes un tarif assurant le blocage de l'enquête. Toutes les affaires concernant le 185ᵉ disparaissent dans la nature avant d'atteindre le poste de police.

Au-dessus du 185ᵉ, personne ne meurt de mort violente, sauf de sa propre main ou bien de celle de Dieu. Et jusqu'ici, on n'a réussi à inculper ni l'un ni l'autre.

Quand on entre dans la police, quelle qu'en soit la raison, au bout de quelques jours on trouve sa place et on s'y tient. On choisit son club : ceux qui trempent dans le trafic de drogue, ou alors la prostitution, la protection particulière, la pègre… La police n'est finalement qu'une énorme note de frais acquittée par l'empire du crime, dont on peut dire, pour une fois, qu'il paie. Les plus malins se font recruter dès les premières semaines. Les autres ? Soit ils démissionnent à la fin du premier mois, soit ils se font tuer en service commandé. Dans ce cas, ils n'ont pas droit à l'enterrement en grande pompe : on comprend tout de suite qu'ils n'ont pas suivi les consignes. Donc, on va glander sur les lieux du crime, on rédige des rapports, on empoche le fric

— avec obligation d'en reverser la moitié — et on se balade l'arme à la main. La nuit, on échange des histoires de flics autour d'une bière, on menace les filles de les coffrer en échange d'une passe gratuite, puis on rentre retrouver son épouse légitime. De temps en temps, on se fait buter. Et c'est à peu près tout.

Quelques flics ne correspondaient pas à ce profil. Hal, par exemple. Lui, il prenait tous les homicides à cœur, où qu'ils aient été commis, et il faisait tout pour faire tomber le coupable. Je crois que j'étais comme ça aussi, ce qui explique mon grade de lieutenant, atteint à l'âge avancé de trente-deux ans, garantie de sagesse et d'expérience. Dans chaque branche on trouve un assortiment aussi discret que disparate de flics attachés à la résolution des crimes. Ce sont des organes vestigiels cachés au fin fond d'un grand corps en proie à la corruption galopante. Par exemple, Hal a résolu tellement d'assassinats de prostituées qu'on a dû lui donner une promotion. Les pontes voyaient d'un très mauvais œil qu'on fasse du vrai boulot alors qu'il suffisait de palper, mais ils ne pouvaient pas fermer les yeux sur les statistiques de la criminalité. Personnellement, je me concentrais sur les homicides solubles survenus entre le 50e et le 184e, et je trempais assez pour monter en grade de mon côté, encore que modestement.

Et c'est là qu'a été mon erreur. Jusque-là, je palpais à petites doses, juste histoire de montrer que j'étais comme les autres. J'avais fait tomber pas mal de dealers pour des raisons qui m'étaient propres, ce qui avait fait monter ma moyenne. Mais quand on m'a nommé lieutenant, tout a changé. On attendait de moi que je prenne ma place dans l'*autre* hiérarchie, celle du crime. Or, je n'en ai rien fait, principalement pour des raisons qui, là encore, me regardaient, mais aussi parce que j'avais la naïveté de croire que ce n'était pas *bien*.

Pis encore, j'ai essayé de faire boucler un type qui, à l'époque, faisait partie des étoiles montantes de la pègre. Et ce type s'appelait Johnny Vinaldi.

J'ai pris l'ascenseur xPress jusqu'au 100e, où j'ai dû descendre comme tout le monde pour faire la queue au Contrôle Autorisations. Comme d'habitude, les gens qui faisaient la navette étaient numériquement inférieurs aux vigiles, des types en uniforme gris qui s'efforçaient de combiner servilité et intimidation envers qui n'était pas censé se trouver là. La plupart échouaient lamentablement et avaient tendance à faire l'impasse sur la servilité. Devant moi, dans la file d'attente, un choix représentatif de membres de la classe moyenne tentant de s'élever, l'espace d'une soirée, dans l'échelle sociale. Le plus souvent, ils se voyaient opposer une fin de non-recevoir, soit que leur badge — valable un jour — fût périmé, soit qu'ils en présentent carrément un faux au Contrôle. On a entraîné sans ménagements un type vers un local voisin, non sans s'assurer de sa collaboration grâce à un coup de matraque antiémeute en pleine figure ; sans doute un fraudeur connu, ou un délinquant patenté ayant acquitté un bakchich insuffisant. Les rares autres candidats, dont moi, ont pu passer et se sont vu offrir en outre une pastille de menthe.

En fait, mon laissez-passer était faux aussi, mais mieux imité que ceux des autres, les pauvres. Je l'avais acheté cent cinquante dollars à un type qui travaillait au 24e. Cet individu m'avait d'ailleurs vendu toute une série d'autres articles, dont certaine substance nichée dans la poche de mon blouson, enveloppée dans du papier d'argent. Alors que je négociais très rationnellement avec lui, en ne lui achetant que des choses utiles et en prenant bien soin d'articuler pour masquer mon état, une petite phrase m'avait échappé. Et maintenant, je sentais le paquet irradier contre ma poitrine comme s'il dégageait réellement de la chaleur. Je m'étais fait le serment de m'en débarrasser à la première occasion. Elle ne s'était pas encore présentée.

Autre aveu pénible : il me restait moins de trois cents dollars. C'est-à-dire pas assez pour acheter un camion. Peut-être même pas assez pour quitter New Richmond autrement qu'à pied. Bien sûr, je pouvais toujours taper Howie, mais ça ne me disait rien. J'étais en train de m'acculer tout seul dans l'impasse et je m'en rendais compte avec un mélange d'affolement épuisé et de sereine indifférence.

Profitant de ce que nous attendions l'ascenseur pour gagner les étages supérieurs, j'ai examiné mes compagnons de voyage. Deux types en bleu de travail, manifestement mal à l'aise ; des réparateurs, visiblement. Un couple âgé en tenue décontractée mais coûteuse ; sur leur manche, une tariFente énumérait des prix supérieurs au salaire annuel moyen. Le vieux portait un complet lilas immaculé et sa façon de tendre impérieusement le cou d'un côté puis de l'autre pour inspecter le hall lui donnait des allures d'autruche teinte en mauve. Sa vieille carne ne se retenait pas de nous regarder avec dédain, moi et la dernière passagère, une jeune femme aux cheveux courts arborant un assortiment de vêtements déchirés à dessein. Au moment où les portes de l'ascenseur se sont ouvertes et où nous avons pénétré dans la luxueuse cabine, une des prunelles de la fille a reflété le plafonnier ; mes soupçons se sont confirmés : c'était bien une prostituée. Certaines sont équipées d'un système capable de lire la carte de crédit qu'on présente devant leur œil droit ; un implant mémorise le code et débite le compte du client pour reporter le montant sur celui du mac. Ensuite, elle est à vous jusqu'à la fin du temps qui vous est imparti. Ainsi les filles n'ont pas à trimballer de liquide, et sur votre relevé bancaire, leurs services apparaissent à la rubrique « outils de jardinage », ou quelque chose dans ce goût-là.

Pendant le trajet, nous avons tous passé le temps à notre façon ; la fille s'est appliqué de l'eye-liner, j'ai chantonné tout bas, et les vieux ont imité une paire de momies égyptiennes. Ils étaient très doués — plus que la fille pour se maquiller, en tout cas. Mais l'allure « paumée » était peut-être son fonds de commerce, justement. Les ouvriers sont descendus au 124ᵉ, la fille dans les 160. Quand je suis sorti de l'ascenseur au 185ᵉ, les deux vieux sont restés dedans, à attendre stoïquement. Qui sait à quelle altitude ils vivaient. C'était peut-être M. et Mme Dieu.

En sortant, j'ai posé le pied sur une allée gravillonnée. Aussitôt, deux types en uniforme beige sont venus vers moi. Ils avançaient avec précaution, en prenant soin de ne pas m'offenser tant qu'ils n'avaient pas la certitude de pouvoir m'offenser en toute impunité, mais j'ai su tout de suite qu'ils allaient me fouiller. Je n'avais pas le look 185ᵉ — Dieu merci. J'ai décidé de ne pas nous faire perdre de temps : je les ai attendus en savourant l'air de l'étage. Au-dessous des 100, on peut voir l'air circuler paresseusement devant son nez tant il est chargé de fumée de cigarette recyclée ; et je ne parle pas de ce que rejettent les poumons enfiévrés. Mais les gens de la haute, eux, en reçoivent tous les jours une bonne bouffée bien propre, même aux étages où les truands pleins aux as se font passer pour des gens honnêtes. Ça sentait tellement bon et frais que je me suis senti obligé d'allumer une cigarette.

L'ascenseur xPress débouche pratiquement au centre de l'étage, où de larges avenues gravillonnées jalonnées de réverbères s'étirent dans toutes les directions. Elles étaient également bordées de pelouses en quasi-

Herbe, bien vertes et toutes moutonnantes, au sommet desquelles se dressaient de grosses maisons aux jolis tons pastel. En général, elles avaient deux niveaux, plus rarement un, le but étant de laisser le plus de place possible aux collines artificielles. Aux quatre coins de l'étage se trouvaient de petites enclaves renfermant des services (petits traiteurs et restaurants familiaux, quelques bars chic), mais à part cela, on était exclusivement en zone résidentielle. Quatre niveaux au-dessus se déployait le plafond; c'était en fait un vaste écran de télévision mesurant près de huit kilomètres carrés. La journée il diffusait soit des nuages blancs sur fond de ciel bleu, soit des nuages noirs sur fond gris — cas de figure moins fréquent. À quoi bon avoir de l'argent si on ne peut faire en sorte que ce soit tout le temps l'été? Ce jour-là le ciel était bleu nuit, avec quelques petits coins plus sombres, histoire de mettre en valeur l'aspect dégagé du reste. Le contrôle climatique était réglé sur chaleur maximale et je trouvais la température inconfortable.

« Bonsoir, monsieur. Peut-on savoir à qui vous rendez visite ? »

J'ai regardé dans les yeux, sans m'émouvoir, le garde qui se tenait devant moi. Jeune, il vivait probablement au bord d'un malaise permanent. La plupart des gens sortant de cet ascenseur avaient une tête à ne se faire admettre nulle part. Normal, c'étaient des criminels. Seulement, s'il commettait la bourde d'interpeller un inconnu à tort, il pouvait se retrouver à régler la circulation dans un coin où il n'y avait *pas* de circulation.

« M. Vinaldi, ai-je répondu.

— Vous êtes attendu ?

— Oui », ai-je menti. Il a hoché la tête d'un air affable. Ces vigiles d'ascenseur ne sont que des auxiliaires enrôlés par la police histoire de palper un peu plus en profitant du système. S'attirer des ennuis, voilà qui ne les intéresse pas du tout.

« Parfait. Mon collègue va vous fouiller sommairement, puis nous serons heureux de vous laisser passer. »

J'ai levé les bras et attendu patiemment que l'autre garde, qui s'est placé derrière moi, ait fini de me tapoter le haut du corps. Il a bien trouvé mon arme, mais aussi le billet de cinquante dollars qui en enveloppait le canon.

« Tout est en règle, monsieur », a-t-il déclaré. Je me suis mis en route.

J'ai longé l'allée Est en transpirant doucement tant le degré d'humidité était élevé. Parmi les habitants du 185ᵉ, beaucoup ont commencé leur carrière à L.A., Miami ou La Nouvelle-Orléans ; les autres le font croire. Les murs impeccables de leurs petits palais luisaient à la lueur des réverbères ; chaque demeure était ceinte de hauts murs dont le message était clair — « Allez vous faire foutre » —, ainsi que de barrières métalliques truffées de caméras de surveillance. Les propriétaires se livraient une concurrence acharnée pour le contrôle des activités frauduleuses installées aux étages inférieurs. Dans l'ensemble, au 185ᵉ ils maintenaient un cessez-le-feu précaire (l'habituel baratin mafieux sur le respect des familles). Mais de temps en temps ils oubliaient leurs principes et se canardaient comme des sauvages. Une moitié se faisait éradiquer et d'autres truands sortaient des étages inférieurs pour venir occuper la place. À un moment, je suis passé devant deux tricycles de gosses négligemment abandonnés sur une pelouse ; il m'a suffi de les pousser du bout du pied pour renforcer ma quasi-certitude : en fait, ils étaient *soudés* sur place. Des tricycles d'ambiance, en quelque sorte. Ici, on n'aurait jamais laissé les gosses se balader à vélo.

Tout me paraissait étrange, comme éclairé par-derrière, et j'avais l'impression qu'on me surveillait. En un sens, je l'espérais. J'ai cru un instant qu'on me suivait de loin, mais rien n'est venu confirmer mes soupçons. Sans doute un quelconque porte-flingue en train de promener sa boule à zéro.

Au bout d'un kilomètre et demi, j'ai aperçu le portail de Vinaldi. Deux armoires à glace montaient la garde devant l'entrée de la propriété. J'ai ralenti l'allure. Tout ce qu'il y avait de plus classique : lisses, basanés, lunettes noires pour la frime, cheveux noirs brillantinés. Ils étaient plus petits que moi, mais ils avaient chacun une mitraillette. La pègre n'avait jamais adopté les armes laser ; ça ne collait pas avec leur conception de la tradition. Ils préféraient le claquement sec des vrais coups de feu et le spectacle de la chair déchiquetée. Là-dessus au moins, j'étais d'accord avec eux. Personnellement, je possède une arme très simple. Elle est en métal et elle crache des balles. Beaucoup de choses, dont les armes à feu, ont moins changé qu'on aurait pu le croire. C'est vrai, à une époque on voyait des pistolets laser dans les rues. Le problème, c'est qu'on risquait à tout moment de se faire proprement décapiter par un rebond de rayon. En outre, ça faisait un peu toc. Quand on se retrouve en mauvaise posture, il vaut mieux armer un bon vieux fusil. C'est plus adapté à la situation. On se sent mieux protégé. Le type d'en face en a une trouille bleue. Tripoter nerveusement un petit interrupteur de rien du tout, ce n'est pas assez viscéral. C'est comme le bruit des lasers. On n'a que faire d'un truc qui fait *tzzz* ou *schvip*. On veut que ça fasse *Pan !* ou *Boum !* Vous pouvez me croire ; je sais de quoi je parle.

Les fabricants d'armes ont essayé de contourner le problème en installant dans les lasers de petits haut-parleurs qui diffusaient une détonation échantillonnée

154

quand on appuyait sur la détente, mais en fait, ça faisait un bruit de casserole. Quant à ceux qui jouaient la *Marche funèbre* de Chopin, ils étaient tout bonnement ridicules.

Ensuite, il y a eu l'époque des armes à scrupules. À l'origine, elles venaient du marché des armes d'autodéfense, celles destinées aux particuliers. Elles contenaient une base de données récapitulant toute la jurisprudence concernée, surveillaient de près les situations où leur usage pouvait se justifier et ne vous autorisaient à tirer que si les circonstances vous permettaient ensuite de plaider la légitime défense. Mais la plupart possédaient également des réglages additionnels tels que : « Homicide avec circonstances atténuantes », « Homicide par imprudence », « Coups et blessures sans intention de donner la mort » et « Meurtre avec préméditation ». La mienne était constamment réglée sur « Meurtre avec préméditation ». Tout le monde faisait pareil. Le concept était parfaitement vain. J'ai fini par la jeter.

Dire que de nos jours, les objets, les machines sont bourrés de composants intelligents, et que la plupart du temps, ces options ne sont pas activées ! Nous sommes cernés par une masse d'intelligence inutilisée qui, pour une fois, n'est pas la nôtre. Pour un frigo qui vous dit ce qui est frais et ce qui ne l'est pas dans son bac, on en compte cinquante à qui on a ordonné de la boucler. Ça revient à vendre le Rêve américain tout en faisant bien comprendre aux gens qu'ils n'en ont pas les moyens. On a fabriqué des tas de trucs très malins pour ensuite leur demander de se montrer très cons parce que finalement, on n'avait nul besoin de grille-pain géniaux ou de véhicules vous imposant l'itinéraire le plus rapide alors qu'on a justement tout l'après-midi devant soi et rien de spécial à faire une fois arrivé à destination. Non, on n'a pas aimé du tout. On avait l'impression d'avoir constamment sa grande sœur sur le dos. C'est pourquoi les machines restent dans leur coin à marmonner, comme des gamins futés qu'on a mis dans une classe de nuls. Un de ces jours elles vont se soulever, et ce jour-là, j'espère ne pas en tenir une à la main.

« Votre arme », m'a jeté un des deux gardes en relevant le menton. Il allait falloir que je dise un mot au vigile de l'ascenseur, en repartant. J'ai remis mon arme au type.

« Bon, qu'est-ce que vous voulez ?

— Parler avec Vinaldi.

— On peut savoir qui vous êtes ?

— Jack Randall. »

Pas la moindre lueur dans le regard des deux gorilles. Manifestement, ça ne leur disait rien. Sans doute était-ce trop ancien pour eux. Et même à l'époque, ils n'auraient guère prêté attention à mon cas. L'autre type s'est détourné pour prononcer quelques mots inaudibles dans le micro accroché à son col. L'autre m'a regardé, impassible, en mâchonnant lentement un chewing-gum de marque ou, qui sait, une pastille à la coke. Son compère a dû répéter mon nom dans le micro. La réponse s'est fait attendre. Je me félicitais de ne plus être armé ; sinon, les ennuis auraient peut-être commencé à ce stade. J'étais un blanc-bec esseulé qui s'aventurait en territoire ennemi, et à une certaine époque — très reculée —, ma seule façon de trouver le sommeil était de fantasmer sur les différentes morts que je réservais à Johnny Vinaldi ; je me représentais si souvent son sang versé, ses entrailles répandues, son visage fracassé, que c'était devenu presque sexuel. Puis ça m'avait passé ; enfin, c'est ce que j'avais cru sur le moment. Parce que ce jour-là, en attendant qu'on me fasse entrer, je ne savais pas très bien ce que j'allais faire ; mais plus on me ferait poireauter, plus mes initiatives seraient mal avisées.

Finalement, le gorille au micro a adressé un signe de tête à son acolyte et le portail s'est ouvert tout seul, lentement. Tous deux m'ont fait signe d'entrer avec le même mouvement de mitraillette. Je me suis demandé s'ils s'entraînaient ensemble devant la glace.

La résidence de Vinaldi était d'un jaune paille assez discret qu'il trouvait certainement de bon ton. En fait, ça lui donnait des allures de banane géante mal foutue, laissée trop longtemps au soleil. Une allée menait à une aile mastoc et démesurée, et plus loin à la piscine, éclairée dans les tons chauds. Le rire des pique-assiettes et autres putes à coke se répercutait doucement sur la surface de l'eau. Sveltes et hâlés, tous ces gens étaient allongés autour de la piscine ; chacun voulait férocement la place de confidente privilégiée auprès de Vinaldi, pour les femmes, ou bien d'homme de main préféré, pour les mâles, et aucun ne comprenait que cet homme ne prêtait véritablement allégeance qu'à lui-même, à l'argent et à la mort.

Le temps que je parvienne au second portail, j'avais déjà quelque peu attiré l'attention. Deux types présentant un certain air de famille ont passé la main sous leur chaise longue pour en ramener des armes qu'ils ont posées bien en vue sur une table. Deux femmes m'ont regardé fixement en échangeant des propos à voix basse, petite poche de beauté stipendiée dans le halo du réverbère éclairant la piscine.

C'est alors que je l'ai vu, lui.

Johnny Vinaldi avait bien vieilli ; en fait, il n'avait presque pas vieilli du tout. Avec son mètre soixante-quinze, il était toujours mince comme un fil. Une chaîne en or brillait joliment sur la peau très bronzée de son torse, ses petits yeux noirs avaient le même regard perçant et ses traits bien dessinés n'avaient pas pris une ride. Il s'est levé, a enfilé un peignoir d'un blanc immaculé et m'a fait signe d'approcher. Charisme et forme éblouissante, il était la perfection incarnée ; j'avais une envie folle de l'abattre.

J'ai poussé le portail et avancé gauchement sur les dalles entourant la piscine. Deux filles chahutaient dans le petit bain mais à part cela, j'étais le centre de l'attention. Je n'en voulais d'ailleurs pas à ces gens. Leur intérêt n'était pas de trop.

Je me suis arrêté à trois mètres de lui. Il m'a regardé en haussant un sourcil. L'espace d'un instant, on n'a entendu en fond sonore qu'un bruit d'éclaboussure atténué. J'aurais voulu insérer beaucoup d'autres bruits à l'intérieur de cette courte pause — des coups de feu, par exemple —, mais il n'arriverait rien de tel et je le savais très bien. En fait, je l'espérais, même. Pour commencer, je n'étais plus armé.

« Mais c'est le lieutenant Randall, a-t-il enfin déclaré. Quelle bonne surprise. »

J'ai soutenu son regard. « Au contraire. Et si vous vouliez me flatter en me donnant mon grade, c'est raté.

— Ce n'était qu'une formalité », a-t-il répliqué en inclinant la tête vers moi. « Une marque de respect.

— Tu parles.

— Comme vous dites. » Il a souri. « Ma foi, vous pouvez le constater, non-lieutenant Randall, mes amis et moi tentons de nous détendre un peu en ces temps difficiles, et ce en passant une agréable soirée au bord de la piscine. Nous buvons un peu de vin, nous amorçons quelques ulcères afin que les charlatans qui nous soignent puissent continuer à travailler. Mais vous ne portez pas la tenue adéquate ; je suppose donc que vous avez autre chose en tête ; je vous suggère de vous exprimer rapidement, car je crains de ne pas être très intéressé.

— Hal Reynolds. »

Vinaldi a froncé les sourcils. Comme quand on cherche à se remémorer quelque chose, ou qu'on fait semblant. « Votre ancien coéquipier, n'est-ce pas ? Eh bien ? J'ai entendu dire qu'il vivait toujours à la Porte, qu'il se battait contre les moulins à vent et enquêtait sur la mort de certaines femmes de petite vertu.

— Il est mort.

— Je ne m'en réjouis pas particulièrement. Vous le savez, je n'ai rien contre les officiers de police du moment qu'ils ne m'empêchent pas de vaquer à mes affaires ; or, le sergent Reynolds a toujours été trop préoccupé par les morts pour poser des problèmes aux vivants.

— Il a pourtant essayé. Et moi aussi. Vous vous êtes débrouillé pour me faire virer à temps, c'est tout.

— Naturellement, je ne vois pas du tout à quoi vous voulez faire allusion. »

Je ne pouvais pas le prouver, mais je savais qu'au contraire, il me comprenait parfaitement ; et si j'avais eu mon arme, je lui aurais étalé la cervelle sur ses murs jaune paille. Ça s'est peut-être vu sur ma figure car un des types restés au bord de la piscine s'est levé. Il n'a pas fait mine de s'approcher, mais c'était un moyen de me dire que la conversation suscitait en lui un regain d'intérêt. Plus svelte que les autres, il semblait également plus dangereux ; et il ne m'était pas inconnu.

« Jaz Garcia, c'est ça ? lui ai-je lancé avec un clin d'œil. Alors, on a arrêté de s'envoyer des mineures, ou bien est-ce ce brave Johnny qui les fournit, maintenant ? » Une des jeunes baigneuses a levé la tête. Elle avait l'air majeure, et je la surprenais sans doute en lui apprenant qu'elle vendait ses charmes à un violeur de gamines. Mais peut-être pas. Peut-être qu'en fait, ça l'excitait. Subitement je me suis senti tout petit, bête et puéril d'avoir eu une pensée pareille et — pour tout dire — d'être venu jusque-là. Les traits de Garcia se sont crispés de manière fort déplaisante, mais Vinaldi a levé la main et le gorille s'est retenu bien sagement.

« M. Randall est resté quelque temps absent », a repris Vinaldi en penchant légèrement la tête sur le côté. « De toute évidence, il a eu de mauvaises fréquentations… et oublié l'art de la conversation entre gens de bonne compagnie. » Puis il s'est retourné vers moi. « Je ne sais rien de la mort de Reynolds. Si c'est pour me parler de ça que vous êtes venu, vous me faites perdre mon temps… encore plus que je ne le craignais.

— N'empêche qu'il a été tué. D'abord, j'ai cru qu'on en avait après moi, qu'on l'avait descendu par erreur. »

Il a ri de bon cœur. « Et vous croyez que c'était moi ? Mais enfin, quel intérêt aurais-je à faire ça ? Vous êtes un zéro, à mes yeux. Vous ne représentez plus aucune menace, si tant est que j'aie jamais eu quoi que ce soit à redouter de vous. Vous n'êtes même plus flic ! Alors, à quoi bon gaspiller de l'argent pour vous faire éliminer ?

— En fait, ce n'est pas après moi qu'on en avait. Hal enquêtait sur une série d'homicides », ai-je poursuivi en observant attentivement la réaction de Vinaldi. « Si on l'a tué, c'est pour mettre fin à ses investigations.

— Et qui sont ces morts ?

— Cinq femmes. Assassinées d'une manière bien précise.

— Nous ne tuons pas les femmes, Randall. Même vous, vous savez ça.

— Laverne Latoya et Louella Richardson. »

Heureusement, je le scrutais vraiment très attentivement ; sinon, je serais passé à côté. Mais la paupière de Vinaldi a imperceptiblement tressailli. Il s'est adressé à son porte-flingue. « Jaz, ça te dit quelque chose, toi ? »

L'autre a docilement répondu par le « Non » étudié qu'on attendait de lui, sans me quitter des yeux. Vinaldi s'est retourné vers moi et j'ai eu droit à un haussement d'épaules digne d'un comédien.

« C'est curieux, ai-je repris. Louella était pourtant une habituée du *Bâtard*, ces quinze derniers jours — enfin, elle n'était peut-être pas votre genre. D'après ce que j'ai compris, elle savait même lire. Mais Laverne, elle, était une de vos danseuses. Je peux vérifier ultérieurement, mais vous m'avez déjà fourni la réponse. Au fait, il y a une demi-heure j'ai trouvé sa sœur morte d'une OD de Raviss; la dose était enveloppée dans du papier alu à l'effigie des *Lavements équivoques*. Vous dealez toujours du Raviss, hein, Johnny? Si ça se trouve, vous êtes capable d'en refiler une dose non coupée à une pauvre fille, histoire qu'on ne puisse pas établir de lien entre vous et une certaine défunte. »

La respiration de Vinaldi est devenue audible. « Sortez, m'a-t-il dit.

— Laverne et Louella se sont fait charcuter. On leur a arraché les yeux. » Une des filles de la piscine a lâché un hoquet étranglé en portant vivement une menotte à sa bouche. « Ça vous rappelle quelque chose? » Puis, sans réfléchir, je me suis jeté à l'eau; j'ai dit la première chose qui m'est passée par la tête. « Où est votre épouse? Elle ne passe pas la soirée au bord de la piscine avec vous? »

Vinaldi enrageait, à présent. Il a fait un pas vers moi. Les veines de son cou saillaient. On aurait dit des fils électriques. « Ma femme fait ce qu'elle veut, et je ne vois pas en quoi ça vous regarde.

— Tiens. Quelqu'un a donc réussi à se sortir de vos pattes. Ça n'a pas dû vous plaire, ça.

— Non, et vos amis non plus, ça ne leur plaira pas — s'il vous en reste — de devoir vous ramasser à la raclette dans les égouts. »

À ce moment-là j'ai cru qu'il allait me sauter dessus mais il a fait preuve d'un sang-froid dont, personnellement, je n'aurais pas été capable. Brusquement, il a poussé un soupir, puis secoué la tête.

« Vous êtes un triste connard, Randall. Je vois dans vos yeux que vous n'êtes pas sous l'effet de la drogue, ce qui vous donne sans doute l'impression d'avoir mis de l'ordre dans votre vie. Mais si tel était le cas vous ne viendriez pas m'emmerder ici. Non, je n'ai lancé de contrat ni sur vous, ni sur Hal, ni sur qui que ce soit. J'ai de meilleures façons de dépenser mon fric. En le consacrant à Siobhan ici présente, par exemple. » Il a eu un mouvement de tête en direction d'une blonde aux allures coûteuses, vautrée sur une chaise longue. Son corps était un véritable fantasme de chirurgien esthétique, mais son visage avait passé tellement de temps sous le Glamouriseur qu'il semblait découpé dans la glace. « Elle nécessite beaucoup d'entretien.

— Je veux bien le croire, ai-je rétorqué. Bon, je m'en vais. Une dernière chose : ça commence à craquer sur les bords. » Sur ces mots, j'ai tourné les talons et je suis reparti vers le portail. Pour ce soir, je ne pouvais plus rien faire. Je n'avais pas d'arme. Je n'avais pas de plan. Je n'avais pas de cervelle.

Vinaldi n'a pas bronché. « Qu'est-ce que ça veut dire, ça ?

— Il n'y a pas que les meurtres, Johnny. Vous avez d'autres raisons de vous en faire. La rumeur se répand dans les étages inférieurs. Et elle prétend que vous êtes en perte de vitesse.

— Qu'est-ce que vous voulez que ça me foute, ce qu'on dit de moi dans les bas-fonds ?

— Rien, en effet. » J'ai ouvert le portail. Puis j'ai contemplé un instant Vinaldi. Quel tableau. Truand haut de gamme avec accessoires humains. Complices, quoi. Les deux types attablés s'entre-regardaient. Ses hommes savaient de quoi je parlais, et lui aussi. J'avais parcouru la moitié du chemin quand j'ai entendu crier dans mon dos. La voix de Vinaldi m'est parvenue par-dessus la pelouse manucurée.

« Randall ! Le passé c'est le passé, compris ? C'est fini tout ça. »

J'ai continué jusqu'au portail sans me retourner. Vinaldi était un type intelligent. Il savait pertinemment que ce ne serait jamais fini.

Quand je suis descendu au 72e, je tremblais comme une feuille ; il faudrait aller jusqu'au bout, je ne l'ignorais pas. J'avais mal à la main à cause d'une petite discussion avec le vigile de l'ascenseur, à l'étage de Vinaldi, mais mes cinquante dollars avaient réintégré ma poche, où ils tenaient compagnie à mon arme. J'avais l'impression d'être aspiré dans une spirale qui m'entraînait inexorablement en arrière ; j'étais dans l'état où on se trouve quand, au cours d'une soirée, on a déjà bu trop de bières pour faire demi-tour, tout en sachant que si on continue, la situation ne pourra que s'aggraver. L'idée d'acheter un véhicule me paraissait de plus en plus risible, comme si, depuis le début, ce n'était qu'un fantasme grotesque.

Le 72e avait considérablement dégénéré ; et il n'était déjà pas du dernier chic au départ. Un concentré de banlieue ordinaire quadrillé de couloirs. À l'origine, l'étage faisait partie d'un des hôtels milieu de gamme que comptait le MégaComm ; les anciennes suites hébergeaient à présent quelques magasins, mais dans l'ensemble, c'était un quartier résidentiel. À l'époque où j'y avais vécu, les habitants faisaient encore des efforts ; on vivait au-dessous du 100e, mais on feignait de s'en moquer. C'étaient des cols blancs à faibles revenus : quelques flics, des vieux un peu bohèmes, et même deux ou trois profs. En guise de jardin, on voyait, de chaque côté des portes d'entrée, des bacs à fleurs où des plantes chétives poussaient sous des lampes SolArtif. Pourvu que ce soit la bonne époque de l'année, et en oubliant qu'on était à l'intérieur, quand on arpentait les couloirs secondaires on se serait cru dans une prairie printanière.

Tout ça était bien fini. Je suis sorti seul de l'ascenseur et, immobile, j'ai suivi des yeux le long couloir qui se déroulait devant moi. Sur ma gauche, un incendie avait ravagé un appartement. On l'avait réinvesti et assez bien remis en état, mais les dégâts étaient encore visibles et le paysage s'en ressentait. La moquette arborait cinq années de crasse supplémentaires, et à voir la peinture, mille ivrognes étaient venus pisser contre les murs après avoir ingéré des substances peu usuelles. Les néons du plafond fonctionnaient encore, mais avec force bourdonnements et intermittences, comme s'ils se réservaient le droit de s'éteindre à tout moment. Et pas une seule jardinière en vue.

J'ai longé des portes derrière lesquelles se trouvaient peut-être encore des gens que j'avais connus. Je n'ai pas frappé. Je ne savais pas ce qui serait pire : constater qu'ils avaient tous disparu ou au contraire qu'ils étaient encore là. J'ai bifurqué dans un couloir secondaire, puis j'en ai emprunté d'autres en direction de la périphérie. Ils étaient presque tous aussi larges que les couloirs principaux ; autrefois, je trouvais que cela donnait une impression d'espace. Ce jour-là, pourtant, l'étage ne m'en a paru que plus désert.

Ça avait changé, mais pas tellement ; c'est seulement quand j'ai tourné dans le couloir 31 en venant du 5 que les choses se sont vraiment dégradées. Plus j'avançais, plus ça empirait. Un néon sur trois marchait, le plus souvent par palpitations fantomatiques qui ne faisaient rien pour embellir le couloir. À mesure que j'approchais de la lisière de l'étage, je trouvais de plus en plus de portes ouvertes donnant sur des intérieurs dévalisés. Manifestement, la vie s'était retirée du 72e, et tout particulièrement de ce coin-ci. Il n'y avait pas beaucoup de dégâts, non, ce n'était pas ça. En fait, le quartier était plutôt en meilleur état que les zones habitées. Et pas trace de vandalisme. Simplement, plus personne n'habitait là depuis un bon bout de temps.

À une centaine de mètres du fond, les plafonniers avaient abandonné la partie. J'y voyais tout juste assez pour m'orienter grâce au clair de lune entrant chichement par la fenêtre fissurée, dans la paroi extérieure. Ma gorge se serrait, ma nuque se hérissait. Entendant un léger bruit, je me suis tourné vers une entrée béante ; il n'y avait rien, mais j'ai cru voir les ombres bouger. Le cœur battant, je suis entré.

Un petit garçon tapi dans l'obscurité ouvrait de grands yeux effrayés. Il était relativement bien habillé ; je n'avais donc pas affaire à un fugueur. On lui avait peigné les cheveux le matin même, on lui avait mis une chemise propre… Mais que faisait-il hors de chez lui à une heure pareille ?

« Ne me faites pas de mal, m'a-t-il dit dans un souffle.

— T'en fais pas. Je ne fais pas de mal aux gens, moi. » Il m'a dévisagé un petit moment, puis il s'est un peu détendu. La pièce était emplie de flaques d'encre bleu foncé et noire, et le gosse m'évoquait une collection d'ombres surmontée d'un petit visage intelligent. « Qu'est-ce que tu fais là ?

— Je viens de temps en temps. C'est comme un défi. Et vous, pourquoi vous êtes là ?

— Autrefois, j'habitais dans le coin. » J'ai allumé une cigarette.

Il m'a regardé d'un air incrédule. « Je me demande bien pourquoi. Ça fiche la chair de poule, ici.

— Maintenant, oui. Mais pas en ce temps-là. » J'ai baissé les yeux. Ainsi mon ancien quartier inspirait à présent défis et murmures… Je me suis forcé à sourire. « Alors comme ça, vous, les gosses, vous venez rôder dans le coin pour vous prouver que vous n'avez pas peur, c'est ça ?

— Non, c'est pas ça. Y'a que moi. Parce que mon père, il… » Une pause. Puis : « Il dit que les hommes, ça doit être courageux. Et que je ne le suis pas assez parce que les autres n'arrêtent pas de me taper dessus à l'école.

— Et il sait que tu viens ici ? » Le voyant secouer négativement la tête, j'ai souri. « Alors ne lui dis pas. Si tu gardes le secret, toute ta vie tu sauras sur toi-même un truc que ton père ignore. Et s'il ne sait pas tout sur toi, il ne peut pas avoir raison à tous les coups, hein ? »

Il lui a fallu un moment pour saisir, mais il a fini par me rendre mon sourire.

« C'est vraiment hanté par ici, vous savez, a-t-il repris avec enthousiasme. Quand il y avait encore des gens qui y habitaient, il y a deux ou trois ans, on disait qu'on voyait quelquefois une petite silhouette marcher dans le couloir. Vous y croyez, aux fantômes, vous ?

— Oui. » J'ai senti ma nuque se glacer.

« Et puis, il y a quelqu'un d'autre qui vient de temps en temps. Je ne sais pas qui c'est. Un homme. Pas aussi grand que vous. Je l'ai vu deux fois. Il va jusqu'au fond et il reste debout là sans rien faire, c'est tout. Ensuite, il s'en va. » Brusquement, comme font souvent les petits garçons, il a sauté sur ses pieds, prêt à filer. « Faut que j'y aille. »

Il m'a rejoint d'un bond et m'a tendu la main. Je l'ai serrée, un peu incrédule. Puis il a détalé dans le couloir ; il n'est bientôt plus resté de lui qu'un bruit de petits pieds martelant le sol dans le lointain. Le temps que je ressorte de l'appartement, il avait tourné à un angle et disparu pour de bon.

Je me suis dirigé vers la fenêtre du fond ; mon cœur battait lentement, régulièrement. J'ai regardé la porte de gauche ; fermée. De chaque côté, les deux derniers bacs à fleurs de l'étage. Les plantes qu'ils contenaient, et dont on m'avait répété cent fois le nom sans que j'arrive à m'en souvenir, étaient mortes depuis belle lurette ; dans la terre, elles s'étaient entièrement décomposées ; au-dessus, elles étaient réduites en poussière. J'ai effleuré la porte juste à côté de la serrure, là où le bois hérissé d'échardes semblait encore relativement neuf, les intempéries ne pouvant en émousser le message. Puis j'ai actionné la poignée et poussé le battant.

Il faisait sombre, plus sombre que dans l'appartement que je venais de quitter. Sur ma droite, la cuisine. Ma main a cherché l'interrupteur, mon doigt l'a basculé, mais sans résultat bien sûr. Grâce à la lumière entrant par la fenêtre du fond, petite et carrée, je voyais des objets disposés çà et là. Des casseroles près de l'évier ; trois assiettes à côté de la cuisinière. Des couverts sur le bar, et aussi par terre. Nature morte avec silence. Je me suis détourné avant d'en voir davantage.

Dans la salle de bains, je me suis contemplé un instant dans la glace. Heureusement, on n'y voyait presque rien ; je n'avais guère envie de constater l'ampleur des changements intervenus sur mon visage. Ou au contraire, l'*absence* de changement.

Le salon, maintenant. D'un côté, des rayonnages où les livres de cuisine et de jardinage côtoyaient dans le plus grand désordre mes livres de poche à deux sous et mes manuels de pratique médico-légale. Ensuite, la baie vitrée qui faisait notre fierté. Nous aurions eu les moyens d'habiter quelques étages plus haut, mais nous avions préféré rester au 72e parce que cela nous permettait financièrement de louer un appartement contre la paroi extérieure. J'aimais l'idée qu'Angela ait autre chose sous les yeux que New Richmond ; et par temps clair, on voyait sans problème jusqu'aux montagnes. Mais ce soir-là, on ne distinguait même pas les nuages pour la bonne raison que la vitre, comme la majeure partie des murs et de la moquette, était recouverte d'un dépôt brun séché. Le sang de ma femme et de ma fille.

Je ne suis pas allé jusqu'à la chambre. Je me suis laissé glisser jusqu'au sol, le dos contre le mur, et j'ai noué mes bras autour de mes genoux.

J'étais rentré vers neuf heures, en retard pour dîner, comme toujours. Mais comme toujours — même si, depuis quelque temps, les choses s'envenimaient —, Henna me l'avait gardé au chaud et un fumet appétissant émanait de la cuisine. J'étais tellement Ravi que l'espace d'un instant, l'odeur m'était apparue sous l'aspect d'une couleur, une espèce de rouge foncé, chaud. J'étais également ivre, et je prévoyais de ne rester qu'une dizaine de minutes, bien que Henna ne soit pas encore au courant. L'affaire Vinaldi prenait — enfin ! — un tournant décisif, et je voulais repartir aussitôt accompli mon devoir d'époux et de père comme je m'en acquittais à l'époque, c'est-à-dire pour la forme et en pensant à autre chose.

On n'entendait pas un bruit, ce qui m'a étonné. D'habitude, à cette heure-ci, Angela regardait son émission préférée, un dessin animé dont le personnage principal était un chat dyslexique. Malgré le semi-coma tourbillonnant et allumé où je me trouvais, ce silence m'a inquiété et c'est en plissant le front — qui, d'ailleurs, me faisait un mal de chien — que je suis entré dans la salle de séjour.

J'ai cru tout d'abord que j'avais une remontée de Raviss, et que l'odeur écarlate de la cuisine s'était infiltrée dans le salon en masquant tout le reste ; puis j'ai vu que ce n'était pas ça du tout, et j'ai hurlé si fort que ma gorge n'a produit aucun son.

Il y avait là Angela et la moitié de Henna. Ma fille avait été démembrée ; on avait ensuite brisé ses bras et ses jambes en mille morceaux. Son visage avait été détaché d'un coup et collé sur l'écran de télévision au moyen de son propre sang. Dans un premier temps, je n'ai pas trouvé la tête. Quant à ma femme, son torse était calé bien droit dans le fauteuil où elle prenait habituellement place ; ses viscères se déversaient sur le siège par l'extrémité inférieure, sectionnée net. La moitié inférieure de son corps était dans la chambre, les jambes largement écartées. Le reste de sa tête était dans la corbeille à papiers, avec celle d'Angela. Dont je n'ai pas pu trouver les yeux.

J'ai vu tout cela, et quand j'ai repris mes esprits, quinze jours s'étaient écoulés. On m'a retrouvé dans un entrepôt désaffecté du 12ᵉ. Je portais toujours les mêmes vêtements et je n'ai pas identifié la personne qui m'a découvert, alors que je la connaissais très bien. En quinze jours, j'étais passé du junkie moyennement dépendant au zombie accro à cent pour cent. Sans le Raviss, mon corps ne pouvait plus survivre. Je ne faisais pas partie des suspects, mais je pouvais dire adieu à mon boulot. De toute façon, je m'en foutais. C'était tout juste si je me souvenais avoir jamais bossé. Cinq années plus tard, je ne me rappelais toujours pas ce qui s'était passé pendant ces quinze jours perdus, et d'ailleurs, je n'y tenais pas. Pas plus que je ne voulais accepter l'évidence : ce soir-là, j'étais parti en abandonnant les cadavres des deux êtres que j'aimais le plus au monde.

Quelque part dans New Richmond il devait exister des photos, des polaroïds pris par l'assassin pour prouver qu'il avait bien accompli sa mission et ensuite réclamer son dû. Je le savais. Je savais aussi que je venais de converser avec le commanditaire, un homme qui n'intéressait personne au sein de la police. Les vrais cadavres, eux, il y avait longtemps qu'ils n'existaient plus ; il n'en restait que des taches sur le sol, sur le fauteuil, et sans doute sur le lit.

Mais tout le reste était bien là, y compris le sang sur la baie vitrée et la souillure séchée sur l'écran de télé. Parfaitement immobile, j'ai regardé longuement toutes ces choses en cherchant à entendre des échos du passé — le rire d'Angela, les soupirs de Henna. Mais je n'ai perçu ni l'un, ni les autres. Alors j'ai passé la main dans mon blouson, je l'ai refermée sur la sensation brûlante qui se nichait dans ma poche de poitrine. Et je me la suis injectée dans le bras.

II

LA BRÈCHE

8

Il fait encore chaud mais une légère brume commence à tomber à la périphérie de mon champ de vision,
comme un rideau impalpable dont la blancheur s'épais-
sit progressivement jusqu'à se rendre tout à fait visible.
Des couples et des familles peu nombreuses arpentent
la plage, le visage et les épaules rougis ; ça pleurniche,
ou bien ça se dispute. Parfois aussi les gens sont comme
apaisés, tranquillisés par le spectacle de la mer et par les
cris rauques des mouettes qui tournoient dans le ciel. Au
bord de l'eau, un homme porte à ses lèvres une bouteille
de Coca embuée afin d'avaler la dernière goulée, et son
geste fait naître un reflet scintillant sur le verre ; de petits
groupes de femmes et d'enfants courbés ramassent dans
le sable des coquillages ou des cailloux lissés par les
eaux ; leur regard fixe se perd dans le lointain.

J'étais assis tout seul sur un rocher ; je venais de me
quereller violemment avec ma mère et j'étais fou de
rage. J'avais demandé une crème glacée, elle avait dit
non, et quand on a sept ans, aucun motif, fût-il empreint
de bon sens, ne saurait justifier cette fin de non-recevoir.
Au début de l'altercation, je ne faisais pas vraiment une
fixation sur cette glace ; c'est à force d'insister que j'ai
commencé à en goûter la fraîcheur dans ma bouche ;
j'aspirais à sentir le cornet craquer sous ma dent. Alors
je me suis obstiné, j'ai commencé à pleurer. Pourtant,

j'étais trop grand pour ce genre de chantage ; et je le savais fort bien.

Ma mère m'a expliqué que c'était presque l'heure du dîner, que ça allait me couper l'appétit. Je m'en rends compte à présent, elle voulait simplement nous épargner un douloureux constat : nous n'avions pas assez d'argent, point. Mon père, lui, aurait dit les choses comme elles étaient, et il m'aurait asséné une bonne claque histoire de me faire rentrer la leçon dans le crâne. Mais il n'était pas là ; il ne nous accompagnait jamais à la plage. D'abord, il avait horreur de ça ; ensuite, il avait horreur de nous. Mais la vraie raison, c'est qu'il préférait sombrer dans un week-end entier d'obscures futilités sans êtres humains réels pour venir l'emmerder.

Il était trois heures de l'après-midi, on était encore loin du dîner ; j'ai continué à tempêter et elle m'a planté là. Comme je la regardais s'éloigner le long de la plage, un vieux monsieur est venu s'asseoir à côté de moi sur les rochers. Il portait un short kaki et une chemise en jean passée ; ses bras et ses jambes étaient tout blancs, constellés de taches de rousseur et de tavelures. Il avait des cheveux gris coupés court et sur son visage, la texture de sa peau évoquait une feuille de papier artisanal froissée en boule puis lissée du plat de la main. Il m'a regardé un moment sans rien dire.

Je lui ai opposé un visage boudeur. Il ne me faisait pas peur. Je pensais avoir déjà fait le tour du malheur ; le monde n'avait plus rien à m'apprendre dans ce domaine. Si j'avais pu apprendre à éviter les coups de mon père, ce n'était pas un vieux tout ridé qui allait me causer des ennuis. En fait, j'espérais même qu'il me chercherait noise pour pouvoir lui renvoyer ses propos en pleine figure. À cet âge-là déjà, ma coupe était presque pleine. Parfois, il lui fallait une canalisation où se déverser, une ville entière à engloutir.

Puis l'homme s'est tourné vers la mer et j'ai cru que ça s'arrêterait là. Ma mère avait atteint l'extrémité de la crique et s'était assise contre la falaise rocheuse. Je sentais bien que notre dispute ne se résoudrait pas si facilement. Ma mère faisait de son mieux avec moi, mais nous avions en commun, logé au fond du cœur, un morceau de métal qui nous empêchait presque toujours de céder. J'ai compris avec tristesse que la journée était gâchée, que le soir venu, nous rentrerions à la maison. Nous laisserions la Floride derrière nous pour retrouver la Virginie.

« Ça y est, tu es calmé ? »

Vient un moment dans la vie où les adultes balaient d'un coup nos caprices puérils, où ils nous mettent au pied du mur et nous font comprendre qu'on n'est pas unique, qu'ils ne marchent plus dans la combine. Mais je n'avais pas encore atteint cet âge-là. Alors j'ai regardé le vieux monsieur avec curiosité. C'était la première fois qu'on me parlait comme à un quasi-adulte.

« Ta maman a l'air bien fatiguée. » Cette déclaration m'a incité à reporter aussitôt mon attention sur la mer. « Je me trompe ?

— Elle est tout le temps fatiguée », ai-je répondu sans vraiment le vouloir. La fatigue de ma mère m'exaspérait et m'inspirait du ressentiment, de la même manière que je lui reprochais à *elle* les coquards qui apparaissaient et disparaissaient périodiquement sur sa figure. Si j'avais eu un tant soit peu d'amour pour mon père, j'en aurais sans doute moins voulu à ma mère. Les sentiments des impuissants ne sont pas toujours très cohérents.

« Elle en a peut-être gros sur le cœur, a repris le vieux monsieur. Par exemple, ça lui pèse de ne pas pouvoir acheter de glace à son petit garçon.

— On mange toujours une glace quand on vient à la plage, ai-je lâché. Toujours. » Je disais vrai ; pour moi, c'était le principal intérêt de ces excursions. Ce n'était pas seulement de la gourmandise ; dans ma tête, la crème glacée représentait une chose que j'étais bien trop jeune pour savoir formuler. Deux fois par an nous jouissions d'un week-end sans mon père — deux jours pendant lesquels il n'était pas là pour nous obliger à voir le monde à sa manière, c'est-à-dire comme un endroit exigu, sombre et froid. Dans tout ce que percevait mon père il y avait des démons, des présences souterraines, la perpétuelle conscience du mal. Il aurait parfaitement compris La Brèche, mais seulement quand elle est devenue bizarre — la vie comme mirage, resserrée autour de l'horreur et masquant la vérité. D'ordinaire, nos petits voyages nous emmenaient loin de tout cela, ma mère et moi. Mais ce jour-là, on aurait dit que l'ombre de mon père planait au-dessus de nous.

« On ne peut pas toujours avoir tout ce qu'on veut », a déclaré le vieux. Cette platitude a achevé de me pousser à bout.

« C'est mon père qui vous envoie ou quoi ? » ai-je dit d'un ton crispé en le foudroyant du regard. Il a ouvert de grands yeux et tout à coup il a paru me voir sous un jour nouveau. « Y'a des trucs que je ne peux pas avoir parce que je suis un enfant, et je ne serai plus un enfant quand je n'en aurai plus envie, c'est ça, hein ?

— C'est ce qu'il te dit ?

— Ouais. Entre autres. »

L'espace d'un court instant, j'ai bien failli mentionner certaines choses, décrire pour la première fois la vie que je menais. En ce temps-là je n'avais pas d'amis parce qu'on déménageait tout le temps, au gré des sempiternelles recherches d'emploi de mon père. On avait déjà visité comme ça la plus grande partie de la Virginie et ça ne s'arrangeait pas. Non que mon père fût paresseux, bien au contraire. Une de ses devises préférées — et Dieu sait que nous l'entendions souvent — était : « Un homme sans travail n'est bon qu'à donner en pâture aux animaux. » Il s'activait en permanence, mais sans réel objectif, sans joie, sans rien que cette haine qui couvait en lui et visait tout ce qui l'entourait. Parfois, quand il était assis, on voyait ses mains trembler, comme si le besoin de détruire faisait vibrer son corps entier. Quand il trouvait du travail, il s'écoulait généralement une semaine avant que ses plombs ne sautent et qu'il ne se fasse virer pour avoir déclenché une bagarre ou commis une bévue quelconque parce qu'il était saoul. De temps en temps nous faisions une petite fête quand nous avions le sentiment que cette fois, nous allions rester plus longtemps dans telle ou telle ville. Quand les choses allaient bien, ma mère s'efforçait de marquer le coup, dans l'espoir que ça continuerait. Elle préparait un dîner plus recherché que d'habitude et déposait à côté de chaque assiette un petit cadeau choisi avec soin dans un bazar bon marché. Je haïssais ces occasions, à cause des mensonges qu'elles renfermaient et parce qu'elles nappaient de pessimisme et d'inutilité l'amour que ma mère nous portait. En déballant le crayon ou la petite boîte colorée qu'elle m'avait offerts, je ne pouvais m'empêcher de penser aux précédents cadeaux. Maman partait joyeusement à la découverte de la ville, elle se renseignait sur les écoles, et en moins de rien on repartait.

Je fréquentais d'autres gosses pendant quelques jours, parfois quelques semaines, puis le vent les emportait, ils allaient se perdre dans la montagne. Ma mère me parlait comme si j'étais encore un enfant ; elle se raccrochait à cette croyance parce qu'elle seule lui permettait de continuer. Quant à ses parents à elle, chez qui nous descendions quand nous venions sur la côte, ils n'étaient guère enclins à m'adresser la parole — à moi, le fils de leur gendre.

Pourtant, ce jour-là je n'ai rien répondu au vieil homme, préférant me réfugier dans un silence lourd de larmes. Déjà la digue était solide — trop solide ; si je l'avais laissée céder, je me serais senti trahi. C'est que je voulais être heureux, moi — comme tout le monde ; et je sentais, je crois, que si je permettais à la vase de remonter à la surface, cette dernière en serait à jamais souillée.

« Eh bien, il se trompe, a soudain déclaré le vieil homme. Il se trompe du tout au tout. » Le cœur m'a manqué d'entendre quelqu'un, un *adulte*, proférer des paroles dont je ressentais la véracité jusqu'au tréfonds de mon âme. Je me suis essuyé les yeux sans rien dire.

« Quand tu seras grand, certaines choses te paraîtront moins importantes », a-t-il poursuivi en contemplant sereinement les gens campés au bord de l'eau. « Il y a quelques années, moi-même je courais après un tas de choses ; maintenant, je me rappelle à peine pourquoi. Mais il faut dire que je suis vieux, bon pour le cimetière, alors… » Il a ri de me voir me tortiller sous l'effet de l'embarras. « Qu'est-ce que tu veux faire quand tu seras grand, fiston ?

— J'aurai un travail. »

Il a opiné. Peut-être comprenait-il ce que je voulais dire. Peut-être pas. « Et la crème glacée, dans tout ça ?

— J'en mangerai des *tonnes*, ai-je répondu fermement, avec le plus grand sérieux. J'en mangerai tous les jours, en changeant de parfum, et je me paierai des cônes géants, avec des morceaux de noisette et de la crème au chocolat. » Il s'est mis à rire, puis s'est repris en voyant une certaine lueur dans mes yeux.

« Puisque je vous le dis !

— Je te le souhaite. Sincèrement. Quand j'avais ton âge, moi, c'était les pommes d'amour, dans les foires. Tu aimes ça ? » Il m'a regardé, les sourcils haussés, mais je n'en avais pas la moindre idée. J'en avais vu, bien sûr, mais je n'y avais jamais goûté. « C'est drôlement bon. Peut-être même meilleur que la glace. Bon, la glace ne vient pas loin derrière, je te l'accorde. Ma mère m'emmenait toujours à la foire, et à chaque fois elle m'achetait une pomme d'amour. La croûte était dure, il fallait que je l'attaque avec les dents de côté, sinon celles de devant risquaient de se casser en mille morceaux. »

Ça m'a fait sourire. Le vieux monsieur a souri à son tour et tout à coup, derrière le visage en papier mâché, j'ai entrevu une personne de mon âge, quelqu'un avec qui j'aurais pu courir, jouer.

« Ça ne se casse pas en mille morceaux, les dents, ai-je déclaré. C'est dur comme la pierre.

— Peut-être, mais à l'époque je ne le savais pas. Et je me disais : "Quand je serai grand, je mangerai des pommes d'amour tous les jours. Et puis je me coucherai tard tous les soirs, je regarderai la télé jusqu'à en avoir les yeux carrés comme l'écran, et personne ne pourra rien me dire." Je croyais que c'était ça, être un adulte. Que c'était à ça que ça *servait*. »

J'ai gardé le silence. Je sentais venir une pénible révélation, une mauvaise nouvelle que je ne tenais pas à apprendre plus tôt que nécessaire. Ma mère était toujours à l'autre bout de la crique. Une ombre née du soleil vespéral glissait lentement à sa rencontre sur les rochers.

« Et alors, qu'est-ce qui s'est passé ? ai-je fini par demander.

— J'ai grandi. » Il n'avait pas l'air de vouloir poursuivre.

« Et ? »

Son regard se perdait dans le lointain. « Je me suis couché tard, j'ai regardé la télé, j'ai mené une vie assez satisfaisante. Mais je crois qu'en quarante ans et plus, je n'ai pas mangé une seule pomme d'amour.

— Pourquoi ça ?

— Parce qu'on oublie, a-t-il répondu en haussant les épaules.

— Moi, je n'oublierai pas. Je ferai tout ce que je voudrai, tout le temps, et personne ne pourra m'en empêcher.

— Tu as bien raison. Je te le souhaite de tout cœur. Se rappeler ce dont on a eu envie, ce n'est pas la pire façon de vivre. Alors souviens-t'en, fiston, et ne laisse pas les gens te mettre des bâtons dans les roues. Essaie donc de plier le monde à tes désirs pendant qu'il est encore temps. »

Il est resté muet quelques minutes, l'air subitement vieilli, distant, je ne sais pourquoi ; puis il s'est levé à contrecœur et s'est étiré.

« Vous partez ? .

— Eh oui. Bon, maintenant écoute-moi. Il y a cinq dollars sur le rocher à côté de toi. Dépense-les comme ça te chante. Mais après, promets-moi d'aller retrouver ta maman et de lui prendre la main. D'accord ?

— D'accord. » Je l'ai regardé en souriant de toutes mes dents. L'éclat du soleil me faisait plisser les yeux.

Puis il s'en est allé en regardant bien où il posait les pieds sur les rochers, et je l'ai suivi des yeux jusqu'à ce qu'il disparaisse. J'ai bien trouvé un billet de cinq dollars sur un rocher voisin, sous un caillou. Après l'avoir contemplé un moment, je l'ai ramassé. Mais je ne suis pas allé m'acheter une glace. Je suis parti rejoindre ma mère. Profitant d'un moment d'inattention, j'ai glissé le billet dans son sac. Comme elle était très scrupuleuse dans ce domaine, elle a dû s'en rendre compte immédiatement, mais elle n'a jamais rien dit. À moins que… Je me souviens qu'à la gare routière de Williamsburg, où nous devions changer de bus, en revenant des toilettes je l'ai trouvée devant un soda *et* un café ; et une petite coupe de glace m'attendait sur la table. Elle était comme ça, maman. Elle savait toujours dire les choses sans ouvrir la bouche.

J'ai souvent repensé à ce vieil homme ; certaines paroles non préméditées peuvent vraiment affecter votre vie de manière imprévisible. *Plie le monde à tes désirs*, m'avait-il dit ; *refuse de recevoir moins que tu ne le souhaites et balaie tout ce qui se met en travers de ton chemin.* Armés de cette notion, bien des gens peuvent atteindre la sérénité, ou quelque chose d'approchant. C'était un bon conseil, fondé sur des intentions louables.

Mais ce n'était pas à moi qu'il fallait le donner.

Deux heures du matin. J'étais redescendu au 8ᵉ, où je me dirigeais tant bien que mal vers chez Howie. Un peu plus tôt, dans un bar du 30ᵉ, je m'étais brusquement rappelé le cadavre de Hal. Le souvenir avait pris la forme d'une file de petits vers venant vers moi sur le comptoir en brandissant de minuscules pancartes où on pouvait lire : « HAL EST MORT » et « Y DOIT PAS ÊTRE BEAU À VOIR, DEPUIS LE TEMPS ». En y regardant de plus près, j'avais constaté que les vers étaient en fait des alters avançant péniblement sur ce qui leur restait de membres. J'ai repéré David, puis Nanune. Décidément, l'inventeur du Raviss ne devait pas manquer d'humour. Je n'en avais pris qu'une dose modérée — au bout de cinq ans, j'ignorais quelle quantité je pouvais encaisser. Eh bien, je tenais la réponse : beaucoup plus que ça. J'avais perdu deux heures, voilà tout. J'étais crevé et j'hallucinais, mais à part ça, ça allait. Je savais où j'étais : dans un bar particulièrement mal fréquenté, à un étage dangereux. J'avais la chemise trempée de whisky (celui qui n'avait pas trouvé le chemin de mes lèvres), la tête en feu et sous les yeux une gamine de quinze ans, nue et à l'agonie, qui agitait son corps pitoyable sur la table voisine. J'étais le plus proche client et je n'avais même pas remarqué sa présence. Tous les autres semblaient camés à l'Oprah : absorbés par leur nombril au point de ne plus savoir si c'était le jour ou la nuit, ils racontaient leur vie à tous ceux qui voulaient bien l'entendre[1].

Je n'avais plus envie d'être là. Je dégringolais rapidement, et je n'étais plus assez Ravi pour m'en foutre.

J'ai réglé ma note au barman, qui était laid comme un pou. Encore soixante dollars de foutus. Je suis sorti dans l'avenue en tanguant dangereusement ; je me suis brûlé un doigt en allumant une cigarette — prélevée dans un paquet qui était *peut-être* à moi. J'ai regardé, perplexe, les formes qui se mouvaient devant moi. La plupart finissaient par acquérir une définition suffisante pour que je les juge sans importance. J'ai cherché des toilettes. Là, j'ai nettoyé sommairement mes vêtements tachés, je me suis rincé la bouche et j'ai regardé ma tête dans la glace. L'effet du Raviss commençait à se dissiper et le brouillard de sons n'était plus qu'une brume légère. J'en ai conclu que je pouvais y arriver et j'ai ri sans joie du spectacle que m'offrait le miroir. Le fait d'estimer posément mon état m'a ramené en arrière bien plus efficacement que n'aurait pu le faire le spectacle d'un poste de police.

J'ai pris un ascenseur secondaire jusqu'au 8e, puis emprunté d'un pas mal assuré la rue principale en me faisant bousculer par les passants qui, eux, marchaient droit. J'avais atteint un point d'équilibre entre deux pôles opposés : indifférence et préoccupation ; je n'avançais plus vers la moindre décision. Entre autres, un des effets du Raviss est de vous placer au-delà des alternatives, en un lieu où tout compte et rien ne compte simultanément, et où on n'a plus qu'à se cacher la tête dans le

---

1. Allusion à un célèbre *talk-show* américain animé par Oprah Winfrey. *(N.d.T.)*

sable. Et une fois qu'on y a goûté, à cette planque bien douillette et bien morte, on ne veut plus la quitter. À un coin de rue, j'ai croisé un jeune couple étroitement enlacé ; ces deux-là se suçaient le bec avec un bruit qui engendrait de petites étincelles jaunes sur la toile de fond brun moutarde du bourdonnement général. Soit j'entendais une conversation qui se déroulait à des centaines de mètres, soit mon cerveau inventait tout et marmonnait de sombres propos dans son coin. Ce n'était pas une conversation très intéressante — et ça pouvait se comprendre. Par ailleurs, je ressentais une appréhension mal définie, mais je ne m'en faisais pas pour autant. Une petite trouille de temps en temps, ça ne fait pas de mal. La trouille, c'est une vieille copine.

Je n'étais plus très loin de chez Howie quand, brusquement, je me suis retrouvé accroupi au pied d'un mur sans savoir pourquoi. Les passants me regardaient d'un air amusé. J'ai lâché un gros soupir saccadé et je me suis rendu compte que ma main, passée dans mon blouson, agrippait mon arme. Cela aurait dû me rassurer sur mes réflexes, miraculeusement intacts. Mais non. Au lieu de ça, je me suis senti très mal. L'espace de quelques secondes la rue a cessé d'exister autour de moi et je me suis laissé glisser à terre, sans réfléchir, le cœur battant à tout rompre, le front et la nuque envahis par une suée venue d'on ne sait où. J'ai eu l'impression que les feuillages du plafond se déplaçaient tous en même temps pour révéler un ciel assombri aux confins ardents peuplés de flammes liquides et orangées. J'entendais des bruits, des cris, une sirène. Il m'a fallu un moment pour comprendre qu'ils résonnaient en fait à l'intérieur de ma tête. Puis je me suis rendu compte que je me répétais inlassablement une même phrase, où il était question de saut-au-mur et aussi d'une montagne.

Je me suis relevé péniblement. Finalement, cette dose de Raviss n'était peut-être pas si faible. J'ai tourné à l'angle, bien décidé à me mettre en quête d'une bière, histoire de calmer un peu le jeu. Puis j'ai senti que j'avais faim ; je n'avais pas mangé depuis deux jours. Pendant le reste du trajet, j'ai passé le temps en imaginant dix-sept recettes de cheeseburger différentes à partir de trois séries de variables : les condiments, les quantités relatives de laitue, de cornichons, de tomate et d'oignons, et le nombre de steaks hachés superposés, celui-ci étant au maximum de trois. Quand je suis enfin arrivé chez Howie, j'avais la ferme intention de les commander tous en même temps.

Debout au bar, ledit Howie contemplait ses clients d'un air bienveillant en écoutant le groupe qui jouait dans un coin. Pour une fois, je débarquais à l'heure de pointe. Je crois qu'il m'a fallu un bon moment pour me frayer un chemin jusqu'au bar à travers une foule dégageant autant de chaleur que de bruit, le tout sans quitter Howie des yeux. Posés devant lui, un gros morceau de fromage et un pot plein de rondelles de poivrons. Dans le premier, il découpait des tranches formant un genre de pelles avec lesquelles il puisait dans le second. À la fin de la manœuvre il enfournait le tout et recommençait aussitôt. Il procédait rapidement, efficacement, comme s'il faisait un concours, et ça m'a prodigieusement agacé.

Il m'a jaugé du regard en me voyant approcher. « Alors, ce camion, tu l'as acheté ?

— Non », ai-je patiemment répondu en faisant signe au barman de me servir une bière.

« C'est bien ce que je pensais », a répondu Howie, la bouche plein de fromage. « Et pas la peine de fuir mon regard : j'ai remarqué tes pupilles dès que tu es entré. Je vois que tu as retrouvé tes anciennes habitudes. Tu en veux encore ?

— Non. » Le mot commençait à me plaire. J'avais l'impression que pour le moment, il satisfaisait tous mes besoins. Je m'apprêtais à avaler une gorgée de bière quand tout à coup, ma mâchoire a failli se décrocher. « Qu'est-ce que vous faites là, vous ? »

C'était à une femme que je m'adressais — une jeune femme assise un peu plus loin au bar, derrière Howie. Hormis que sa robe n'était plus bleue mais rouge, elle était vêtue exactement comme la première fois : c'était sur elle que j'étais tombé, dans les toilettes pour dames, le jour de mon retour à New Richmond. Ce qui m'a aidé à la reconnaître, c'est qu'elle se livrait à la même activité : elle se faisait une ligne sur un petit miroir. Comme elle était trop occupée, Howie a répondu à sa place.

« Je te présente Quasi. Une de mes employées. »

Je n'ai pas demandé dans quel secteur. Je n'avais pas oublié la conclusion à laquelle j'étais parvenu ce fameux jour, d'ailleurs confirmée par le léger chatoiement qui s'est allumé dans sa prunelle droite lorsqu'elle a levé la tête pour me lancer un clin d'œil. Je me suis souvenu par la même occasion qu'elle m'était apparue fort séduisante, et là non plus je ne m'étais pas trompé.

« Salut », ai-je dit.

Howie a éclaté de rire. « Question conversation, Jack n'est pas le plus grand spécialiste contemporain. Pas le genre feu d'artifice. » Secouant la tête, il a sorti de sa poche un objet qu'il a plaqué sur le bar. « Il ne compte pas non plus parmi mes fournisseurs les plus fiables. »

J'ai ramassé l'objet. Après examen, j'ai compris que c'était le module de RAM que je lui avais vendu la veille, encore que vu mon état, il n'avait plus tout à fait la même allure. Je croyais distinguer des flux de données circulant à travers le perspex translucide, des tas de zéros et de un se déplaçant dans un sens puis dans l'autre. « Pourquoi, qu'est-ce qu'il a, ce module ?

— Je ne sais pas ce qu'il a, mais ce que je peux te dire c'est que ce n'est pas de la RAM.

— Merde. Alors je te dois du fric. » Il me restait en tout et pour tout une centaine de dollars fourrés dans trois poches différentes. « Je te rembourserai », ai-je ajouté gauchement en glissant le module dans mon blouson.

Howie a écarté cette éventualité d'un revers de main ; par la même occasion, il a flanqué un sacré coup à mon orgueil. Moi qui aurais dû penser aux alters, je m'en voulais de passer pour un crétin aux yeux d'une gagneuse bossant pour Howie. Vraiment pas sortable. De toute façon, elle n'a pas paru m'en tenir rigueur ; mais elle devait être tellement allumée que même le virus Ebola, elle l'aurait trouvé cool.

« Un type est venu, a repris Howie en revissant le couvercle de son pot de poivrons. Il te cherchait. »

J'ai froncé les sourcils. « Qui c'était ?

— Aucune idée. Il ne s'est pas présenté. Un costaud avec des diodes bleues tout autour de la tête. »

Le dealer de la Porte, celui qui avait caché le corps du tueur. Sans savoir pourquoi, tout à coup j'ai eu froid. « Qu'est-ce qu'il voulait ?

— Te voir. Il a laissé un paquet. » D'un mouvement de menton, Howie a fait signe au barman, qui a sorti de sous le comptoir une boîte en carton de trente centimètres cubes. Il l'a posée devant moi. Je l'ai regardée fixement.

« Super, dis donc. Un cadeau », a dit Quasi d'une voix langoureuse mais sonore. « Tu ne l'ouvres pas ?

— Où est Suej ? ai-je demandé.

— Derrière, a répondu Howie. Elle mange son riz aux haricots rouges.

— Il y a combien de temps que tu n'es pas allé voir si tout allait bien de son côté ?

— Un bon moment, pourquoi ? Qu'est-ce qui ne va pas ? » J'ai pris le paquet et je me suis promptement dirigé vers un coin calme du bar. La boîte était lourde et contenait manifestement un objet massif. Au moment où je me décidais à l'ouvrir, j'ai entendu Howie ordonner à Dath d'aller voir Suej. Il me semblait que le temps s'accélérait, qu'il fonçait vers une destination que je n'entrevoyais pas encore.

J'ai ouvert le carton.

« Bordel de merde », a fait Howie, qui m'avait rejoint. Howie avait eu plus d'une fois sous les yeux des choses désagréables, mais jamais je ne lui avais entendu ce ton-là. Quasi en est descendue de son tabouret pour s'avancer vers nous d'un pas mal assuré.

J'ai refermé la boîte. Mes mains tremblaient. Il y a des tas de choses qu'on n'a pas du tout envie de voir quand on est sous Raviss. Mais ça, *personne* n'aurait voulu le voir, Raviss ou pas. C'était tellement de trop, tellement indéfendable que j'ai senti mes globes oculaires s'assécher, comme sous l'effet d'une forte rafale de vent.

C'était la tête de Nanune.

Bouche bée, Howie ne quittait pas la boîte des yeux. Puis, lentement, il a tourné la tête vers moi. « Qui c'est ?

— Un des alters. Une gamine qui n'avait jamais fait de mal à qui que ce soit, de toute sa misérable petite vie. » Sans aucune préméditation j'ai brusquement détendu une jambe, qui a projeté la table à travers la salle. Après ça, je me suis senti très calme ; parfaitement immobile, je fredonnais entre mes lèvres serrées une mélodie meurtrière. La moitié des clients me regardaient fixement en se demandant si j'étais dangereux ou si je faisais un numéro de cabaret expérimental. « Il a dit qu'il reviendrait, ce salaud ? »

Howie a secoué la tête, toujours en proie à la même hébétude. « Non, heureusement.

— Alors c'est moi qui vais aller le trouver », ai-je conclu, grisé par la rage et le remords. Il y a des moments où les fonctions cérébrales supérieures se mettent en vacances ; elles sentent que c'est au cerveau reptilien de prendre le relais. L'homme aux diodes bleues détenait les alters et il allait les tuer. Pourquoi, je l'ignorais, mais l'issue ne faisait aucun doute, et on pouvait en conclure qu'il avait *aussi* descendu Hal. Il ne m'en fallait pas plus.

« Jack ? » En me retournant, j'ai vu Suej qui accourait, Dath sur les talons.

« Howie, ai-je fait entre mes dents. Débarrasse-nous de cette saloperie de boîte. » Mais Suej l'avait déjà entrevue, et moi aussi elle m'avait vu. Elle connaissait bien la tête que je faisais quand il se passait quelque chose de grave.

« Qu'est-ce qu'il y a là-dedans ? » a-t-elle demandé.

Tout à coup des cris ont retenti près de la porte et Paulie est entré en coup de vent, une main passée dans son blouson.

« Howie, a-t-il lancé d'un ton pressant. On a un problème.

— Avec qui ?

— Quatre hommes à Vinaldi.

— Et alors ? Je lui ai refilé son fric, non ?

— Je ne crois pas qu'ils viennent pour ça. » Paulie m'a dardé un bref regard. « Ce n'est pas après le fric qu'ils en ont. »

Howie a juste eu le temps de me demander ce que j'avais encore bien pu faire avant que la vitrine n'explose, aspergeant les consommateurs d'éclats de verre coloré. Comme au ralenti, j'ai attrapé Suej et je me suis interposé entre elle et la porte. J'ai vu des armes lourdes apparaître dans les mains de Howie et de Dath. Quasi était bouche bée ; comme elle semblait solitaire, en cet instant de vérité ! Décidément, il y avait pire que la vie de tous les jours, et on allait en avoir la preuve. Sans réfléchir, je l'ai attrapée à son tour.

« Foutez le camp ! a crié Howie. Par-derrière ! »

La dernière partie de sa phrase s'est perdue dans le vacarme : l'autre vitrine explosait. Dix mètres plus loin, dans la rue, les hommes de main de Vinaldi se tenaient en ligne. Sérieux comme des enfants jouant à leur jeu préféré, ils se délectaient littéralement. Dans le bar, c'était le chaos complet ; dans tous les coins des gens hurlaient en essayant de se mettre à l'abri.

« Pas question, j'ai répliqué. Ça me regarde. »

Howie s'est tourné vers moi. « Pour une fois, barre-toi. Et emmène Quasi. » Son bras s'est détendu d'un coup et m'a frappé rudement, en pleine poitrine. Puis il a tourné les talons pour aller rejoindre Paulie près de la porte, Dath à ses côtés. En les voyant tous les trois, j'ai compris que je n'avais pas grand-chose à ajouter. J'ai pris Suej par le bras.

« Tu viens ? j'ai demandé à Quasi.

— Tu parles ! » Elle ne quittait pas les tueurs des yeux. « On ne doit pas rigoler *du tout* avec ces gens-là. »

Je me suis frayé un passage dans la foule paniquée en traînant Suej derrière moi. Quasi suivait en faisant claquer ses talons. Une fois dans l'entrepôt, je me suis baissé sans ralentir l'allure pour rafler nos maigres affaires.

« Où est la sortie de derrière ?

— Comment veux-tu que je le sache ? a répondu Quasi en haussant les épaules. Tu crois que j'ai passé ma vie ici à faire ami-ami avec les tomates ou quoi ? »

Elle ne me rendait pas service et j'ai failli le lui dire, mais à ce moment-là Suej a indiqué l'angle du fond. « Je vois une porte, là-bas, derrière ces caisses. »

Je l'ai ouverte prudemment, l'arme au poing. Personne de l'autre côté. J'ai passé la tête par l'ouverture, histoire de m'assurer que la ruelle de livraison était déserte, puis je suis sorti en faisant vigoureusement signe aux filles de m'emboîter le pas.

La ruelle se poursuivait sur une cinquantaine de mètres, puis on apercevait un embranchement au niveau d'un marchand de hamburgers. Au fait, je n'avais pas eu le temps de commander mes cheeseburgers, tiens; bof, de toute façon, j'avais oublié la plupart des combinaisons. Une autre fois. L'allée perpendiculaire débouchait dans une petite rue sinueuse exclusivement bordée de boutiques, presque toutes fermées; nous sommes passés à fond de train devant des vitrines bourrées de marchandises attrayantes. Où aller? La priorité absolue était de quitter l'étage, mais ensuite? Inutile d'envisager l'appartement de Hal : le type aux diodes bleues ne le connaissait que trop bien.

Et si Nanune n'avait pas été la première victime? Bien sûr, j'avais de l'affection pour elle, et même de l'amour, en un sens; mais j'avais passé tant de temps avec Suej, David et Jenny… S'il arrivait quelque chose à ces trois-là, je ne me le pardonnerais jamais.

Au bout de la rue commerçante, nous avons atteint une avenue que j'ai traversée à grands pas en me faufilant çà et là entre les piétons. Je n'avais pas entendu de pas lancés à notre poursuite; si les types de Vinaldi n'avaient pas pris la peine de surveiller la sortie de derrière, ils n'avaient sûrement pas posté non plus de comparses aussi loin du bar. Si?

Si. Au moment où nous posions le pied sur le trottoir d'en face, un coup de feu a claqué et une balle a sifflé à moins d'un mètre de nous. Quasi a poussé un cri aigu et je les ai attirées toutes les deux dans une ruelle voisine. C'était le genre de chose que j'avais l'habitude de faire tout seul, et non grevé de deux passagères. J'ai brièvement envisagé d'en lâcher une pour saisir mon pistolet, puis opté pour la rapidité. Cette fois-ci, des pas ont résonné bruyamment dans notre dos et une voix s'est mise à crier mon nom à intervalles réguliers. Bizarre, ça. À moins qu'on ne me veuille vivant ? J'aurais dû trouver cette perspective rassurante, mais je n'y arrivais pas. Mort ou vif, je ne voulais pas me faire prendre, point final.

Au bout de la ruelle, une courte venelle ; au fond de celle-ci, un ascenseur. Pas de file d'attente, et les portes étaient ouvertes. Pour une fois, le bon Dieu était avec moi. À ma gauche comme à ma droite, j'entendais des respirations haletantes. Les talons aiguilles de Quasi représentaient un handicap certain. Nous avons déboulé dans la venelle et j'ai crié aux deux filles de garder la tête baissée. Les sinuosités de la ruelle nous avaient jusque-là protégés des coups de feu. Mais à présent, le tireur avait le champ libre. C'est donc courbés en deux que nous avons traversé. La proximité de l'ascenseur représentait une tentation insupportable. Une nouvelle balle a sifflé avant de se loger à grand bruit dans une partie métallique de la cage d'ascenseur.

« Entrez ! » ai-je hurlé. Mes deux compagnes se sont exécutées. J'ai fait face à notre poursuivant qui, parvenu au milieu de la ruelle, ralentissait l'allure en pointant son arme sur nous.

« Randall ! a-t-il braillé. Tu ne peux pas t'échapper.

— Il y a *toujours* moyen de s'échapper », ai-je marmonné en dégainant. L'autre s'était immobilisé à une dizaine de mètres. « Tu ne peux pas m'en empêcher. *Il* me veut indemne.

— Il suffit que je lui ramène ton foie pour faire son bonheur », a-t-il répliqué. Mais il mentait, je le savais. Sinon, on n'aurait pas été là à discuter. « Éloigne-toi de l'ascenseur ou je te fais sauter les couilles. Les nanas peuvent se tirer. Elles n'intéressent personne. »

Quasi a passé la tête par la porte. « Va te faire foutre, bite pourrie », a-t-elle hurlé gaiement. *Là non plus tu ne me rends pas service.* S'en prendre à la virilité des gangsters ! Autant agacer un nid de serpents à sonnette avec un bâton.

Le tueur m'a visé à la tête. Manifestement, il se proposait de raconter que j'avais résisté, qu'il n'avait pas pu faire autrement. J'ai armé mon pistolet tout en reculant vers l'ascenseur. Je lisais dans ses yeux les calculs auxquels il se livrait.

« Appuyez sur un bouton », ai-je soufflé sans cesser de viser l'autre à la tête. J'ai entendu un déclic dans mon dos mais je ne suis pas tout de suite passé à l'action. Quand j'ai enfin fait un pas en arrière, il s'en fallait d'une seconde : les portes se sont refermées devant mon nez en manquant de peu me couper les mains… tout en laissant mon agresseur pantois, bouche bée et l'air con.

Pas très brillant, comme stratagème ; mais bon. Ce type n'avait pas inventé la poudre non plus.

Relativement content de moi, je me suis retourné… pour découvrir que je me tenais au cœur d'une forêt ! L'éclairage de l'ascenseur s'est condensé, puis diffracté ; ce n'était plus qu'une lointaine lueur bleutée, à peine visible à travers les arbres. Il faisait à la fois froid et désagréablement humide, comme si je m'étais fait surprendre par une tempête de neige avec trop de vêtements sur le dos.

Oh non ! a énoncé dans ma tête un murmure enfantin et terrifié. *Ce n'est pas possible ! Je ne peux pas me retrouver là-bas !*

Pivotant sur mes talons, j'ai constaté que la forêt s'étendait dans toutes les directions. Glaciale, fétide, détrempée. On ne pouvait se fier à la lumière venue de ses confins : elle était tantôt présente, tantôt absente. L'écorce des arbres décrivait des ruisselets verticaux sur les troncs dont la surface noueuse se contorsionnait en émettant de soudains crissements gluants. À moins que ce bruit ne provienne de la sueur qui pétrissait ma peau et s'y répandait telle une patine formée de créatures miniatures. Pas une âme en vue. J'ai dégluti avec peine ; j'avais l'impression de tomber comme une pierre jusqu'au centre de la terre. C'était ça : je m'étais trouvé coupé des autres et le commando avait couru s'enfoncer dans les arbres en livrant le seul combat encore à sa portée : la fuite, les hurlements de terreur muette. On s'était souvenu de moi l'espace d'une seconde, puis j'étais devenu un disparu de plus. Entendant un bruissement au sol, j'ai baissé les yeux : des visages parmi les feuilles, des sourires disproportionnés qui se convulsaient autour de mes pieds, et puis…

Je me suis retrouvé dans l'ascenseur. Nous grimpions à toute vitesse dans les étages et on ne percevait plus que le léger chuintement de la cabine. Celle-ci était brillamment éclairée et ses parois étaient vitrées ; parfaitement normales. Ce n'était qu'un ascenseur. Quasi me regardait d'un air dubitatif.

« Alors, mon grand. Ça va ? » m'a-t-elle demandé en inclinant la tête sur le côté. Comme toujours, elle me traitait avec une espèce d'amusement mitigé.

« Je ne sais pas », ai-je coassé en tournant la tête en tous sens, histoire de m'assurer que tout était conforme aux apparences.

« T'as pas eu l'air en forme, pendant quelques secondes. Je te proposerais bien une ligne, mais apparemment, il t'arrive assez de trucs bizarres comme ça, en ce moment.

— Je viens d'avoir une remontée. » J'ai frissonné. Je n'en avais encore jamais eu d'aussi puissamment évocatrice. J'ai allumé une cigarette d'une main tremblante et tiré une profonde bouffée en m'efforçant de m'emplir les poumons. Je me sentais horriblement mal et Suej me regardait curieusement.

« Il est interdit de fumer dans les ascenseurs xPress », a déclaré une voix de droïde. Quasi a levé les yeux au plafond.

« Va te faire foutre », ai-je suggéré en aspirant une nouvelle bouffée, aussi goulue que la première. Cette clope, j'allais la fumer, même si je devais en crever. L'ascenseur s'est aussitôt immobilisé entre deux étages.

« Nous n'irons pas plus loin tant que vous ne l'aurez pas éteinte, a repris la voix d'un ton guindé. Le tabac est cause de mort, de maladie et de mort. En plus, ça pue.

— Qu'est-ce que ça peut te foutre, à toi ? » s'est enquis Quasi en allumant elle-même une cigarette, juste histoire d'être désagréable. « Puisque t'as pas de poumons.

— Mes passagers suivants en auront, eux, surtout ceux qui viennent des étages supérieurs. Alors veuillez éteindre toutes vos cigarettes.

— Où sont logés tes centres cognitifs ? » ai-je demandé en insérant une balle dans le canon de mon arme non sans lutter contre le tremblement de mes mains. « Et l'ascenseur peut-il fonctionner sans ?

— Il le peut, en effet », a répondu l'ascenseur sur un ton quelque peu perplexe. « Et je me trouve personnellement derrière le panneau rouge situé à votre gauche. Pourquoi ?

— Parce que si tu ne la fermes pas immédiatement je te réduis en miettes, sur quoi je passerai le reste du trajet à fumer tranquillement. Il se peut même que j'allume un *cigare*. » Histoire d'étayer ma démonstration, j'ai tendu le bras bien droit devant moi, de manière que le canon de mon pistolet soit pointé au centre du panneau en question. « Par ailleurs, laisse-moi te donner un petit conseil pour l'avenir : la prochaine fois qu'on te demande quelque chose, réfléchis un peu avant de répondre franchement. »

Une pause, puis l'ascenseur a repris : « Précieuse recommandation, en effet ; je l'admets bien volontiers, en vertu de quoi je vais vous laisser poursuivre votre trajet à votre guise. Veuillez patienter. » Un faible bourdonnement, puis la cabine a repris son ascension. « Tout de même, ça ne m'empêche pas de vous trouver mal élevé. »

J'ai laissé échapper un petit rire, ou plutôt un bref aboiement mal assuré qui n'avait rien de gai. Je ne m'étais plus entendu traiter de « mal élevé » depuis trente ans. Je me suis retourné vers Quasi et Suej, qui s'examinaient de la tête aux pieds. Suej avait l'air d'avoir fait plusieurs guerres ; j'ai enfin compris que Quasi était la première non-alter de sexe féminin qu'elle ait jamais vue de près. Pourtant, le regard des deux filles exprimait autre chose : une espèce d'approbation réciproque.

« Tu as appuyé sur le bouton de quel étage ? ai-je demandé afin de rompre le silence.

— 66. C'est là que j'habite. Personnellement, j'en ai assez vu pour aujourd'hui. Je rentre.

— Et nous, qu'est-ce qu'on va faire ? » a interrogé Suej en reportant sur moi un regard appuyé. Consultant les voyants indiquant les étages successifs, j'ai lu que nous approchions du 40e.

J'ai regardé Quasi. « Tu peux prendre Suej ?

— Pas de problème. Il n'y a qu'un canapé-lit, mais…

— Non ! a crié la petite. Pas question. Je viens avec toi. Je veux qu'on retrouve David et les autres. J'en ai marre que tu m'abandonnes un peu partout. Avant, tu n'étais pas comme ça. Tu étais tout le temps là ; maintenant, tu es tout le temps *parti*. »

64e, 65e.

« Quelle est ton adresse ?

— 66/2003, à l'angle de la rue Tyson et de la rue Stones.

— Alors à plus tard », ai-je conclu en enfonçant un bouton d'étage au moment où les portes s'ouvraient derrière Quasi. « Allez chez toi, toutes les deux, et n'en ressortez plus. »

Quasi est sortie et j'ai doucement poussé Suej à sa suite. Elle a fait quelques pas en arrière et failli trébucher tandis que la cabine se refermait. Il y avait de l'orage sur son visage.

Je suis resté planté face aux portes tandis que l'ascenseur fonçait vers le 135e. Je m'efforçais de ne pas repenser à la forêt, mais sans succès. Je n'avais encore jamais eu de remontée qui me ramène dans La Brèche, et ce flash de deux secondes m'avait rappelé tout ce que j'avais justement voulu oublier. J'essayais en outre de ne pas repenser à Nanune. En voyant sa tête, j'avais pressenti quelque chose d'anormal, outre le fait qu'elle n'était plus attachée à son corps.

Ce que je voulais oublier aussi, c'était qu'elle arborait des « lésions faciales non spécifiées ».

Dans l'état où j'étais, je ne voyais pas en quoi cela modifiait la donne, mais ce qui était sûr, c'est que d'un seul coup, plus rien n'était comme avant. Je ne savais pas où trouver l'homme aux diodes bleues, mais je pressentais que ce serait inutile. Quelqu'un d'autre était à mes trousses. Si je m'étais débarrassé de Suej, c'est parce que j'avais décidé de lui faciliter la tâche en me lançant moi-même à sa recherche.

9

Le Bâtard n'était qu'une vaste explosion de fêtards désordonnés s'ébattant dans un bâtiment aux allures de grange, situé au centre d'un étage entièrement consacré à la fête. On était serrés comme des sardines, là-dedans. Quand je suis entré, quelqu'un a dû gicler par une fenêtre du côté opposé. La musique assourdissante crachée par les haut-parleurs échelonnés le long des murs livrait une concurrence acharnée à cinq cents clients qui, eux-mêmes, hurlaient à gorge déployée. On appelait ça de la « Transe prédictive » ; mélodie et paroles étaient produites en temps réel par une série d'ordinateurs alignés contre le mur du fond. Les algorithmes générateurs de textes étant prévus pour coïncider avec les effets de telle ou telle drogue, plus on était défait, moins on avait de mal à deviner les paroles.

Je me suis frayé à coups d'épaule un chemin jusqu'au bar en me faisant chahuter de tous côtés par des représentants de la jeunesse dorée. Il n'y avait pas tellement de monde au comptoir, probablement parce que ça planait déjà sec sous l'action des drogues du bonheur. Dans les recoins de mon cerveau s'étiraient encore, périodiquement, quelques tentacules de Raviss, mais ils s'étiolaient ; en plus, je n'avais pas particulièrement envie d'être là, entouré d'yeux chatoyants et d'ivresses coûteuses. Ce dont j'avais envie, c'était d'une dose de Raviss ; mais je ne pouvais pas me le permettre. J'en étais encore à refouler vigoureusement les images des alters qui se présentaient à mon esprit. Il fallait que je les retrouve, et vite. Je n'étais pas plus avancé qu'avant ; je ne savais même pas par où commencer. Pour être honnête, je n'étais pas très en forme, et je n'avais pas grand espoir de me sentir mieux un jour.

Le gorille derrière le bar m'a regardé, impassible, en attendant que je lui adresse la parole.

« Johnny est là ? ai-je demandé en m'efforçant de passer pour un dur à cuire.

— Qui le demande ? » Mon interlocuteur déployait des efforts encore plus soutenus que moi, mais ne parvenait à passer que pour une merde en gilet.

« Eh ben moi, connard ! j'ai répliqué, guère impressionné. Sinon j'aurais pas posé la question. Alors, il est là oui ou merde ? »

De grosses pattes se sont refermées sur mes bras. J'étais encadré par deux sbires de Vinaldi, et à en croire les deux objets oblongs enfoncés dans mes reins, ils étaient armés. Le barman a souri de toutes ses dents.

« Il vous attend. »

Les deux brutes m'ont fait traverser la foule en direction d'une paroi vitrée, au fond de la salle. Le verre en étant chromato-polarisé de manière à ne refléter que les tons chair, le résultat global était un mirage changeant composé de têtes et de bras désincarnés. À notre approche, une porte latérale s'est ouverte ; c'était donc un miroir sans tain. On m'a projeté sans ménagement dans la pièce attenante.

J'ai gravi quelques marches débouchant sur une vaste salle, de la même largeur que le club proprement dit. Des canapés, des bibliothèques, tout un équipement audio-vidéo, des diodes rouge et vert qui perçaient la pénombre. Jaz Garcia s'est avancé et m'a entraîné par le cou.

« Fais gaffe, est intervenue une voix. Je veux qu'il s'explique avant que tu ne lui refasses le portrait. Mais crois-moi, le show va bientôt commencer. »

Garcia m'a décoché un grand coup de poing en pleine figure, histoire de m'inciter à coopérer et de m'informer du score. De l'autre main, il a desserré son emprise pour me faire pivoter avant de me balancer dans un grand fauteuil face à la baie vitrée. Sa technique était au point, il fallait bien l'avouer.

Je savais déjà ce qui m'attendait. Avec un peu de chance, Quasi prendrait soin de Suej. De l'autre côté du miroir sans tain, des centaines d'heureux jeunes gens dansaient comme si leur vie en dépendait. *Amusez-vous bien. Braillez les paroles des morceaux. Vous n'entendrez même pas le coup de feu.*

Un autre sbire a fouillé dans mon blouson ; il en a retiré mon arme, qu'il a délicatement posée sur la table. Puis il a promené sur mon corps un genre de détecteur. Comme l'appareil n'émettait pas de bip, il s'est éloigné et je ne l'ai plus vu. Pas plus que Garcia qui, lui, se tenait derrière moi. Tout était en place. Un bruit de chaise traînée, puis posée sur le sol devant moi, dossier en avant.

Vinaldi y a pris place, les bras croisés sur le dessus dudit dossier. Quand ils entraient dans le métier, ces types devaient suivre des cours pour apprendre ce genre de détails. Il faudrait que je demande à Dath, au cas fort improbable où je le reverrais.

Comme il ne faisait pas mine de prendre la parole, j'ai ouvert les hostilités. « Vous vouliez me voir ? » ai-je fait en affectant avec plus ou moins de succès le ton de la camaraderie intéressée.

Là non plus, Johnny n'a pas répondu ; disons plutôt qu'il a continué à ne rien dire. Suffisamment longtemps pour que ma remarque s'évanouisse d'elle-même ; à croire que je ne l'avais jamais prononcée. De toute évidence, il n'était pas question que je lui vole la vedette. J'ai préféré attendre et le laisser agir à sa guise.

« Randall, a-t-il enfin annoncé. Vous mériteriez des félicitations. On devrait même vous élever des statues. Vous êtes vraiment un crétin.

— Je fais de mon mieux. » Garcia m'a donné un coup de crosse sur l'occiput. Ça m'a fait un mal de chien.

Vinaldi a eu un petit sourire. « Comment avez-vous pu croire que je vous laisserais faire une chose pareille ?

— De quoi parlez-vous ? » Je battais des paupières pour chasser la douleur dans mon crâne. « Qu'est-ce que j'ai fait, Johnny, dites-moi ?

— En un sens, je trouve rassurant que tous mes problèmes se ramènent finalement à vous. Moi qui craignais d'être confronté à une révolte de feuilleton télévisé, voilà que j'ai simplement affaire à un ex-flic nourrissant une pulsion de mort. Je vois que vous avez rechuté ; ça ne m'étonne pas. Vous n'avez que faire de votre propre existence, voilà votre problème ; eh bien, ce soir, Vinaldi va abréger vos souffrances une bonne fois pour toutes. »

J'ai soutenu son regard. Je commençais à le pressentir : quelque chose clochait dans le tableau. Un peu à cause de ce qu'il me disait, mais surtout en raison de l'ambiance de fête sans joie. Ces gars-là avaient l'impression de mettre un point final à une affaire, et je ne voyais pas du tout laquelle.

« Qu'est-ce que vous racontez ? ai-je demandé, sincèrement intrigué. Je n'ai encore rien fait pour vous nuire. Croyez-moi, quand je m'y mettrai vous vous en apercevrez vite ; et vous ne perdrez pas de temps à discutailler. Vous serez trop occupé à déloger les balles que je vous collerai dans la poire. »

Certes, je m'attendais à un nouveau coup de crosse, mais il m'a surpris par sa violence. Ma tête est partie d'un coup vers l'avant. J'ai décidé de mieux calculer mes initiatives. Deux autres gnons de ce calibre et je partais dans le cirage. Or, je ne m'étais encore même pas montré impoli. Enfin, pas vraiment.

« Cinq de mes plus proches collaborateurs se sont fait tuer, a annoncé Vinaldi. Et vous voudriez me faire croire que vous n'y êtes pour rien ? »

Là je l'ai regardé pour de bon. « Pour rien du tout ! » ai-je répondu avec une stupéfaction non feinte.

Il a eu un rire sans humour. « Jaz m'avait prévenu que vous nieriez. Moi, je vous croyais assez intelligent pour comprendre votre situation et dire la vérité ; mais d'après Jaz, vous êtes encore trop con pour ça.

— Et il est bien placé pour en parler ; si la connerie se mesurait, ce serait lui le mètre-étalon. »

Nouveau gnon par-derrière ; cette fois, un feu d'artifice d'étoiles a jailli au-dessus de mon œil droit. Moi qui avais décidé d'y aller doucement, c'était gagné. J'ai secoué la tête et reporté mes yeux sur le miroir sans tain, en tentant de focaliser mon regard. Ça m'a pris un bon moment. Les fêtards dansaient toujours. Toutefois, on distinguait une espèce de perturbation devant la porte d'entrée.

Je me suis efforcé de me concentrer. Apparemment, et pour résumer, Vinaldi me croyait responsable du meurtre de ses collaborateurs. Il avait perdu la tête ou quoi ?

« Vous avez perdu la tête ou quoi ? Vous me voyez me balader en canardant vos petits copains ?

— Très bien.

— Comme vous n'arrêtez pas de me le faire remarquer, je ne suis *plus* flic. Vos associés, je m'en fous. Mon problème, c'est vous.

— Et vous essayez de m'atteindre en commençant par la périphérie. La mort lente. Franchement, j'admire votre ambition.

— Moi aussi, mais je vous assure que ce n'est pas moi. Je n'étais même pas à New Richmond quand le premier s'est fait descendre. »

Vinaldi a souri, mais avec un réel amusement, cette fois. « Vous espérez me faire croire ça ?

— Vous avez intérêt, parce que c'est vrai. Or, si ce n'est pas moi… »

Sans me quitter des yeux, il a fait un signe en direction de la pénombre peu engageante qui régnait derrière lui. Le porte-flingue qui m'avait fouillé s'est approché d'un pas pesant. Il tenait quelque chose. Du coin de l'œil, j'ai vu qu'une certaine agitation régnait toujours dans la boîte de nuit. Puis j'ai oublié tout cela.

Car, par terre devant moi, on avait posé une boîte en carton.

J'ai voulu bondir, mais Jaz et un autre homme de main m'ont fait rasseoir à coups de crosse et m'ont maintenu les bras.

« Qui c'est, cette fois, hein ? ai-je hurlé en me débattant vainement. Si c'est Jenny ou David, je vous jure que je vous tue jusqu'au dernier. » Jaz et son collègue ont eu un rire sincère. Évidemment, dans ma position, je ne pouvais faire de mal à qui que ce soit.

Toutefois, l'atmosphère avait changé. Vinaldi me regardait bizarrement. « Qu'est-ce que vous racontez ?

— Je ne plaisante pas, Vinaldi ; si c'est David ou Jenny, je ne donne pas cher de votre peau. » Les effets du Raviss s'étaient suffisamment dissipés pour que la mort de Nanune m'apparaisse enfin dans toute son horreur. J'en devenais fou. « J'y mettrai le prix qu'il faudra, mais vous êtes un homme mort. »

Son expression soucieuse s'est accentuée. « Les noms de David ou Jenny ne me disent rien. Qu'est-ce que c'est que cette ruse, Randall ? »

Je me suis contenté de le regarder fixement. Je ne comprenais rien.

Puis j'ai inspiré profondément. « Alors qui est-ce, là, dans la boîte ?

— Quelqu'un avec qui on vous a vu parler hier. » Sur un hochement de tête de son chef, l'homme de main s'est courbé afin d'ouvrir la boîte. J'en ai immédiatement identifié le contenu et ce spectacle m'a empli d'un immense soulagement.

C'était l'ex-truand de la supérette.

« On nous a livré ça il y a une heure. C'est pour ça que vous êtes là, Randall. Que vous veniez me déranger chez moi, passe encore ; pour moi, vous n'êtes qu'un ver de terre. Mais là-dessus on me livre ce paquet. Alors j'ai été obligé de revenir sur ma décision.

— Écoutez, Johnny. J'ai fait mes courses chez ce type et il m'a reconnu. C'est tout. Je n'ai pas balancé de bombe chez lui et ce n'est pas moi qui lui ai coupé la tête. J'ai déjà assez de problèmes comme ça ; tout ce que je voulais à ce moment-là, c'était quitter la ville. Seulement, il y a une heure, chez Howie, on m'a livré une boîte du même genre, avec dedans la tête de quelqu'un que j'aimais beaucoup.

— Il nous baratine, patron, a dit Jaz. Laissez-moi en finir avec lui. J'y mettrai tout le temps que vous voudrez. »

Sans me quitter des yeux, Vinaldi lui a fait signe de dégager. Un bipeur a sonné quelque part dans le fond mais personne n'y a fait attention. J'ai balayé des yeux la foule de fêtards ; comment convaincre Vinaldi ? Quelque chose a fugitivement attiré mon attention au passage. J'ai réfléchi à toute allure ; où venait se placer cette pièce du puzzle ? Mais en vain.

« Il se passe quelque chose, ai-je débité rapidement, en m'efforçant de cogiter en même temps. On a tué Hal, peut-être à ma place, mais ce n'est pas sûr. En tout cas, on voulait sa peau à lui aussi, à cause des meurtres sur lesquels il enquêtait. Si je suis venu vous trouver hier soir, c'est parce que je vous croyais responsable ; du moins, je pensais que vous les aviez commandités.

— Je vous l'ai dit, connard ! Je ne fais pas assassiner les femmes, sauf dans certaines circonstances très spéciales.

— Peut-être, mais quelqu'un l'a fait à votre place et ces deux femmes étaient liées à vous. Si ça se trouve, les trois autres aussi. Parallèlement, certains de vos hommes se sont fait descendre. On en revient toujours à vous. Et c'est le même type qui a tué Nanune. »

Vinaldi est allé jusqu'à demander qui était Nanune. Puis le bipeur posé sur le bureau a recommencé à sonner, plus fort et avec plus d'insistance qu'avant. Vinaldi a explosé : « Bon sang, vous êtes quatre et il n'y en a pas un pour répondre ! » Puis il s'est retourné vers moi ; son intellect aux capacités non négligeables s'efforçait d'opérer un tri dans ce que je venais de dire. Peut-être allait-il nous fournir la réponse. En tout cas je l'espérais. J'espérais aussi qu'il m'en ferait part. « Donc, d'après vous, à qui avons-nous aff… »

Un bruissement. Moins entendu que pressenti, dans ma tête, comme plus tôt, dans l'ascenseur. Un frisson glacé a couru sur ma nuque ; j'ai tourné la tête vers la vitre. Je venais de saisir ce que j'avais entrevu du coin de l'œil dans la salle.

« Il est ici, ai-je déclaré.

— Patron ! a crié le type qui se tenait près du bureau. Y a quelque chose qui tourne pas rond là-dedans. » J'ai eu le temps de m'offrir une bonne tranche de *déjà vu*, puis tout a explosé en même temps. Jaz et les autres se sont jetés pêle-mêle sur leurs armements lourds dans une véritable tempête de jurons.

« Qui ça ? » m'a demandé Vinaldi, perplexe. Mais je n'ai pas eu le loisir de lui répondre : la porte s'est ouverte et il a trouvé la réponse tout seul.

L'homme aux diodes bleues.

Il a calmement refermé la porte. Puis il a fait feu. Touché au bras, Jaz a virevolté sur place. Oubliant tout ce qu'ils avaient appris, les autres ont regardé bêtement le nouveau venu, hypnotisés par ses petites lumières clignotantes.

« Salut, Johnny ! a-t-il lancé. T'as bonne mine, dis donc. Tu te souviens de moi ? »

Pour la première fois de sa vie sans doute, Johnny Vinaldi a eu l'air pris de court. Il l'a dévisagé, le front plissé ; apparemment, il n'avait pas conscience du point-laser qui le visait en plein front.

« Extinction des feux », a annoncé l'homme aux diodes. Là, j'ai pris une initiative parfaitement inattendue. Calant machinalement mes talons contre le bas du fauteuil massif où j'étais assis, je me suis jeté de toutes mes forces sur Vinaldi ; j'ai heurté son fauteuil de plein fouet et nous avons tous deux roulé à terre. La balle a sifflé juste au-dessus de nos têtes. Vinaldi n'avait pas quitté son agresseur des yeux.

Ce dernier a enfin paru me remarquer ; ça l'a fait rire. « Hé, mais Jack est là aussi ! » a-t-il lancé tout joyeusement, en braquant son arme vers le second homme de main. « Quelle heureuse coïncidence ! Certaines personnes t'en veulent à mort, vieux ; il faut qu'on aie une petite conversation, toi et moi. »

Je n'étais pas tout à fait d'accord ; j'ai plongé vers la table. Celle-ci s'est malencontreusement renversée, entraînant dans sa chute mon arme, qui a glissé vers le mur. Entre-temps, Johnny avait repris ses esprits. Il a voulu attraper son pistolet, mais il n'a pas réagi assez vite. Loin de là.

La porte s'est rouverte sur un coup de pied, et cinq associés de Vinaldi ont déboulé dans la pièce. Ceux-là même qui étaient venus me chercher chez Howie. L'homme aux diodes s'est écarté d'un bond de gymnaste et une fois de plus, j'ai perçu au fond de ma tête un bruissement d'araignées avançant sur des feuilles. Mais ce que j'ai entendu par-dessus tout, c'est le vacarme des coups de feu : tout le monde se tirait dessus en même temps. J'ai promptement récupéré mon arme par terre en prenant bien soin de maintenir mon crâne au-dessous du niveau du sofa.

Je n'aime pas tellement les endroits clos. Alors je me suis retourné et j'ai tiré en plein dans la baie vitrée.

Aucun rapport avec la pluie de verre brisé chez Howie, où la vitrine n'était... qu'une simple vitrine. Ici, le verre était farci d'électronique ; c'est avec un hurlement strident, quoique décroissant, qu'il s'est fracturé. Il s'en est détaché un vaste fragment aux bords irréguliers qui s'est effondré dans la pièce, révélant du même coup les danseurs tout en sueur qui évoluaient dans la salle.

J'ai attrapé la table renversée, que j'ai projetée contre le flanc du pan de verre ; puis j'ai rampé sans perdre de temps vers la brèche, non sans redouter une grêle de balles. Mais tout le monde semblait trop occupé à buter tout le monde. Tapi contre le mur, derrière le cadavre d'un de ses gardes du corps, Vinaldi tirait dans la mêlée qui s'était formée près de la porte.

« J'ai toujours autant l'intention de vous faire la peau », ai-je lancé avant de sauter par l'ouverture et d'atterrir dans la foule. Les danseurs n'avaient rien remarqué : les coups de feu étaient noyés sous le martèlement de la musique et les salves de paroles. Je me suis faufilé, puis quand j'ai débouché dans la rue, je me suis élancé à toutes jambes vers les ascenseurs.

« Ça alors… Qu'est-ce qui t'est arrivé ? »

J'ai bousculé Quasi au passage en entrant dans son appartement. Ce dernier était sombre — seul un éclairage fluorescent répandait ses tons chauds au niveau du sol —, ordonné, douillet, très personnel. Manifestement, ce n'était pas ici qu'elle gagnait sa vie, même si çà et là, certains articles — la télévision, deux ou trois meubles, une Fenêtre-sur-Cour au mur du fond — démontraient qu'elle la gagnait assez bien ailleurs. Suej était assise par terre au centre de la pièce, devant une grande tasse de café. En me voyant, elle a sursauté, l'air atterré.

« Qu'est-ce qu'il y a ? » me suis-je enquis. Puis, baissant les yeux, j'ai vu mes vêtements couverts de sang. « Ne t'en fais pas, ce n'est pas le mien. » J'ai serré bien fort la petite dans mes bras.

Nous avons enfin relâché notre étreinte ; Quasi me tendait une tasse de café. « On n'a pas le temps, ai-je déclaré.

— Mais si. » Elle m'a mis la tasse dans les mains. Je l'ai retenue de justesse. « Pas question de te laisser repartir tout de suite. Assieds-toi et ferme-la. »

Je me suis retrouvé dans un fauteuil sans bien savoir comment. J'avais mal partout. Une douleur diffuse, typique de la redescente de Raviss. En revanche, mon mal de tête, lui, n'était pas du tout diffus ; il me sciait le crâne en plusieurs endroits. Mais il fallait absolument qu'on se remette en route. Vers où, ça, je l'ignorais.

Quasi a paru lire dans mes pensées. « Où tu veux aller, mon grand ? Chez Howie ? Il est d'accord — on lui a passé un coup de fil. Mais ça ne va pas être une planque très sûre, pendant quelque temps.

— En restant ici, on te fait courir un risque. Il n'en est pas question. Je ne te connais même pas.

— C'est gentil de ta part, et ne crois surtout pas que j'y sois indifférente, mais à mon avis, pour le moment t'es un peu crevé, pas franchement en état d'escalader une montagne. »

Je l'ai regardée sans rien dire ; ces mots rendaient un son étrangement familier à mes oreilles.

« Ah, avant que j'oublie…, a-t-elle poursuivi d'un ton contrit. Howie demande ce qu'il doit faire de la boîte. Il veut savoir s'il faut te la garder ou quoi, parce que c'est un peu dégueu, hein ?

— Qu'est-ce qu'il y a dans cette boîte ? » a demandé Suej. Un seul coup d'œil m'a suffi : je ne pouvais plus lui mentir.

« Un bout de Nanune. Je suis désolé, Suej. »

Les yeux embués, elle a hoché la tête. « Un grand bout ?

— Assez grand, oui. » C'est alors que, horrifié, j'ai étouffé un bâillement. Suej n'a pas paru remarquer. J'avais une drôle de sensation dans la tête. Sans doute l'adrénaline qui commençait à rancir.

« Tu sais où est David ? m'a demandé la petite en fixant le plancher.

— Non. Mais je sais qui les retient prisonnier, lui et les autres.

— C'est SécuRéseau ?

— Je ne sais pas », ai-je répondu avec lassitude. Et à contrecœur parce que j'aurais *dû* le savoir. Une idée insaisissable rôdait en bordure de ma conscience et justement, j'avais horreur de cette sensation. Merde, les pensées pourraient dire franchement ce qu'elles ont à dire, au lieu de traîner comme ça, sur la pointe des pieds, dans les zones d'ombre ! J'avais vraiment dû prendre trop de came, trop souvent et pendant *beaucoup* trop longtemps. Faites ce que je dis, pas ce que je fais, les mômes. Puis, en réprimant un nouveau bâillement, j'ai compris que quelque chose n'allait pas. J'ai baissé les yeux sur ma tasse. Ma vue se brouillait, mais j'ai quand même vu que j'avais bu tout mon café.

« Qu'est-ce que tu m'as fait boire ? ai-je demandé impérieusement à Quasi.

— Rien de bien dangereux, et je ne suis pas la seule à penser que c'est pour le mieux. Juste un petit sédatif, c'est tout.

— Tu es avec eux », ai-je articulé d'une voix pâteuse. Je croyais voir les murs s'enfoncer dans le sol.

« Je ne suis avec personne. » Elle est allée me chercher une couverture. « Je n'ai rien à cacher. Et maintenant, dors un peu. Tes mamans veillent sur toi. »

La dernière chose que j'ai vue, c'est d'abord Suej qui, toujours assise par terre, murmurait en « tunnelien » et, un peu plus loin, le visage de Quasi, teint frais, grands yeux, chevelure châtain foncé.

Comme elle est belle, ai-je songé au milieu de la brume. *Dommage qu'elle m'ait tué.* Je ne sais trop comment, cette idée m'a paru résumer parfaitement la vie en général.

Quand je me suis réveillé je tremblais violemment, mais ça n'a pas duré. Pour me tirer de là, il m'a fallu dix minutes et une tasse de café raflée dans la cuisine immaculée de Quasi. En un sens, l'expérience ne fut pas dépourvue de nostalgie ; toutefois, je ne la conseillerais pas à tout le monde.

L'appartement était vide mais un petit mot laissé dans la salle de bains m'a appris où se trouvaient les filles :

« On prend un jour de congé », annonçait-il d'une main ferme. « On fait du shopping sur Indigo Drive. » Au-dessous, Suej avait ajouté d'une main nettement moins assurée : « Tu viens nous retrouver ? P.S. : J'ai tout raconté à Quasi. »

Je me suis douché rapidement, en jurant tout bas. Je savais gré à Quasi de s'être occupée de Suej la veille, mais elles n'auraient jamais dû sortir sans moi. Par ailleurs, j'étais vexé qu'elle m'ait mis K.-O. Tout en sachant pertinemment qu'elle avait bien fait. J'étais en bien meilleur état. Je n'avais pas tout à fait retrouvé figure humaine, mais à en juger par mon reflet dans le miroir, j'avais au moins l'air d'appartenir à une espèce voisine. Dans le salon j'ai trouvé une pile de vêtements masculins soigneusement disposés à mon intention. S'ils ne correspondaient pas vraiment à mon style habituel, au moins étaient-ils à ma taille ; il y avait un costume noir et une chemise bleu nuit, le tout assez élégant. D'où provenaient ces habits ? Je les ai endossés quand même et je suis sorti sans lâcher ma seconde tasse de café. Peut-être d'un ancien micheton ; bon, et alors ? Qu'est-ce que ça pouvait me faire ? De toute façon, je ne pouvais tout de même pas me promener tout ensanglanté sur Indigo Drive, si ?

Un ascenseur local m'a monté au 98e ; là, un court trajet à pied me séparait des boutiques. Il était onze heures du matin, et en voyant s'enfler la foule des badauds je me suis rendu compte qu'on était samedi.

Indigo Drive est un peu un étage-alibi ; disons que grâce à lui, dans l'univers « sub-100e », on met un point d'honneur à relever un peu le niveau. Dans la disposition originale du MégaComm, les étages jumeaux 94 et 95, situés exactement à mi-hauteur de l'appareil géant, abritaient la plus prestigieuse de toutes les galeries commerçantes. De charmantes allées bordées de petites boutiques chic y couraient parallèlement à de larges avenues pleines de grands magasins et de mignons salons de thé ou restaurants, sans un seul débit d'alcool en vue. Les magasins les plus luxueux avaient par la suite migré dans les étages commerçants des 130 et plus, mais Indigo Drive subsistait, quasi intact.

L'endroit rêvé pour faire du shopping quand on n'avait pas de laissez-passer pour monter plus haut, et les prix y étaient bien plus raisonnables. Les boutiques résistaient à la mode grand-bourgeois des « tariFentes » — ces panneaux à diodes insérés dans les vêtements et qui en affichaient le coût en dollars —, ce qui leur enlevait tout intérêt aux yeux des résidents dépassant le 130e. En revanche, pour les habitants des étages 70 à 120, Indigo Drive était un rendez-vous de choix.

J'ai arpenté les rues principales pendant une heure, moitié pour chercher les filles, moitié pour m'imprégner d'une sensation aussi agréable que fugace : celle qu'on éprouve quand personne ne vous tire dessus. Je reconnaissais certains magasins, d'autres avaient changé, et cette familiarité partielle me donnait une impression de nouveauté globale. Puis j'ai aperçu assez loin devant moi un visage qui pouvait être celui de Suej et j'ai accéléré l'allure. La petite a disparu dans une boutique de vêtements au côté de Quasi, mais j'ai eu le temps de déchiffrer son expression : sourire jusqu'aux oreilles, yeux pétillants d'allégresse. J'ai ralenti, histoire de leur laisser un peu de temps, puis je suis resté dehors pour finir ma cigarette.

Ensuite, en entrant, j'ai machinalement cherché des yeux un MaxBrico. Je ne m'en suis rendu compte qu'au moment où j'ai senti dans ma main un petit bricolage inachevé ; je me suis figé sur le seuil de la boutique en fixant l'assemblage de processeurs et autres composants que j'avais attrapé au passage. Les gens émettaient de petits bruits désapprobateurs en me contournant, mais c'est à peine si je les entendais. Je me rappelais parfaitement ce que j'étais censé faire de ce machin ; mais je l'ai reposé et je suis ressorti.

Je suis resté planté là, à regarder devant moi sans rien voir — du moins, rien de ce qui m'entourait. Rien n'était plus comme à l'époque ; en quelque sorte, et à un degré limité, le passé venait d'épouser le présent. J'ai cru sentir une menotte se glisser dans la mienne, mais en baissant les yeux, je n'ai pas vu d'enfant à mes côtés. Ce n'était peut-être qu'une coïncidence. Ou alors, je me rendais enfin à l'évidence : cette sensation, je l'aurais toute ma vie. D'un pas mal assuré, je suis allé m'asseoir sur un banc en m'efforçant de ne pas regarder l'établi MaxBrico, à l'entrée du magasin. Je pensais à Henna et au passé en général avec une acuité encore inédite.

Je me revoyais traîner dans les magasins, comme tous les hommes, derrière la femme de ma vie, et, abruti d'ennui, approuver d'un hochement de tête les objets qu'elle me présentait. Un sac à main ; une robe ; des chaussures. Je me rappelais : je n'avais jamais su les distinguer les uns des autres, et comme tous les maris, j'avais pratiqué le MaxBrico pour atténuer ce pensum.

Cinquante ans plus tôt, en suivant son épouse dans un magasin, le père d'Arlond Maxen avait eu une illumination fort lucrative. Il aurait fait n'importe quoi de ses mains histoire de passer le temps, et il s'était dit qu'il n'était sans doute pas le seul. *Tous ces gars qui sont là, à suivre leur bonne femme en se faisant suer comme des malades…*, avait-il songé en contemplant les morts-vivants qui l'entouraient. *Quel gaspillage de main-d'œuvre !*

Il allait leur fournir de quoi s'occuper.

Et c'est ainsi que le MaxBrico était né. Dans chaque boutique de vêtements ou d'accessoires féminins, on trouvait un établi chargé de composants, pièces et autres assemblages à moitié terminés. Quand on entrait avec son épouse ou sa petite amie, on en choisissait un. Les premiers temps, Maxen avait posté des pin-ups sur ses stands ; mais au bout d'un moment, le MaxBrico était devenu une telle habitude chez les hommes qu'elles étaient devenues superflues. On bricolait en se laissant entraîner dans les rayons, entre textile et cuir ; c'étaient des tâches à la fois simples et absorbantes, à la portée de tout un chacun, qu'on reprenait au stade où le précédent bricoleur les avait laissées. En ressortant, on posait l'objet ainsi réalisé sur l'établi, où un mari, un petit ami, ne tardait guère à s'en emparer. Quand il était terminé, on venait le chercher ; mais il y en avait toujours de nouveaux à fabriquer.

Tout à fait le genre d'idée que Howie avait essayé de mettre en pratique toute sa vie. Chacun y trouvait son compte : cela distrayait les hommes, épargnait aux femmes une foule de soupirs lassés, et fournissait de la main-d'œuvre gratuite à la Maxen Corporation. Encore moins chère que les droïdes ! Oui, tout le monde y gagnait, mais c'est tout de même Cédrif Maxen qui en a retiré le plus de bénéfice. Trente ans plus tard, c'était l'homme le plus riche de New Richmond ; sur quoi son fils Arlond avait hérité de sa fortune.

Voilà toute l'histoire, pour ceux d'entre vous que ça intéresse. Mais moi, j'avais bien autre chose en tête. Quand j'avais mis les pieds dans ce magasin, c'était comme si j'avais passé un chiffon sur une fenêtre noircie, opacifiée par le temps, et dégagé ainsi une zone encore un peu sale, mais qui révélait tout de même, par brefs éclairs, les souvenirs perdus dans les ténèbres derrière la vitre. Moi qui avais déployé tant d'efforts pour ne plus repenser à cette époque ! Pas seulement à son épouvantable dénouement : à l'époque *tout entière*. Mes mauvaises actions, mes paroles venimeuses — tout ce qui était fait et ne pouvait être défait. Et je n'avais pas refoulé que le côté négatif : les bons et les mauvais souvenirs me faisaient autant de mal, chacun à leur manière.

En cet instant, j'aurais donné n'importe quoi pour circuler dans un magasin de chaussures dans le sillage de Henna, à la regarder avec entrain additionner mentalement, tendre les mains pour caresser, essayer ceci ou cela. Ce ne serait plus jamais possible, et j'ai éprouvé le désir fou de redescendre au 72e pour regarder, toucher les vêtements abandonnés chez nous et me rappeler le jour où nous les avions achetés. Pour revenir en arrière et, cette fois, ne pas bâiller, ne pas grogner, ne pas m'absorber dans un MaxBrico. Pour au contraire être là, avec elle, de tout mon cœur, et savourer chaque minute. Tant de minutes, tant d'heures, tant de journées traitées par le mépris, et qui ne reviendraient plus jamais ! Car brusquement, c'était fini : Henna ne serait plus jamais là ; tout le temps passé ensemble me revenait d'un coup pour ne plus me quitter.

Entendant un piaillement à l'entrée du magasin, j'ai relevé les yeux. Suej venait vers moi en courant. Il m'a fallu un bout de temps pour la reconnaître. D'une part je ne l'avais jamais vue aussi heureuse, et d'autre part, elle avait troqué ses vieux vêtements contre une robe d'été légère dont le motif subtil évoluait au gré de ses mouvements. Elle avait l'air à la fois plus juvénile et plus âgée ; j'avais l'impression de découvrir simultanément une inconnue et une gamine qui avait toujours fait partie de ma vie. Sur ses talons venait Quasi, un sourire d'ironie désabusée aux lèvres et une lueur nouvelle dans le regard. Lorsque Suej m'a heurté de plein fouet avant de refermer ses bras autour de mon torse, j'ai regardé la jeune femme en haussant un sourcil interrogateur, mais elle s'est contentée d'une mimique éloquente.

« J'ai fait un bon chiffre, ce mois-ci. »

Ce fut un après-midi fleurant bon l'été même si, audehors, l'hiver faisait rage. Je n'ai pas pu mettre un pied dans les boutiques, mais je me suis fait un plaisir d'attendre à l'extérieur ; j'ai fumé sur des bancs, je me suis tenu sur des seuils, j'ai sagement approuvé en hochant le menton quand on attendait de moi une réaction de ce type. Il y a eu un manteau pour Suej, à la demande expresse de Quasi, ainsi qu'un petit sac de voyage pour transporter son absence d'affaires personnelles. J'y suis allé d'une paire de chaussures pour aller avec la robe, ce qui a épuisé l'argent de Howie. Ensuite, café et sandwiches sur la place, avec tout autour de nous des chalands épuisés mais ravis. Suej portait alternativement les yeux sur un sac en plastique puis un autre, avec dans les yeux la joie de l'emplette.

On aurait dû foutre le camp, j'aurais dû chercher les autres alters. Un inconnu voulait ma mort et les alters n'avaient que moi au monde ; j'étais le seul à me soucier de leur sort. Mais cet après-midi-là m'était dû depuis longtemps ; ça ne changeait rien que je le vive maintenant, mais au moins avais-je réglé *un* compte avec mon passé. De temps en temps il faut savoir accepter les dons du ciel : il y a des choses qu'on ne peut s'offrir à soi-même. Cet après-midi de shopping fut un petit don du ciel arrivé avec un retard considérable. Je l'ai accepté, et je ne l'ai pas regretté.

10

Il a fallu un sacré moment pour que ça se mette en place dans ma tête. Je n'ai pas d'excuse valable : je suis un con et c'est tout. Mais au moins, les pièces du puzzle se sont assemblées d'un coup.

On était dans un bar à l'ancienne du 67ᵉ ; la soirée était déjà bien avancée, et mon état aussi. C'est comme ça, je ne peux pas m'en empêcher. Le bar était tout en longueur, avec des murs lambrissés et des télés accrochées en hauteur dans les coins. On s'était donné la peine de fabriquer des boîtiers rectangulaires et de les placer à l'arrière des écrans plats afin de recréer l'effet des antiques téléviseurs ; le résultat était criant de vérité : on se serait cru dans un lointain passé. Les clients conversaient à toute allure et avec intensité ; apparemment, ils étaient contents d'être là. Pour autant que je puisse en juger, moi aussi.

Quasi et moi nous étions installés en compagnie de Suej dans un box surélevé, sur un côté de l'établissement ; on buvait avec une belle constance. J'en étais à envisager de manger — peut-être un hamburger grand comme le Texas, noyé sous *toutes* les garnitures possibles et imaginables : Quasi, elle, avait pris une salade et une part de gâteau aux noix de pécan — 20 calories, pas plus. L'après-midi nous avait emplis d'une espèce de sérénité et nous ne parlions pas beaucoup. J'avais appris quelques bribes du passé de Quasi sans rien lui révéler du mien. Elle avait vingt-six ans, elle était dans le business depuis quatre ans et visait le haut de l'échelle. Elle espérait avoir mis assez de fric de côté à trente ans pour passer à autre chose ; j'essayais de ne pas m'imaginer la tête qu'elle aurait à ce moment-là. Suej avait dû lui relater en substance ce que j'avais vécu ces cinq dernières années parce que l'attitude de la jeune femme envers moi avait changé. Je n'arrivais pas très bien à savoir en quoi. Je n'étais plus seulement un malabar avec un faible pour la came, mais je n'aurais su dire comment elle me voyait à présent.

C'est pendant une pause dans la conversation que j'ai eu ma première révélation. Je regardais vaguement Suej finir son hamburger et jouer vaillamment des mâchoires tout en posant un regard fasciné sur les clients.

Je me suis dit, maussade : si ça se trouve, c'est *elle* la clef de toute l'histoire.

Le type aux diodes bleues faisait forcément partie du commando qui avait assassiné Hal et embarqué les alters. Pourtant, quand j'étais revenu sur les lieux, loin de m'éliminer il avait retenu Face-de-rat. Il devait savoir que je chercherais à venger Hal, et c'était sans doute lui qui, en cachant son corps, m'avait incité à rester en ville. Il n'avait pas encore mis la main sur ce qu'on l'avait envoyé récupérer, et c'était à travers moi qu'il comptait y arriver.

Il tenait tous les alters, sauf une.

« C'est ma tournée, a déclaré la jeune femme en vidant son verre. Mais d'abord, je vais aux chiottes. » Elle m'a lancé un clin d'œil de pantomime réquisition-nant la quasi-totalité de son visage ainsi que le haut de son corps ; j'en ai déduit qu'il y avait du complément pharmaceutique dans l'air. Je l'ai suivie des yeux tandis qu'elle traversait le bar en direction des toilettes, non sans s'attirer un frémissement de regards admira-tifs. On pouvait être mince de partout sans manquer de féminité, elle en était la preuve vivante. Pendant ce temps, je continuais à cogiter. Je me sentais pleinement éveillé pour la première fois depuis deux jours.

Suej jouait un rôle crucial dans l'affaire. Pour m'attirer dans un piège, ou bien par elle-même ? S'il s'agissait seulement de me faire tomber dans le panneau, Nanune ne serait pas morte de cette façon-là. J'en étais soudain convaincu : ceux qui avaient lâché Diodes-Bleues à nos trousses s'intéressaient principalement à Suej et attendaient que je la leur amène. En la planquant, j'avais involontairement pris la bonne décision, ce qui n'était pas très étonnant, finalement : quand je fais ce qu'il faut, c'est généralement par accident.

Fallait-il en conclure que ce mystérieux inconnu appartenait à SécuRéseau ? Pas forcément. J'avais du mal à croire que la boîte laisse un de ses agents opérer de cette façon-là. Sans compter trois autres chaînons manquants :

1. Le jour où nous avions fichu le camp de la Ferme, c'était à Jenny qu'ils en voulaient. Et vu les interventions chirurgicales que prévoyait SécuRéseau, sa jumelle devait être à l'article de la mort. Alors, comment expliquer que l'attention se soit tout à coup reportée sur Suej ?

2. Qu'est-ce que Diodes-Bleues avait contre Vinaldi ? Où était sa place dans le scénario « Sécu-Réseau » ?

3. La profanation de la tête de Nanune et la disparition des photos affichées par Hal tendaient à prouver que Diodes-Bleues ou ses complices étaient derrière les homicides « à lésions faciales » — de même que les pistes conduisant à Vinaldi. Mais dans ce cas, pourquoi les dossiers de la police étaient-ils inaccessibles ? Diodes-Bleues n'était pas flic, j'en aurais mis ma main au feu ; alors qui le protégeait ? Le tueur que j'avais abattu devant chez Hal n'avait pas de casier et j'étais

prêt à parier que Diodes-Bleues non plus. Conclusion : soit la source de nos ennuis était située hors les murs, soit « on » se donnait beaucoup de mal pour me le faire croire.

Brillant raisonnement, certes, mais qui ne me menait pas très loin. Loin de me donner la sensation d'avancer, ces réflexions me mettaient mal à l'aise. Elles m'inquiétaient, même. Si Suej était réellement la clef de tout ça, il y avait un versant négatif : les autres alters étaient probablement sans valeur, et ça ne m'aidait ni à comprendre ce qui se passait, ni à trouver un moyen de les sauver. Il manquait encore une pièce du puzzle — enfin, *au moins* une — et tant qu'elle n'aurait pas elle aussi trouvé sa place, je ne pouvais ni me lancer à la recherche des alters, ni garantir la sécurité de Suej. En somme, je ne pouvais rien faire du tout.

En relevant les yeux, j'ai vu que la petite me regardait.

« Ça va, Jack ? » m'a-t-elle demandé.

J'ai cessé de tambouriner sur la table et je lui ai souri. « Ça va. Il était bon, ce hamburger ?

— Oui. » Un grand sourire. « Meilleur que ceux de Ferraille. » C'est vrai : ce droïde était vraiment de première. Mais on l'a vu, comme cuistot, il n'était pas terrible — surtout pour les choses simples. D'un autre côté, il n'était pas censé exceller en la matière ; il était même étonnant qu'il se soit mis aux fourneaux. Pour la première fois depuis la Ferme, j'ai cédé à mon habituelle curiosité quant à la véritable nature de Ferraille. J'ai aussi éprouvé un pincement de solitude et de mélancolie : à l'heure qu'il était, la machine qui m'avait sauvé la vie devait être méconnaissable. On avait dû soit la mettre au rebut, soit la reprogrammer ; dans les deux cas son Mental était mort ; voilà ce qu'il lui en avait coûté de sortir de son rôle. *Je devrais me*

balader avec un avertissement sur le front. *Genre :
« Réfléchissez bien avant d'entrer dans la vie de ce
type, rares sont ceux qui en reviennent vivants. »* Bon,
il était temps de rengainer l'autoapitoiement avant que
ça ne devienne assommant, même pour moi.

« On pourrait aller là-bas ? » m'a demandé Suej.
J'ai suivi la direction de son doigt. Sur un des écrans
s'affichait, dans le cadre des infos, une montagne quelconque, très haute et toute couronnée de neige. Suej
devait la croire proche de New Richmond, par exemple
située dans la région que nous avions traversée en
venant.

« Pourquoi pas ? » Je m'apprêtais à renchérir sur
un ton plus convaincant, mais je me suis brusquement
ravisé.

L'Everest.

« Je vois bien que ça ne va pas, a immédiatement
constaté Suej. Je le lis sur ta figure. Qu'est-ce qu'il
y a ? »

Je venais de comprendre ce que Quasi m'avait involontairement rappelé la veille. Le reportage vu quelque
temps plus tôt ! On avait prétendument découvert un
sommet plus haut que l'Everest ! Celui-ci devait être
une rediffusion.

Mais c'était une absurdité totale ! Bien sûr que l'Everest était la plus haute montagne du monde ! Ça ne faisait aucun doute !

Maintenant que les vannes s'ouvraient en grand,
je prenais conscience d'autre chose : le saut-au-mur.
L'idée de se jeter par la fenêtre sans autre compagnie
qu'une drôle de barre en fibre de verre… Comment
pouvait-on avaler un bobard pareil ? Ça n'avait *aucun*
sens.

« Jack, qu'est-ce qui ne va pas ? »

Sans prêter attention à Suej, j'ai regardé vers la porte
des toilettes. Une brusque affluence avait engorgé le

bar. À quelque distance du comptoir, Quasi s'entretenait avec un inconnu. En interprétant son langage corporel, j'ai senti que la conversation n'était pas particulièrement plaisante, mais sans plus.

« Je suis désolé, Suej, mais il va falloir qu'on y aille. » Elle a eu une moue boudeuse, mais elle sentait bien que quelque chose clochait. Elle s'est levée en même temps que moi, puis elle a ramassé ses sacs et s'est laissé guider à travers la cohue.

Nous avons trouvé Quasi seule. « Il faut qu'on parte, ai-je dit. Tout de suite. »

Elle nous a regardés alternativement. « Ah oui ? Et pourquoi ça ? J'ai soif, moi. » J'ai essayé de l'entraîner par le bras. Je me comportais en homme des cavernes, et je m'en rendais compte. Elle s'est dégagée avec brusquerie. « Ça va pas, non ?

— Quelle est la plus haute montagne du monde ? » lui ai-je demandé en luttant pour conserver mon calme.

Bousculée de part et d'autre, elle m'a dévisagé d'un air interloqué.

« Allez, réponds !

— Euh… le mont Fyi. On vient juste de le découvrir. Qu'est-ce que j'ai gagné ?

— Rien, justement. C'est pour ça qu'on doit ficher le camp. » J'ai promené mon regard sur la foule. L'interlocuteur de Quasi avait disparu. « Qui c'était, ce type ? »

Tout d'abord perplexe, elle a fini par comprendre de qui je voulais parler. « Il disait que je l'avais eu comme client il y a deux ans ; il voulait savoir si j'étais libre ce soir. Je lui ai dit de me laisser tranquille. Pourquoi ?

— Tu ne l'as pas reconnu ?

— Non, mais je ne garde pas une mèche de cheveux de tous mes clients, si tu vois ce que je veux dire.

— Quasi, fais-moi confiance : il *faut* qu'on s'en aille. »

Elle a tenu bon un instant, puis levé les yeux au plafond. « Toi alors, t'es pas un marrant », a-t-elle conclu en se laissant entraîner vers la porte.

Trop tard.

J'ai à nouveau ressenti cette soudaine accélération du temps, comme s'il se précipitait à ma rencontre, mais sans savoir à quoi je réagissais. Peut-être avais-je *entendu* quelque chose dans la salle comble, ou senti les gens s'écarter pour dégager le passage. En tout cas, un sixième sens issu de mon lointain passé s'est paresseusement éveillé. Instinctivement, je me suis placé entre Suej et le reste du bar tout en poussant Quasi vers la porte. Tandis que je dégainais discrètement, j'ai senti la petite bouger dans mon dos ; un coup d'œil et j'ai vu que Quasi l'avait prise par la main, qu'elle l'attirait au-dehors. Me croyait-elle enfin ? Ou bien, pour une fois, faisait-elle ce qu'on lui disait de faire ? Dans un cas comme dans l'autre, je lui en savais gré.

Sans montrer que j'étais armé, je me suis promptement déplacé de quelques mètres sur la droite en me frayant un chemin entre les consommateurs, que je dévisageais en avançant de manière imprévisible, deux mètres par-ci, deux mètres par-là, en tournant la tête de tous les côtés pour tenter de repérer *sa* présence. J'avais l'impression de me faufiler entre des arbres aux branches préhensiles et tortueuses. Justement, autrefois je faisais preuve d'un certain talent pour ça. Mais manifestement, *il* était plus doué que moi.

« Extinction des feux », a soufflé une voix à quelques centimètres de mon oreille.

Je me suis tout entier détendu et j'ai lancé un pied en arrière ; je l'ai senti percuter violemment *son* tibia. J'ai pivoté sur l'autre pied et brandi mon arme, qui a heurté plusieurs personnes au passage. Des bouches étonnées se sont ouvertes. L'homme avait disparu, mais au moins on me laissait le champ libre. J'ai écumé la foule en vain puis, subitement, ma tête s'est tournée vers la porte. *Il* s'était faufilé derrière moi et, à deux mètres de distance, il se dirigeait vers Suej. Mais ce n'était plus Diodes-Bleues. J'avais affaire à un nouvel agresseur.

J'entrevoyais la tête de Quasi, à l'extérieur, mais la jeune femme ne captait pas mes signaux frénétiques. Quant à Suej, elle regardait carrément ailleurs, apparemment absorbée par le spectacle de l'encadrement de la porte. Oubliant le secret qui permet de se frayer un chemin dans la multitude, je me suis rué en avant en me débattant contre les gens comme si j'étais pris dans un buisson d'épines. J'étais confronté à une masse de bras, de jambes et de visages cramoisis par la colère. Je sentais des coudes pointus me rentrer dans les côtes.

Il se rapprochait de la porte beaucoup plus vite que moi ; en fait, il se coulait dans la foule comme si de rien n'était. Sa façon de bouger, sa grâce meurtrière démontraient qu'il avait suivi un entraînement spécial. Moi aussi, et il fut un temps où je l'aurais rattrapé, mais plus maintenant. C'était trop ancien.

Je perdais du terrain ; il allait falloir entreprendre quelque chose d'un peu plus inhabituel. J'ai changé de cap et foncé vers le bar tel un lourd et encombrant missile, en écartant des deux mains — sans ménagement — ceux qui se trouvaient sur mon chemin. Arrivé à destination je me suis hissé sur le comptoir en éparpillant des rangées de verres. Je me suis relevé tant bien que mal, non sans déraper sur le liquide répandu, puis j'ai fait face à l'assemblée.

« On ne bouge plus, ou je te fais sauter la tête », ai-je crié à l'intention de l'inconnu. Pas très original, mais bon. Certaines formules sont profondément gravées dans la psyché masculine. En cas de besoin elles sortent toutes seules. Mon poursuivant ne l'ignorait pas et il a accordé à ma menace l'attention qu'elle méritait, sans ralentir pour autant. Moins courroucés, tout à

223

coup, les gens plongeaient en tous sens pour se mettre à l'abri, ouvrant par la même occasion une tranchée vers la porte. Exactement l'opposé de ce que je voulais obtenir.

Bien joué, Jack. Magistrale, ta stratégie. Comme toujours.

J'avais une seconde pour prendre une décision. Je voulais ce type vivant — il fallait qu'il parle. Mais s'il arrivait jusqu'à Suej, tout était fini.

Alors je lui ai tiré dessus, en visant avec soin.

La balle l'a atteint au cou et l'a fait tournoyer sur lui-même, mais c'était un dur à cuire ; il a poursuivi son chemin. Je lui en ai logé une autre dans le dos, puis je me suis jeté dans la foule depuis le haut du bar, survolant tant bien que mal des rangées de têtes avant d'atterrir en plein sur ma victime. Nous nous sommes effondrés ensemble et un espace s'est dégagé autour de nous ; j'ai essayé de transformer ma chute en roulade, mais l'inconnu s'est montré plus rapide que moi : il m'a réexpédié au sol d'un coup de pied avant de dégainer. Aussitôt je me suis tortillé et le bout de parquet où ma tête se trouvait une seconde plus tôt a explosé en me piquetant la figure d'échardes.

J'ai décrété que j'en avais marre de me faire tirer dessus dans les bars et que finalement, je n'avais pas tellement besoin de lui causer, à ce type.

Il m'a fallu la moitié de mes munitions pour le faire vaciller sur ses jambes. Je me suis relevé en prenant appui sur une main et en continuant à tirer de l'autre. Le problème, avec les armes à feu, c'est qu'elles ne tuent pas aussi vite qu'on pourrait le croire. En fait, quand on leur tire dessus, les gens ne partent pas en arrière les bras en croix en décrivant un gracieux arc de cercle. La vérité, c'est que ça les irrite profondément. Je me suis jeté sur lui et je l'ai saisi par le collet ; ma main a dérapé sur le déversement biologique qui surgissait de sa gorge. Je l'ai plaqué par terre sur le dos, puis je me suis agenouillé sur lui, un genou sur chaque bras et ma main toujours sur sa gorge, tandis que l'autre braquait fermement mon pistolet sur son front. Il avait le visage mince et pas très propre, des yeux sombres, profondément enfoncés dans leurs orbites. Sous son manteau, un treillis militaire qui n'avait pas vu une goutte d'eau depuis une éternité.

Il ne me restait pas beaucoup de temps avant l'arrivée des flics, alors je lui ai facilité la tâche. « Dis-moi qui tu es et d'où tu viens, sinon je répands ta cervelle sur le plancher de l'étage au-dessous. » Je haletais. Je sentais des viscères tièdes me dégouliner sur les doigts.

Il s'est cabré et a bien failli me désarçonner. Alors je lui ai collé, à bout portant, une balle dans la clavicule.

« Tu sais *très bien* d'où je viens », a-t-il répondu en crachant le sang. J'avais l'impression qu'il souriait.

« Pas du tout. Et ça me fout les boules, justement. T'es de SécuRéseau, c'est ça ? »

Cette fois il a ri franchement. Un nouveau paquet de viscères sanglantes a jailli de ce qu'il lui restait de poumons. « Pas de sécurité qui tienne ici, Randall, et tu le sais très bien. »

Dans mon dos j'ai entendu quelqu'un souffler : « Ils arrivent. » J'ai compris que je n'avais plus le temps. Je l'ai lâché ; il ne me dirait rien de plus. Puis je me suis ravisé : je lui ai tiré une balle dans la tête. Pas très poli de ma part, je sais, mais d'un autre côté, il n'avait pas eu que de bonnes intentions à mon égard.

« Bon sang, mais qu'est-ce que tu as contre les lieux publics, à la fin ? m'a hurlé Quasi. Tu as été maltraité dans un bar quand tu étais petit, c'est ça ? » Bon, j'étais redevenu le malabar camé. Voire pire. « Partout où tu fous les pieds c'est le même film. T'en n'as pas marre ?

— Primo, ça pouvait être le tueur de femmes », ai-je répondu en poussant rapidement les deux filles dans la rue. « Secundo, c'est peut-être lui qui a tué Hal. Et tertio, soit lui, soit son pote a tout de même *coupé la tête de Nanune*, merde ! Quatrièmement, je ne veux pas en discuter. »

On a rejoint en courant l'avenue 2, la plus petite artère principale du 67e. J'entendais des sirènes dans le lointain : des flics qui affluaient du poste de police, à l'autre bout de l'étage, en surfant sur leurs plates-formes. Les plates-formes sont… eh ben, des plates-formes, quoi. Des plaques de dix centimètres d'épaisseur qui se déplacent sur coussin d'air ; il faut un flic pour piloter à l'avant, derrière une espèce de pupitre, et pendant ce temps les autres font ce qu'ils veulent. J'ai entraîné les filles le plus loin possible puis, voyant un gyrophare s'engager dans la rue, j'ai bifurqué. La plate-forme est passée en trombe, tel un oiseau volant bas et chargé de parasites ; le bar allait être le théâtre d'un « incident » : le flic aux commandes était complètement allumé et les autres agitaient leurs armes en tous sens comme des cow-boys en fuite à bord d'un radeau.

Une fois le danger passé, nous avons regagné la rue au pas de charge, traversé la chaussée, emprunté une autre rue secondaire puis foncé vers un terrain vague, juste derrière. Autrefois, c'était un jardin botanique. À présent on ne voyait plus qu'une vaste friche où les descendants des végétaux exotiques s'efforçaient de survivre sur leurs congénères morts et enterrés. La périphérie était ponctuée de réverbères jaunes, mais le jardin proprement dit était aussi sombre que laissé à l'abandon.

« Mais enfin, où on va ? m'a demandé Quasi, hors d'haleine. Et une fois qu'on y sera, tu vas encore buter quelqu'un ? Parce que dans ce cas, je préfère aller au cinéma, si ça ne te dérange pas. »

De l'autre côté de la friche se profilait un ascenseur, que je lui ai montré du doigt.

« On va chez toi. » Nous nous sommes enfoncés dans la pénombre. « J'y ai laissé des affaires. Ensuite, Suej et moi, on disparaît. Pour de bon.

— Ah oui ? Ravie d'avoir fait votre connaissance, a-t-elle répliqué avec irritation. Et quand je dis "ravie"… » J'allais prononcer quelques paroles conciliantes lorsque Suej a fait halte devant moi. J'ai failli la percuter de plein fouet. J'ai freiné, prêt à lâcher un rugissement…

… qui n'a pas eu le temps de franchir mes lèvres.

Nous avions atteint le centre du jardin, qui s'étendait sur deux cents mètres autour de nous dans toutes les directions. Les sirènes continuaient à ululer au loin, mais à part ça tout était calme. Suej fixait, bouche bée, un point situé droit devant elle. Moi, je ne voyais rien du tout.

« Suej ? Qu'est-ce que… ? »

Alors une chose a pris forme dans les ombres. Ce ne fut tout d'abord qu'une palpitation, un miroitement d'ombres se mouvant au son d'une musique muette. Un son tout juste audible, comme un tonnerre d'applaudissements, mais accéléré et entendu de très loin.

Puis un frisson s'est propagé dans le sol et l'espace qui nous séparait s'est empli par à-coups de lumière et de bruit.

Suej a poussé un cri aigu. Les « oiseaux » ont pris corps dans une magistrale explosion où cent battements de folles ailes orange vif ont retenti au rythme d'un chœur de piaillements assourdissants. De vivantes flammes ont pris leur essor sans suivre de direction précise ; le vacarme et l'agitation se sont figés, comme si tout au monde voulait occuper le même lieu en même temps. On ne pouvait plus distinguer la fin de tel cri du commencement de tel autre, tous les oiseaux se confondaient.

J'ai senti la petite main de Suej dans la mienne. Elle m'attirait vers l'ascenseur. Livide et choquée, elle faisait de brusques écarts pour éviter des choses dépourvues d'existence réelle. Quasi nous regardait sans comprendre mais suivait sur nos talons. Derrière elle, les volatiles fendaient l'air en glissant le long de couloirs invisibles, cherchant à tout prix à rebrousser chemin.

Nous nous sommes engouffrés pêle-mêle dans l'ascenseur ; un dernier regard aux ténèbres du dehors, puis les portes se sont refermées. Nous étions à l'abri.

« Mais qu'est-ce que vous avez, tous les deux ? » s'est exclamée la jeune femme en tapant du pied. Sans lui prêter attention, j'ai pris Suej dans mes bras, autant pour me rassurer que pour la réconforter, elle, qui tremblait comme un animal fasciné par des phares de voiture. J'ai cru qu'elle avait perdu l'usage de la parole, mais bientôt elle a relevé sur moi ses yeux bleus au regard pénétrant.

« Tu sais ce que c'était », a-t-elle affirmé sur un ton accusateur où perçait une terreur croissante. « Tu le sais *très bien*.

— Tu l'as vue, toi aussi, la forêt dans l'ascenseur, hein ? »

Elle a hoché la tête avec fébrilité.

« Qu'est-ce que c'est, ces *choses* ? a-t-elle gémi. D'où viennent-elles ?

— Allô ? Allô ? J'appelle la planète Jack ! » a vociféré Quasi tandis que les portes se rouvraient au 66e. La colère et la peur l'avaient mise hors d'elle. « On peut savoir de quoi vous parlez, là ?

— Comment, tu ne les as pas vus ? » a demandé Suej, incrédule. Quasi a eu l'air de comprendre d'un

228

coup : elle avait passé la journée avec deux personnes dont l'existence aurait dû consister à faire de la vannerie en croquant de la Thorazine. Je suis rapidement sorti de la cabine, sans lâcher les épaules de Suej. J'essayais vainement de comprendre ce qui se passait. Tout allait trop vite. Une ultime pièce du puzzle venait de se mettre en place toute seule, une pièce maîtresse, tombée du ciel ; j'aurais donné n'importe quoi pour l'y réexpédier avant de découvrir son sens caché.

« Pas vu *quoi* ? a interrogé Quasi en se hâtant à nos côtés.

— Les oiseaux », ai-je répondu. Elle ne les avait *pas* vus et je le savais. Suej n'aurait pas dû les voir non plus. Ni moi, d'ailleurs. Ils n'auraient pas dû apparaître, pas plus que la scène de l'ascenseur — cette vision que j'avais prise à tort pour une remontée de Raviss. Je tremblais de tous mes membres. Il était bien loin, le dur à cuire.

« Suej, qu'est-ce que tu regardais fixement, tout à l'heure, dans le bar, en te dirigeant vers la sortie ?

— L'encadrement de la porte. Le bois se comportait bizarrement. »

L'Everest, le saut-au-mur, les oiseaux fous de gaieté… Toutes ces pistes conduisaient à un endroit et un seul : la forêt.

Or, il n'était pas question que j'y remette les pieds.

Nous avons piqué un sprint haletant le long de couloirs déserts, jusqu'au coin de la rue Tyson et de la rue Stones. Puis nous nous sommes blottis les uns contre les autres devant la porte de chez Quasi tandis qu'elle cherchait ses clefs à tâtons et que je jetais des regards affolés en tous sens. Alors la serrure nous a adressé la parole.

« Il y a quelqu'un à l'intérieur. J'ai pensé que ça vous intéresserait.

« — Qui ça ? » a glapi Quasi pendant que je dégainais mon pistolet. Franchement, je devrais me le faire carrément greffer.

« Il ne s'est pas présenté », a répliqué la serrure sur un ton distrait, comme si elle avait l'esprit ailleurs. « Il avait les clefs ; qu'est-ce que vous vouliez que je fasse ?

— Howie ? » ai-je demandé à Quasi en m'efforçant de ne pas céder à la panique.

Elle a secoué négativement la tête en s'éloignant de la porte. « Howie est mon manager, pas mon amant. »

Je lui ai pris les clefs des mains et je me suis planté bien en face de la porte. Dans mon pistolet, un chargeur neuf. Il ne m'en restait plus guère, mais de toute façon, au train où allaient les choses, je n'en aurais bientôt plus besoin puisque je ne serais plus là.

Quasi m'a tiré par la manche. « Ça ne me dit rien qui vaille. Si on se trouvait une autre planque ? Sans rire, j'ai entendu dire que la Floride, c'était pas mal, et…

— Certes, mais il faut quand même que je récupère le disque dur de Hal. C'est tout ce qui reste de lui. »

De plus en plus agitée, Quasi a repris : « Ouais, bon, je comprends ça, mais à mon avis on a vraiment intérêt à… »

J'ai tourné la clef dans la serrure. « Bonne chance », m'a dit cette dernière. J'ai fait un pas dans l'entrée. Un léger bruit en provenance du salon, comme des pas sur la moquette.

« Qui est là ? » ai-je demandé. Pas de réponse. J'ai fait quelques pas de plus. « Je suis armé et pas de bon poil. Alors je ne sais pas qui vous êtes, mais surtout *ne m'emmerdez pas.* »

Toujours rien, à part ce même chuintement. *Il* insistait. Mais moi non plus je ne voulais pas lâcher le morceau. Donc, je n'avais pas le choix. J'ai inspiré à fond et déboulé dans la pièce.

Johnny Vinaldi a levé sur moi un regard impatient, sans cesser de faire les cent pas.

« Vous en avez mis un temps ! »

Je l'ai regardé bouche bée.

Quasi a hésité un moment entre une tasse de café et une ligne de coke ; finalement, elle a opté pour les deux. Suej l'a accompagnée à la cuisine pour l'aider à préparer le breuvage et je suis resté au salon avec Vinaldi.

« Il a filé, m'a-t-il déclaré. Ne me demandez pas comment. Il avait autour de lui une cargaison de types parmi les moins décevants de mes employés, plus des centaines de danseurs, et il s'est quand même envolé en fumée.

— Au moins, il n'a pas réussi à vous descendre hier. » J'ai allumé une cigarette. Je n'étais pas très sûr de vouloir discuter avec Vinaldi. Les événements nous rapprochaient de manière incompréhensible mais ça ne m'empêchait pas de vouloir sa peau. Chaque fois que je lui adressais la parole, j'avais l'impression de me trahir. Alors les grands discours, ce serait pour une autre fois.

« Exact, et j'en suis fou de joie, comme vous pouvez l'imaginer. Jaz, en revanche… Vous n'avez guère de respect pour lui et je comprends ça, mais il me voue une loyauté déraisonnable et il est très doué pour faire du mal aux gens, alors que voulez-vous que je fasse ? Jaz est au MédiCentre avec plusieurs balles dans le corps, et dans des endroits peu rassurants, en plus. D'autre part, son frère Tony est mort et trois autres de mes hommes sont en moins bonne santé qu'avant.

— Je viens de tuer un type qui, à mon avis, était de mèche avec l'homme aux diodes. Dans un bar du 67ᵉ. »

Vinaldi m'a regardé en cessant enfin d'arpenter la pièce. « Vous m'impressionnez, a-t-il déclaré avec une apparente sincérité. Pour nous, ça fait un sacré bout de temps. Mais ces types, eux, je crois qu'ils y sont encore.

— Johnny, qu'est-ce que vous foutez ici, et *qu'est-ce que vous racontez*? » J'avais toujours l'arme à la main; en fin de compte, je serais peut-être amené à m'en servir.

« Je sais qui est le type d'hier, au *Bâtard* », a-t-il repris avant d'allumer une cigarette. Les bruits de vaisselle dans la cuisine me paraissaient retentir à des lieues de nous. « Je sais maintenant que ce n'est pas vous qui m'avez envoyé cette boîte en carton, ni vous qui avez descendu mes collaborateurs.

— Qui est-ce, alors?

— Jeq Yhandim », a lâché Vinaldi en prenant dix ans d'un coup. « Je l'ai connu pendant la guerre.

— La guerre? Vous?

— Vous savez bien… Le "Service d'entraînement". Moi aussi j'ai été un Yeux-de-Feu.

— Ben voyons! » me suis-je exclamé, furieux et grisé par l'incrédulité.

Il a secoué la tête. « Je me les suis fait enlever en revenant. Ça m'a coûté une fortune, et ça n'a pas été une partie de plaisir, croyez-moi. Je ne le conseillerais même pas aux amateurs de sensations fortes. »

Je me suis efforcé d'assimiler tout ça, de saisir en quoi cela modifiait les données du problème. Par certains côtés, ça se tenait. L'attitude pleine d'assurance et bizarrement distanciée de Vinaldi collait très bien avec ces révélations; en outre, il dealait du Raviss, ce qui, on l'a vu, n'est pas non plus une partie de plaisir, du moins pas pour tout le monde. Et ces révélations positionnaient plusieurs autres pièces du puzzle.

« Quelle est la plus haute montagne du monde? lui ai-je demandé.

— L'Everest », a-t-il répondu en fronçant les sourcils. Alors j'ai enfin accepté l'évidence.

« Je viens de voir les oiseaux. »

232

J'ai surveillé sa réaction. Il a écarquillé les yeux. Il ne ressemblait plus du tout au truand n° 1 de New Richmond, mais au gamin terrorisé qu'il avait bien dû être un jour. Je n'ai plus pu en douter : cet homme était allé dans La Brèche. Les oiseaux sont comme de petites poches de gaz délétères, des feux follets signalant qu'un phénomène invisible est en train de se constituer. Vinaldi ne pouvait pas le comprendre s'il n'avait pas été là-bas.

« Bordel de merde !

— On peut dire ça comme ça. J'ai aussi vu la forêt. Pendant un court instant, j'ai eu l'impression d'y être pour de vrai. D'autre part, aux infos télévisées on n'arrête pas d'annoncer qu'on a découvert un sommet supérieur à l'Everest. Le mont Fyi — qui n'existe pas, naturellement. À propos, vous avez entendu parler du saut-au-mur ?

— Ouais, il y a deux ou trois jours. Les gens se jettent par la… » Brusquement, il s'est tu, le front plissé. « Attendez voir. On ne peut tout de même pas sauter par la fenêtre uniquement armé d'un bâton. C'est ridicule, voyons !

— En effet ; pourtant j'ai rencontré pas plus tard qu'hier un adepte de ce passe-temps. » *In petto*, j'ai pris conscience d'une chose : Golson habitait à côté d'un appartement où un meurtre avait été commis, par Yhandim ou par son complice.

« C'est La Brèche, hein, c'est ça ? a ajouté Vinaldi. C'est cette saloperie de Brèche. Pas d'autre explication. Elle pousse les gens à croire des choses irréelles. »

Je lui ai annoncé que dorénavant, ces choses étaient bien réelles. Il y avait des fuites, des phénomènes censés rester inconscients devenaient conscients. Les rêves de la planète s'infiltraient à travers la cloison telles des hallucinations quand on est au bord de l'endormissement.

233

« Randall, a repris Vinaldi en secouant la tête. Vous avez vraiment pris trop de came.

— C'est encore bien pire. » Je me rappelais la petite créature entr'aperçue la veille près de chez Shelley Latoya. « Parce que ça crée des changements tout ce qu'il y a de plus *réels.* » Une autre idée s'est fait jour dans mon esprit : Diodes-Bleues savait où se procurer des stupéfiants. Je l'avais vu dealer. Donc, Shelley n'avait peut-être pas fait une overdose toute seule.

« Pourquoi maintenant ? Et qu'est-ce qui se passe, au juste ?

— À vous de me le dire, ai-je rétorqué. Commencez donc par Jeq Yhandim. »

Vinaldi a brièvement détourné les yeux, et avant de répondre, il s'est dirigé vers la Fenêtre-sur-Cour. Elle affichait une vue des montagnes relayée par une caméra, elle-même placée en hauteur sur la face nord de la ville. Ce n'était pas la première fois que je lui voyais ce regard-là, comme s'il considérait avec une sereine inimitié quelque spectacle perdu dans le lointain. Le « regard à dix bornes », on appelait ça autrefois. Je l'ai su avant même qu'il n'ouvre la bouche : il s'apprêtait à me révéler des choses qu'il n'abordait pas souvent. Voire pas du tout.

« Il faisait partie de mon commando, a-t-il enfin déclaré. Et on l'a perdu.

— Comment ça, perdu ? »

Alors il s'est retourné vers moi et tout est venu d'un coup. « Vous savez bien comment c'était, là-bas. On était très loin à l'intérieur des terres, évidemment. Et naturellement, on était allumés à mort. Ils nous sont tombés dessus et le lieutenant a perdu la tête. Enfin, ce qu'il lui en restait. Il est devenu Absent à temps plein et c'est moi qui ai écopé du commandement — moi qui n'étais même plus capable de reconnaître le haut du bas. »

J'ai hoché la tête pour signifier que je comprenais. Et c'était vrai — je ne comprenais que trop bien.

« Les gars couraient dans tous les sens en se faisant découper en rondelles et moi, j'essayais de faire quelque chose, sauf que je n'avais pas d'idée, à part tourner les talons et déguerpir en vitesse. Alors j'ai donné l'ordre de repli. La moitié d'entre nous se sont fait tuer en dix secondes, les autres se rentraient dedans en cherchant à fuir. On a continué à courir et on s'est tirés de là, bien contents d'être ne serait-ce qu'à moitié en vie. » Vinaldi s'est tu, comme s'il n'avait plus du tout envie de continuer.

« Et alors ? »

Il a vidé ses poumons en se passant la main sur le visage. « Il y a des gars qui sont restés en arrière. »

Il s'est assis en détournant les yeux. « Comment ça, *en arrière* ?

— Ils ne sont pas rentrés avec nous, mais ils ne se sont pas fait tuer non plus.

— Vous vous en êtes rendu compte quand ? » Je ne comprenais toujours pas très bien.

« Ce soir. Je ne l'ai compris que ce soir.

— Johnny, qu'est-ce que vous me chantez là ?

— Yhandim et quelques autres sont restés coincés dans La Brèche quand tous les autres ont fichu le camp. Il n'a pas pu regagner la base ; en tout cas, il n'y était pas quand on est venu nous récupérer à la fin. J'ai toujours cru qu'ils étaient morts, mais comme vous avez pu le constater, il est revenu me chercher hier soir. Il n'est jamais ressorti de La Brèche. Ça fait presque vingt ans qu'il y est, maintenant. »

J'avais bien senti que le type du bar, au 67ᵉ, avait quelque chose de pas normal ; qu'il vivait encore des trucs que moi, j'avais laissés en arrière. Mais ce que j'avais du mal à croire, c'était la *raison* de tout ça. Je ne comprenais toujours pas pourquoi Yhandim tenait les alters, pourquoi il voulait Suej. En revanche, je savais qu'il avait survécu dans La Brèche pendant presque deux décennies alors que tous les autres étaient partis.

Il avait trouvé le moyen de revenir d'entre les morts. Et avec lui, c'était l'enfer qui s'annonçait.

Beaucoup plus tard, alors que Quasi et Suej s'étaient endormies sur le canapé et que Vinaldi et moi étions assis, muets, chacun à un bout de la pièce, j'ai atteint un tournant décisif. J'avais fourré dans ma poche le disque dur de Hal et le processeur. Si Ferraille me l'avait donné, il devait y avoir une raison ; il fallait donc que je le conserve. J'étais tout prêt à me rendre quelque part, à faire quelque chose, sauf que je ne savais ni où ni quoi.

Les yeux de Vinaldi étaient toujours perdus dans le lointain. Sans doute revivait-il une scène de La Brèche. Il avait appelé au bureau — mais les truands ont-ils un « bureau » ? — pour informer ses associés que pendant quelques heures, il ne serait pas joignable. Puis il a dépêché des hommes à tous les étages avec ordre de s'équiper en conséquence et de retrouver Yhandim.

En attendant qu'on le rappelle, lui et moi n'avions rien d'autre à faire que nous surveiller mutuellement. Personnellement, j'aurais bien trouvé un autre passe-temps. L'avoir en face de moi, c'était comme regarder dans la glace une lésion cancéreuse en train de me bouffer le visage. Je n'en voulais pas, mais du moment qu'elle était là, je ne pouvais pas m'empêcher de la regarder.

J'avais une question à lui poser, avant de passer à la suite. Pendant cinq ans j'avais entretenu une certitude à cet égard. Mais à présent, je n'étais plus sûr de rien. Pourquoi ? Je n'aurais su le dire ; peut-être à cause de l'attitude de Vinaldi envers moi. Ou alors, la blessure encore plus ancienne de La Brèche prenait momentanément le pas sur les autres. Quoi qu'il en soit, je l'ai posé.

« Johnny, avez-vous donné l'ordre de faire assassiner Angela et Henna ? »

Ma voix rendait un son altéré, forcé, mais relativement assuré. Vinaldi a instantanément reporté son attention sur moi. Il s'y attendait, j'en ai eu la ferme impression. Il m'a regardé droit dans les yeux, puis il a détourné la tête.

« Non », a-t-il répondu. Et le plus curieux, c'est que je l'ai cru.

11

À sept heures du matin, le téléphone a sonné. Je dormais sur le canapé, dont Suej, bras et jambes écartés, occupait la plus grande partie, tandis que Quasi, groggy, avait la tête sur mon épaule. Je me sentais reposé comme si j'avais passé la nuit sur un rayonnage de bibliothèque, mais d'un côté, la situation ne me déplaisait pas.

Vinaldi n'avait manifestement pas fermé l'œil. Il a répondu sans bouger de son fauteuil.

« Euh, Howie à l'appareil, a annoncé une voix impeccablement relayée par les enceintes murales. Jack est là ?

— Ouais, ai-je fait en me redressant. Qu'est-ce qui se passe ?

— Je crois que tu devrais venir.

— Qu'est-ce qu'il y a ?

— Tu es seul ?

— Non », ai-je répondu, bien que Suej et Quasi ne se soient pas réveillées.

« C'est bien ce que je pensais. Il faut que je te montre quelque chose. C'est en rapport avec ton copain, là… Celui qui a des petites lumières sur la tête. »

Je me suis levé d'un coup. D'après le ton de Howie, quelque chose avait salement foiré. « J'arrive.

— Super, a-t-il répondu sans dissimuler son soulagement. Et à ta place, je laisserais les filles où elles sont, si tu vois ce que je veux dire. »

Un déclic. Il avait coupé la communication. J'ai consulté Vinaldi du regard.

« Je viens aussi, m'a-t-il annoncé.

— Ce ne sera pas nécessaire.

— Tu parles. » Il était calme et sa tenue était en ordre ; à croire qu'il passait la plupart de ses nuits dans un fauteuil. « Tout ce qui a rapport à Yhandim me concerne aussi.

— J'aimerais mieux que vous restiez ici.

— Je me fous royalement de vos préférences, Randall. Je viens avec vous, un point c'est tout. »

Je l'ai dévisagé. Les événements de la veille avaient changé quelque chose entre nous, mais au grand jour, je ne savais plus vraiment à quel point. Finalement, j'ai acquiescé. J'ai laissé un petit mot à Quasi et nous sommes partis en refermant la porte sans bruit. La serrure nous a recommandé d'être prudents, conseil auquel j'ai accordé tout l'intérêt qu'il méritait. Le couloir conduisant à l'ascenseur était ignoble : bouteilles vides, ampoules brisées, préservatif usagé… Partout abondaient les stigmates de la fête de la veille. Au loin, une équipe d'entretien passait l'aspirateur. Une lumière diffuse tombait en biais par la fenêtre de façade, tout au bout du couloir, et pour une fois, il ne pleuvait pas.

Nous avons filé en silence vers les étages inférieurs ; je goûtais tout le sel de ma position présente : je partageais tout de même un ascenseur avec le plus gros truand de New Richmond. De son côté, Vinaldi méditait peut-être sur le fait de côtoyer un de ses plus grands *losers*. En tout cas, il ne m'en a rien dit. Il devait se demander comme moi quelle tête nous allions découvrir dans une boîte, cette fois-ci. Howie m'avait appelé, pas Vinaldi. Il fallait probablement y voir un indice.

Au 8ᵉ, c'était la nuit. J'ai pris l'itinéraire le plus direct qui, par la même occasion, était aussi le plus bruyant : il empruntait Bonbon Street et ses bars bourrés à craquer de noceurs incitant des dames jeunes et moins jeunes à se déshabiller. Personnellement, il me suffit d'un court moment pour me sentir empli, devant ce spectacle, d'un sentiment aigu de futilité — de *pornui*, comme on dit en associant « porno » et « ennui » — mais les clients du 8ᵉ, eux, avaient l'air de s'en donner à cœur joie. Vinaldi s'est contenté d'un coup d'œil tout professionnel ; il devait se demander si ça valait le coup de mettre la main sur toute cette activité. Bonbon Street nous a conduits dans un dédale de rues secondaires où dîneurs et buveurs débordaient des cafétérias jusque sur le trottoir. Vinaldi s'est mis à jeter autour de lui des regards plus nonchalants ; pour lui, tout ça n'était que de la petite bière.

« Il y a des années que je ne suis pas venu dans le coin », a-t-il soudain déclaré, ce qui contredisait formellement mon impression. « Ça a l'air sympa.

— Quoi, plus sympa que *Le Bâtard* ? ai-je lâché avant de bifurquer dans la rue de Howie.

— Tout est plus sympa que *Le Bâtard*, y compris se trouer le crâne à la perceuse et y verser des fourmis. Les jeunes d'aujourd'hui ne savent plus s'amuser. »

Personnellement, je pensais que mes propres goûts en matière d'amusement étaient sujets à caution, et que si l'âge allait de pair avec la maturité, je pouvais me mettre tout de suite à sucer mon pouce. J'allais lui en faire la remarque quand tout à coup, je me suis aperçu qu'il n'était plus là. En un clin d'œil, il avait disparu. Il avait dû s'attarder au croisement pour observer les coutumes locales en matière de fiesta. Je suis entré chez Howie. En fait, je préférais faire face seul. Quitte à trouver une tête dans une boîte, pendant tout le trajet j'avais espéré que ce serait celle du demi-alter. Mais il ne fallait pas trop compter sur le sort. Le mode opératoire de Yhandim semblait privilégier les femmes, à l'exception de l'avertissement destiné à Vinaldi. Il se pouvait très bien que David et Monsieur Deux soient morts à l'heure qu'il était, mais le cadeau de Yhandim aurait probablement des connotations sexuelles. C'est toujours le cas quand on a affaire à ce degré de mutilation ; les adeptes de la barbarie choisissent rarement la méthode expéditive.

« Salut, Jack », a dit Howie.

La salle était entièrement vide. « C'est calme, dis donc, ai-je constaté.

— J'ai fermé pour la matinée. Le temps de faire poser de nouvelles vitrines. »

J'ai hoché la tête. Je venais seulement de remarquer les tas de verre brisé qu'un balai avait poussés contre le mur du fond. Je trouvais Howie trop discret, trop renfermé. Ce n'était pas normal. Je le lui ai dit. « Ouais, m'a-t-il répondu. Les temps sont durs.

— Qu'est-ce que tu voulais me montrer ?

— Par ici. »

Posée sur son bureau, une boîte en carton identique aux deux précédentes. Je me suis approché avec une appréhension muette. Je me préparais au pire.

« Elle est arrivée quand ?

— Il y a une heure. Elle a été livrée en main propre. »

Tôt ou tard il faudrait bien que je l'ouvre ; je me suis décidé. J'ai commencé par défaire la ficelle. Ce faisant, j'ai senti la boîte basculer imperceptiblement, comme si son contenu n'était pas fermement arrimé. Je me représentais mentalement la tête de Jenny, mouvante, instable et gluante de sang ; j'ai bien failli renoncer.

Mais j'ai quand même achevé de défaire le nœud. Je sais pertinemment que ça peut *toujours* être pire, mais il faut que je constate par moi-même.

La ficelle est tombée sur le bureau ; j'ai glissé mes pouces sous les rabats. Howie respirait à petits coups. Je me rendais compte — un peu tard — que j'avais foutu un sacré bordel dans sa vie ; j'ai décidé de lui communiquer ma gratitude dès que j'en aurais terminé avec cette boîte. J'ai inspiré profondément et soulevé le couvercle.

Quelque chose a surgi et filé directement au plafond. Une explosion croassante de mouvement et d'odeur qui m'a fait reculer. J'étais sous le choc. Howie a lâché un « Merde ! » assourdi et battu en retraite à son tour. La chose avait mollement rebondi contre le plafond avec un bruit de succion, puis s'était abattue sur le bureau avant que j'aie le temps de l'identifier. Là, elle s'est immobilisée, elle a tourné ce qui lui tenait lieu de tête et m'a regardé fixement. Quand je me suis remis de ma surprise, je l'ai examinée aussi, mais avec prudence ; je m'attendais à moitié à ce qu'elle me saute dessus.

C'était un oiseau — enfin, un *genre* d'oiseau. Ou alors un chat. Ça n'avait pas de plumes, mais ça se tenait sur deux pattes maigrichonnes, pour culminer à trente centimètres de hauteur. Ça avait une tête de volatile mais grassouillette — comme le corps — et parsemée de plaques de fourrure orange en pleine mue. Deux ailes vestigiales jaillissaient à angle droit de ses flancs ; on aurait dit qu'on les avait amputées au ciseau, sans grandes précautions, pour les remettre en place par cautérisation sommaire. La peau était à nu sur la quasi-totalité du corps ; blanchâtre et d'aspect malsain, elle semblait exsuder un liquide indéterminé. L'oiseau tout entier était animé d'une lente palpitation, comme s'il cherchait péniblement son souffle, et déga-geait une odeur de putréfaction récente — une puanteur annonçant la mort de manière imminente. Ses yeux se sont rivés aux miens, elle m'a jaugé et son bec s'est ouvert. Une béance est apparue qui tenait plus de la plaie ravagée que de la cavité buccale, et ses yeux, sans se départir de leur hostilité, avaient du mal à me fixer sans faillir.

« Qu'est-ce que c'est que ce truc ? a soufflé Howie.

— Sais pas. » Pourtant, j'avais ma petite idée. L'oiseau a voulu faire un pas mais l'effort était trop grand : une patte s'est brisée net. L'articulation supérieure a tremblé, puis s'est déboîtée. La créature s'est abattue sur le flanc. Au même niveau, la peau a crevé comme un fruit trop mûr, laissant échapper une masse organique qui n'évoquait rien tant qu'une dysménorrhée additionnée de crème aigre.

En un mot, la créature n'était pas très belle à voir.

« Menteur ! » a lancé une voix derrière nous avant de pousser un gloussement. J'ai soupiré *in petto*, sans me retourner.

« Qui est-ce ? » ai-je demandé à Howie en comprenant que je m'étais fourré dans un piège.

« Je suis désolé, Jack. » Sa voix se brisait. « Il a dit qu'il me tuerait si je refusais, et que si j'acceptais il ne te tuerait pas. »

J'ai fait demi-tour. Un homme se tenait dans l'encadrement de la porte. C'était le type de la veille, celui à qui j'avais logé une balle dans le crâne. Et qui n'aurait pas dû être là à me braquer un pistolet sur la tête.

« Eh bien, j'ai menti, moi aussi, a-t-il déclaré. Les mains en l'air. »

J'ai obtempéré, non sans remarquer sur sa tempe droite les traces imperceptibles d'une plaie par balle. Cela m'a un peu rassuré : l'espace d'un instant, j'avais craint d'avoir perdu la tête — métaphoriquement parlant… mais peut-être la menace serait-elle bientôt à prendre au sens littéral.

« Qui êtes-vous ? » J'ai été le premier surpris par le ton égal de ma voix. Un peu à l'écart, Howie posait sur moi un regard lourd de culpabilité.

« Un ami de Yhandim, a répondu l'autre avec le sourire qui le caractérisait. Tu le sais bien. On s'est déjà rencontrés.

— Pourquoi n'est-il pas venu en personne ?

— C'était tout le but du jeu, vieux. Parce qu'à l'heure actuelle, Yhandim est chez votre petite copine, en train de récupérer ce qu'on est venus chercher.

— Futé. En quoi Suej vous intéresse-t-elle tant ?

— Elle ne nous intéresse pas du tout. Simplement, elle appartient à quelqu'un qui nous a demandé de la lui rendre. L'autre fille, par contre, on pourra sans doute lui trouver une quelconque utilité. Du moins temporairement. Yhandim a tendance à les user assez vite ; et il a un problème avec les gens qui n'ont pas des yeux normaux.

— Qu'avez-vous fait des autres ? » Je n'essayais pas vraiment de gagner du temps, pas encore. Je posais simplement les questions qui me venaient à l'esprit, entre autres pour connaître la réponse. L'arme qui me visait ne s'écartait jamais de sa cible ; décidément, la première fois, j'avais eu de la chance de prendre ce type par surprise. Le peu de temps qu'il me restait semblait se condenser, comme si je n'avais plus droit qu'à une seule réplique et en moins d'une minute ; or, c'était une barrière que je ne me sentais pas capable de franchir.

« Qu'est-ce que ça peut te foutre ? De toute façon, tu ne seras plus là pour t'en faire, alors…

— Je suis déjà étonné d'être encore en vie. Et toi donc. Ça ne te fait même pas un peu *mal*, ce trou dans la tête, là ? Et la balle dans la gorge ? Celle dans l'épaule ?

— Tu ne piges décidément rien. » Une légère irritation. « Tu t'en es sorti, toi. Tu ne peux *pas* comprendre.

— Eh bien, explique-moi. » J'ai essayé d'introduire une nuance apaisante dans ma voix. « Si tu ne me butes pas tout de suite, il doit y avoir une raison. Je suis allé là-bas. Je peux peut-être comprendre, en fin de compte. »

Tout à coup il a ri, réduisant à néant ce qu'il me restait d'espoir. Ce n'était pas un imbécile. Seulement un dément irrécupérable. Il a armé son pistolet et là, la fameuse réplique m'est apparue dans toute son évidence.

« Si t'es encore vivant, c'est parce qu'on doit encore retrouver quelqu'un d'autre, m'a-t-il dit. Et on pense que tu sais où il est. Alors maintenant tu vas me le dire ; ensuite je te tuerai.

— Qui ça ? ai-je demandé, même si je croyais connaître la réponse.

— Vinaldi », a proféré l'autre dans un grondement de haine sans mélange. « Celui-là, on tient *vraiment* à lui mettre la main dessus.

— Hé, mais il fallait le dire ! »

Vinaldi a bondi derrière le type. Au moment où ce dernier pivotait sur ses talons, il lui a abattu en pleine figure un lourd tabouret de bar avec une précision élégante que je n'ai pu m'empêcher d'admirer. Un pied du siège a volé en éclats ; les os du type ont craqué comme de la coquille d'œuf et il s'est effondré.

Vinaldi s'est avancé dans la pièce en me lançant un sourire sans joie. « Vous manquez de pratique, Randall. Je le savais, moi, que c'était un piège. Voilà pourquoi j'ai insisté pour venir. » Il a enjambé le type à terre puis, assombri, l'air implacable, il a dégainé.

« Surtout ne lui tirez pas dessus ! » ai-je crié en dégainant à mon tour, heureux de sentir à nouveau mon arme dans ma main.

Vinaldi a relevé les yeux sur moi. « Ça va pas, non ? Évidemment que je vais lui tirer dessus.

— Si vous faites ça, je vous abats. » Je me suis approché en le visant, imperturbablement. « Quant à mon prétendu manque de pratique, je vous signale que si vous étiez resté chez Quasi, les filles seraient saines et sauves. » Il a froncé les sourcils mais remis en place son cran de sécurité. Je me suis retourné vers Howie qui, toujours debout contre le mur, devait se demander lequel de nous deux, Vinaldi ou moi, représentait le plus grand danger pour lui. « Howie, va chercher de l'adhésif.

— Jack, je tiens à te dire que…

— Ouais, je sais. C'est pas grave. » Le voyant peu convaincu, j'ai ajouté : « À ta place, j'aurais fait la même chose. Et maintenant, s'il te plaît, va nous chercher de l'adhésif. »

Il est sorti précipitamment. Je me suis agenouillé près du blessé pour écouter sa respiration. Saccadée, mais régulière.

« Randall, qu'est-ce que vous foutez ? m'a interrogé Vinaldi avec une impatience certaine. Ce type n'avait en tête que de vous faire la peau, ou plutôt de *nous* faire la peau, si je peux me permettre, et vous faites le noble chevalier ? Vous devriez voler au secours de vos femmes, au lieu de vous en faire pour cette ordure.

— Yhandim les tient de toute façon. Il est sûrement arrivé deux minutes après notre départ. Ce type sait peut-être où il les a emmenées. Et où sont les autres alters. Avec un peu de chance, il sait même *ce qui se passe ici, bordel !* Si vous lui réduisez la cervelle en bouillie on ne le saura jamais ; en plus, je lui ai déjà farci la tête de plomb sans que ça l'empêche de gambader. Si on recommence, on risque tout au plus de le mettre en colère. »

Howie est revenu avec ce que je lui avais demandé. J'ai fait rouler le blessé sur le ventre. Sans lésiner sur le scotch isolant ultrasolide, je lui ai promptement ligoté les bras et les jambes. Son treillis était encore plus sale que la veille et il avait des bribes de feuilles mortes sous les semelles. Tout en poursuivant mon œuvre, j'ai jeté un œil à l'arrière de sa tête ; il y avait bien une plaie là où la balle était ressortie, et pas jolie à voir. Sang et matière cérébrale se mêlaient aux cheveux collés, mais elle aurait dû être plus étendue ; en outre, elle n'avait pas paru le gêner plus que ça. Peut-être la balle avait-elle par chance été déviée à l'intérieur du crâne. Tu parles. Vraiment plausible ! Et la texture bizarre, pâteuse, de sa peau, c'était parce qu'il utilisait trop de crème hydratante, peut-être ?

Quand il a été complètement immobilisé je me suis relevé après l'avoir fait rouler sur le dos. J'ai avalé vite fait une gorgée de Jack Daniels — Howie était en train d'en humer une bouteille. Mes mains tremblaient. La proximité de la mort me fait toujours cet effet-là. Si vous voulez un conseil, évitez de vous en approcher de trop près.

« Comment s'appelle-t-il ? » ai-je demandé à Vinaldi en lui passant la bouteille. Il l'a regardée en songeant sans doute qu'il était à peine huit heures du matin, puis il en a quand même avalé une lampée. « Lui aussi, il est resté en arrière ? »

Vinaldi a opiné de mauvaise grâce. « Il s'appelle Ghuaji. » Il m'a rendu la bouteille. « Verse-lui en un peu dans le gosier. »

Je me suis exécuté. Ghuaji a toussé, postillonné, et peu à peu repris conscience en battant des paupières pour chasser le sang coulant de son nez aplati. J'ai failli lui essuyer les yeux mais je me suis ravisé : je n'en avais rien à foutre, de ce type. Je me suis penché sur lui et j'ai articulé très clairement. Encore cette impression de déjà-vu. Je revoyais la scène de la veille, et aussi celle qui s'était déroulée devant chez Hal.

Mais cette fois, je n'avais pas le droit de merder.

« Tu as cinq minutes, pas plus. Après ça, Howie ici présent te jette dans une cage d'ascenseur xPress pour voir si tu rebondis. Compris ? »

Il a répondu d'une voix pâteuse et pour tout dire inaudible, mais il m'avait bien entendu, la preuve : il m'a craché une dent sanglante à la figure.

« Super, ai-je constaté. J'ai quatre questions à te poser. Réponds-y et on aura peut-être une base de négociation. Si tu en laisses une seule sans réponse, tu choisis la solution "beaucoup de bobo". Bien. Premièrement : où Yhandim a-t-il emmené Suej et la jeune femme ? Deuxièmement, où sont les autres alters ? Troisièmement, qui est derrière toute cette merde, et quatrièmement, qu'est-ce qui lui prend, bordel ? Réponds dans l'ordre que tu voudras mais ne prends pas tout ton temps parce que moi, je n'en ai pas beaucoup et que toi, il t'en reste de moins en moins. »

Ghuaji m'a souri ; j'ai armé mon pistolet. Cela n'a eu pour effet que d'élargir son sourire ; j'ai senti la panique monter derrière la façade de sérénité que j'essayais de maintenir.

« Les oiseaux sont là, m'a-t-il dit. Tu les as sûrement vus. »

Un frisson glacé m'a saisi mais j'ai réussi à donner le change. « Et alors ? Qu'est-ce qui se passe ? Comment se fait-il qu'ils soient sortis ?

— Yhandim a un plan et ÿ'a personne, mais alors *personne* qu'est au courant. Les feuilles seront avec lui, vieux. Il a passé toute la nuit à parler aux autres gars. C'est bientôt fini, j'te le dis.

— Personnellement, a commenté derrière moi un Vinaldi plein de sagacité, j'ai tendance à croire qu'en faisant sauter des morceaux d'otage un par un, on réduit de beaucoup l'obscurité de ses propos.

— Merci pour le conseil, Johnny, mais...

— Sérieusement, je sais de quoi je parle, et Jaz me soutiendra à fond sur ce point si le bon Dieu veut qu'il ressorte du MédiCentre sous forme d'être humain fonctionnel.

— Vous croyez que ça va suffire à impressionner un type resté tout ce temps dans La Brèche ! » Je m'adressais à Vinaldi, mais mes paroles visaient Ghuaji. « Un mec qui a passé la moitié de sa vie sur le terrain ? Votre raisonnement est sûrement sain, mais pas dans le cas qui nous préoccupe. »

Ça a paru marcher. Le blessé me regardait plus attentivement ; il a repris la parole d'une voix teintée de nostalgie.

« J'suis chez moi, là-bas. Tu peux pas savoir comme ça me manque. On a beau te filer des rallonges, c'est pas la même chose. »

À ce moment-là, j'ai compris que non seulement il avait la cervelle cramée, mais qu'on aurait beau le rogner jusqu'à l'os, il ne nous dirait rien s'il n'en avait pas envie. Quand on ne se sentait bien que dans La Brèche, on n'était même plus un être humain.

Je lui ai tourné la tête pour examiner l'impact de la balle. Celle-ci avait percé la peau et la calotte crânienne, puis s'était arrêtée là. La guérison avait dû intervenir très vite ; le temps que les flics débarquent dans le bar, Ghuaji s'était déjà enfui.

« Vous avez vu ça ? » ai-je demandé à Vinaldi. Il a hoché la tête et j'ai lu dans ses yeux, ainsi que dans ceux de Howie, une frayeur qui devait faire écho à la mienne. Pourtant, j'avais l'impression que la plaie s'était dégradée depuis que j'y avais vu perler une goutte de sang. Le processus de rétablissement était en train de s'inverser.

Il me restait une tentative. « Tu ne me répondras pas, hein ?

— T'es un petit malin, toi, a-t-il coassé.

— Puisque c'est comme ça, voilà ce qu'on va faire. J'ai changé d'avis. Finalement, on ne va pas te jeter dans une cage d'ascenseur ; pas encore. On va peut-être t'obliger à revoir tes positions. Howie va te boucler dans son arrière-salle et te faire surveiller par un de ses employés. Si tu te montres antisocial, il te coupera les jambes à la tronçonneuse. Tu guéris peut-être de manière inexplicable, mais on doit pouvoir te mettre hors circuit quelque temps. » En le scrutant attentivement, j'ai ajouté : « Surtout si on ne te refile pas de rallonge. »

Un léger vacillement dans son regard. Il ne m'en fallait pas plus.

Je me suis relevé et j'ai fait un signe à Howie. « Demande à Paulie de le ligoter là-bas, au fond — à distance des stocks de nourriture — et de ne plus le lâcher. Quant à la tronçonneuse, je ne plaisantais pas. Il ne faut surtout pas écouter ce que raconte ce type.

— Paulie est mort, a répondu Howie. Il était là quand ce mec s'est pointé.

— Oh, merde. Je suis désolé. »

Howie a opiné d'un air distrait. « C'est bon, Dath va s'en charger. Il se fera même un plaisir d'amocher cet enfoiré. Et ce truc-là, qu'est-ce qu'on en fait ? »

Il désignait la répugnante créature restée sur le bureau. Pendant qu'on s'occupait d'autre chose, l'autre patte s'était démembrée et l'arrière-train s'était effondré sur lui-même. Les traits tirés, Vinaldi l'a contemplé un instant. Au moment où je décrétais l'oiseau mort, une torsion du cou complètement déjantée a détaché tout l'avant de son corps. Pagayant des moignons, il avança péniblement, traînant derrière lui son reliquat d'entrailles, perdant des bouts de peau et de pelage comme perdent leur neige les arbres malmenés par le vent.

« Va le brûler quelque part. Jusqu'à ce qu'il n'en reste plus rien. Et ne tiens pas compte de ce qu'il pourra dire. Ce n'est même pas un oiseau pour de vrai. Seulement un fragment de… de tout autre chose.

— Je suis pourtant bien un oiseau », est subitement intervenu le volatile d'une voix évoquant deux clous rouillés frottés l'un contre l'autre. « Et je sais très bien ce que vous avez fait. Vous serez puni, Randall. Puni de mort.

— Mais oui, c'est ça. » Sur quoi je lui ai tiré dessus et son thorax a explosé en répandant une matière dégueulasse dans toute la pièce. La tête est tombée par terre.

« C'est un truc qui vient de La Brèche, c'est ça ? s'est enquis Howie en baissant les yeux sur le bec toujours animé de la créature. Je veux dire, c'est bien ça le fond de l'affaire, non ?

— Oui, mais ce truc ne vient pas de La Brèche. Il vient de nulle part. C'est un rêve, voilà tout. Il a été créé accidentellement, à la lisière, et n'a pas réussi à survivre. C'est une créature constituée à partir de rien, sans le soutien de l'évolution. Incapable de maintenir son intégrité physique.

— Là, tu te trompes, mec, a soudain déclaré Ghuaji. Tu te trompes complètement. Au contraire, tout va se tenir sans problème. »

Je suis allé lui braquer mon canon sur la tempe ; j'avais perdu patience, radicalement et d'un seul coup. « C'est toi qui as abattu Hal ? »

Il a secoué lentement la tête. « Non, Yhandim. Il va te tuer aussi. Et Vinaldi. *Surtout* Vinaldi. »

Ce dernier lui a gracieusement craché à la figure, mais Ghuaji ne s'est pas départi de son sourire. Un sourire qui se détériorait.

« Eh bien dis donc, il va être drôlement occupé, alors. Il devrait envisager de déléguer. Howie, va chercher Dath et débarrasse-nous de ce type avant que je lui fasse *moi-même* sauter la tête. »

Avant de s'en aller, Howie m'a remis un feuillet de fax portant le nom de Nicholas Golson. « Ce type a appelé, m'a-t-il informé en haussant les épaules. Il sait une chose qui pourrait t'intéresser, d'après lui.

— Merci. Ça va aller ?

— Ouais. Du moment que tu mets au point une stratégie. Je n'espère même pas que tu t'y tiennes, mais ce serait rassurant de savoir qu'elle existe.

— Quand j'en aurai trouvé une, tu seras le premier au courant. »

J'ai voulu utiliser mon laissez-passer bidon pour monter au 104e, encore que Vinaldi m'ait proposé de me faire entrer à titre d'invité, mais le vigile était plus perspicace que la moyenne ; il l'a rejeté. J'ai dû m'en remettre à Vinaldi. Le problème, avec la fierté, c'est que si on en a trop, on finit toujours par avoir l'air con. Mais au point où j'en étais, je m'en foutais.

On était passés au 66e, et j'étais survolté à force de rage et de trouille. On avait trouvé la porte de Quasi verrouillée, mais mes coups de poing dans le battant n'avaient pas obtenu de réponse. Victime d'un court-circuit, la serrure chantonnait tout bas une chanson ancienne où il était question d'un arc-en-ciel. Vinaldi a utilisé une clef extorquée par des moyens peu orthodoxes à un entrepreneur récemment chargé de rénover l'étage ; je me suis précipité, mais naturellement l'appartement était vide. On distinguait de légères traces de lutte — des meubles renversés, une tasse à café cassée — mais rien qui indique une issue fatale. C'était un peu rassurant, mais pas tant que ça. Jusque-là, je n'avais pas fait des miracles pour pister Yhandim et les individus qu'il récoltait çà et là. En outre, il avait fallu plus d'une personne pour contenir Suej et Quasi, à supposer qu'elles aient pu se débattre et se tortiller — or, j'étais certain que Quasi avait dû se tortiller comme un ver. Donc, Ghuaji n'était pas le seul complice de Yhandim.

Les espions de Vinaldi étaient revenus bredouilles. Ce qui, d'ailleurs, ne m'étonnait guère. Maintenant que Yhandim avait ce qu'il voulait, on le reverrait encore une fois, mais ce serait la dernière. Deux secondes après on serait morts. Si ça se trouvait, il ne s'embarrasserait même pas de moi, à présent qu'il tenait Suej. Mais moi, je voulais absolument lui régler son compte. C'est surtout en découvrant les sacs en plastique contenant les nouvelles acquisitions de Suej que je m'en suis convaincu ; j'allais même *tout faire* pour lui régler définitivement son compte.

Mais d'abord, il fallait le trouver.

« On peut savoir pourquoi on va voir ce type ? » s'est enquis Vinaldi tandis que nous montions l'escalier de chez Golson. Au lieu de répondre, j'ai cogné à la porte — suffisamment fort pour réveiller un mort en état de décomposition avancé. Il n'était que neuf heures du matin, et à mon avis, Golson n'était pas du genre à se lever aux aurores.

Au bout de quelques minutes la porte s'est ouverte et c'est un Golson à demi conscient, les paupières alourdies par le sommeil, qui a fait son apparition en robe de chambre. Comme d'habitude, je me suis dispensé des formalités ; je suis entré sans lui demander son avis, Vinaldi sur les talons.

« Hé, vieux, qu'est-ce qui se passe ? » a couiné Golson en trottinant sur nos talons. Une fois dans le studio, nous avons constaté qu'il y avait quelqu'un dans la chambre à coucher : une rousse milieu de gamme aux grands yeux noisette.

« Coucou, Johnny ! » a-t-elle lancé en minaudant, comme si elle passait une audition.

Je me suis tourné vers Vinaldi. « Vous vous connaissez ?

— Mais bien sûr », a répondu la fille d'une voix flûtée avant de se passer la main dans les cheveux, de lisser les draps sur ses formes, et plus généralement de prendre une pose coquette au bénéfice exclusif de Vinaldi. « Je vais tout le temps au *Bâtard*.

— Habille-toi et tire-toi. T'as pas intérêt à faire partie de l'écurie Vinaldi ; ses pouliches ont une espérance de vie plutôt réduite, en ce moment. » L'intéressé m'a jeté un regard courroucé et je lui ai braillé sous le nez : « Et ne me dites pas que Louella Richardson et Laverne Latoya ne bossaient pas pour vous. Sinon, pourquoi Yhandim les aurait butées, hein ? »

Il n'a pas eu le temps de me répondre que la fille était déjà dans la salle de bains, nous laissant seuls avec le jeune Golson.

« Qu'est-ce que tu as à me dire, petit ? Vite.

— Pas grand-chose, a-t-il avoué. Mais vous m'avez demandé de vous signaler tout ce qui me paraissait bizarre. Alors voilà. » Il m'a tendu une petite carte. Je l'ai prise, je l'ai retournée : un bout de plastique crème format carte de crédit, bordé d'un filet doré. Ni très bizarre, ni très intéressante.

« Qu'est-ce que c'est ?

— Un carton d'invitation. On voit que vous ne sortez pas beaucoup dans le monde.

— Au contraire, ai-je jeté. Mais jamais quand je suis invité. Pourquoi il ne se passe rien quand je la prends en main ?

— Parce qu'elle est réglée sur mon ADN à moi. Regardez. » Golson a posé l'index sur un des bords. Le mot « Invitation » a surgi de nulle part, puis s'est effacé pour céder la place à une vidéo de quelques centimètres carrés : une femme d'une cinquantaine d'années, bien conservée mais manifestement affligée. L'air mi-digne mi-ahuri, elle invitait le porteur ainsi qu'une personne de son choix à assister au service funèbre donné en l'honneur de Louella Richardson.

« Il y a une cérémonie, bon, et alors ? Tu parles d'une nouvelle ! ai-je répliqué.

— Non, ce n'est pas ça. Écoutez. Hier soir, je suis sorti avec des amis ; or, je me suis rendu compte que tous les gens qui avaient connu Louella étaient conviés. Et je ne parle pas seulement des amis proches ; aussi des gens qui lui ont tenu la porte, un jour, il y a cinq ans. Ça a lieu après-demain, et l'endroit est un peu inattendu.

— À savoir ?

— Le 203ᵉ, a répondu joyeusement Golson. La chapelle privée de Maxen. »

J'ai cillé. En effet, c'était une authentique bizarrerie, ça. Les Maxen frayaient tellement peu qu'on ne savait même pas combien de membres comptait la famille. Les invitations au-dessus du 200ᵉ n'étaient pas rares, elles étaient *inexistantes* — à moins de détenir ce que voulait justement Maxen, et c'était rare. J'ai eu la surprise de voir une expression à la fois intense et indéchiffrable se peindre sur les traits de Vinaldi. Remettant à plus tard le soin de l'interroger, j'ai demandé à Golson, qui faisait tinter ses bagues sur la table de manière extrêmement déplaisante : « On sait pourquoi ?

— Ben, Val dit que Yolande Maxen faisait partie des clientes de Louella. C'est peut-être pour ça qu'ils prennent tellement la chose à cœur.

— Mon cul, oui. Les Richardson n'étaient pas particulièrement amis avec les Maxen ?

— Pas que je sache. En fait, il paraît que les Maxen ne sont "particulièrement amis" avec personne. »

Je n'étais pas sûr que cette révélation soit pertinente, mais en tout cas, ce n'était pas banal.

« C'est vrai que vous vous la faisiez, Louella ? » a demandé Golson à Vinaldi avec un respect tout viril.

L'autre s'est trahi par son ton. « Ça ne te regarde pas, morveux, et on ne parle pas comme ça des morts.

Ton père ne t'a donc rien appris, en supposant que tu le connaisses ?

— Holà, holà, du calme », a répondu Golson en levant les mains en un geste apaisant tout en affichant un sourire entièrement refait. « Je suis impressionné, c'est tout. Mais je sais garder un secret. »

C'est là que ça m'a sauté aux yeux. Ce sont des choses qui arrivent, quels que soient les événements, les indices, les intuitions : on a la cervelle qui, tout à coup, régurgite une idée. Enfin, de temps en temps.

« Où est ta console ? » Golson a pointé un index ; j'ai bondi au chevet de son lit en sortant de ma poche le disque de Hal. Je l'ai inséré sans ménagement dans le logement libre et j'ai appuyé sur le bouton.

« Qu'est-ce qu'il y a ? a demandé Vinaldi en venant se tenir à mes côtés.

— L'assassin de Hal n'avait pas de casier », ai-je répondu en tambourinant sur la surface du bureau, le temps que tout se mette en place dans ma tête. « Maintenant, on sait peut-être pourquoi.

— Tiens, salut, Jack ! a annoncé la versonnalité de Hal. Ça boume ?

— Affiche-moi la photo du macchabée. »

Celle-ci est apparue sur l'écran.

« Hil Trazin, a immédiatement dit Vinaldi. Il "y" était aussi.

— Bien. Ils sont donc tous sortis de La Brèche. Je me demande bien comment, d'ailleurs, mais bon. Ils ont pour mission de traquer et d'éliminer certaines personnes pour le compte de SécuRéseau, mais ceux-là en particulier vous en veulent, alors la moitié du temps ils vous cherchent des crosses au lieu de faire leur boulot. L'un d'entre eux, sans doute Yhandim si l'on en croit Ghuaji, déconne complètement ; il ne se contente plus de descendre vos associés : il s'en prend également à vos ex-fiancées. Ordinateur, redonne-moi les infos sur SécuRéseau.

— Je ne comprends pas, est intervenu Vinaldi. Qu'est-ce que ça a à voir avec…

— Les dossiers des cinq homicides sont classés Confidentiel par les grands pontes de la police, ce qui signifie que leur vraie mission leur a été confiée par un type qui a plus de pouvoir que le bon Dieu. Cet individu s'est fait protéger par Yhandim pendant qu'il cherchait les alters, l'un d'entre eux ayant de l'importance à ses yeux.

— Informations sur la société, a annoncé la bécane. Chez SécuRéseau, c'est toujours la pagaille, apparemment.

— Trouve-moi toutes les boîtes ayant des intérêts chez eux. Et ce depuis le tout début. Je veux savoir s'il y a un actionnaire majoritaire. »

Pendant que la machine moulinait, j'ai allumé une cigarette. Golson m'a bien fait remarquer que c'était mauvais pour ma santé, mais je lui ai aimablement suggéré d'aller se faire foutre.

« Si vous connaissez déjà la réponse, vous pourriez me la donner d'ores et déjà, et en ASCII ? m'a demandé Vinaldi. Parce que ce suspense, ça me fout les jetons, moi.

— Je n'en suis pas certain. » Mais à ce moment-là, l'écran a justement régurgité la solution. L'actionnaire majoritaire de SécuRéseau, par l'intermédiaire d'un million de holdings et autres tours et détours, était un groupe appelé Newman Sublinéaire. Ça ne me disait rien, mais Vinaldi, lui, connaissait.

« C'est une des sociétés de Maxen, a-t-il affirmé à voix basse. Dirigée par Arlond soi-même. »

Je l'avais déjà noté : plus il était sérieux, plus ses phrases devenaient simples ; j'ai donc eu la certitude qu'il disait vrai. « Comment le savez-vous ?

— Je le sais, un point c'est tout. » Vinaldi s'est détourné. « Bordel de merde.

— Qui veut du café ? » s'est enquis Golson, qui ne comprenait rien mais s'amusait bien quand même.

J'ai promptement récupéré le disque de Hal et je me suis relevé. « Donc, Maxen est derrière SécuRéseau, ce qui s'explique, d'ailleurs. C'est lui qui a fait sortir ces types. Ils doivent avoir une dette envers lui, sinon pourquoi exécuteraient-ils ses basses œuvres ? Simultanément, ils en ont après vous à cause de ce qui s'est passé dans le temps, sans compter Louella Richardson qui se fait découper en rondelles. Maxen comprend ce qui s'est passé, se sent coupable et investit dans ses funérailles. » *Mais pas dans celles de Laverne Latoya, ni celles des autres filles assassinées en dessous des 100.* « Maxen. C'est lui qui est derrière *tout ça.*

— Super, dites donc, a commenté Golson. Si c'est vrai, vous êtes drôlement dans la merde, les gars. Vous êtes sûrs que vous ne voulez pas de mon café ? Il est parfumé à la cannelle, et…

— *La ferme !* avons-nous crié tous les deux en même temps, Vinaldi et moi.

— Qu'est-ce qu'on fait ? m'a demandé Vinaldi en s'en remettant à mon initiative, pour une fois.

— On va voir un type qui, à mon avis, ne doit pas être au mieux de sa forme à l'heure qu'il est. » Je me suis tourné vers Golson. « Quant à toi, tu gardes le silence sur tout ce que tu viens d'entendre, sinon tu auras des problèmes — et autrement plus graves que ces noms de bonnes femmes que t'as une fâcheuse tendance à oublier.

— Je veux bien le croire », a-t-il répondu avec sincérité. Là-dessus il s'est écarté d'un bond pour nous laisser foncer vers la porte.

12

« Pourquoi Ghuaji se déciderait-il à parler maintenant ? » m'a demandé Vinaldi tandis que nous entrions en trombe chez Howie pour la vingtième fois en deux jours — enfin, c'est ce qu'il me semblait.

« Pour trois raisons », ai-je répondu en me frayant un passage à coups d'épaules dans la foule des consommateurs. « D'abord, il avait la peau dans un triste état. Bizarre à l'œil et au toucher. Or, j'ai observé le même phénomène avant-hier chez Trazin, ou du moins sur son cadavre. Ensuite, quand on était avec lui ce matin, sa blessure à la tête semblait s'aggraver au lieu de guérir. Pour finir, il a parlé de "rallonges" et il y avait des feuilles mortes sous ses semelles. »

Nous avancions à grands pas dans le couloir. J'ai vu que Vinaldi saisissait mon raisonnement. « Ils sont obligés d'y retourner régulièrement, c'est ça ?

— Je crois, oui. Sauf que pour le moment, Ghuaji n'est pas en mesure de retourner où que ce soit.

— Bon, vous n'êtes pas aussi con que vous en avez l'air, finalement. Je trouve ça encourageant.

— Ne fondez quand même pas trop d'espoirs sur moi, ai-je rétorqué. J'ai aussi un côté superficiel — bien caché. »

Trois personnes se trouvaient dans l'entrepôt. Dath, qui surveillait le prisonnier avec une vigilance sans faille, une tronçonneuse en équilibre dans les mains ;

Howie, qui semblait prendre toute l'affaire très à cœur et chercher à se faire pardonner, et enfin Ghuaji. C'est vers lui que je suis allé tout droit ; je me suis penché, mais en gardant mes distances, au cas où.

Le trou dans sa tempe avait l'air moins bien refermé et une petite flaque de sang s'était amassée sous sa nuque. En revanche, sa peau n'avait pas changé d'aspect. Loin d'être un phénomène évolutif, sa texture étrange était peut-être une conséquence de son long séjour *là-bas*, tout simplement.

« Tu sais ce qui est en train de se passer, je suppose ? » Pas de réponse. « Cet endroit, tu l'as dans le sang. Tu as besoin d'y retourner pour recharger tes accus, et tant que tu es ici, ça ne risque pas d'arriver. Pendant ce temps-là, Yhandim écume New Richmond avec les autres. Il se peut qu'il ait un plan d'enfer, Ghuaji, mais au train où vont les choses, tu n'en feras pas partie.

— Va te faire foutre », m'a-t-il renvoyé comme je m'y attendais. Ils disent tous ça, et il n'y en a pas un pour saisir que la réplique est usée, qu'elle n'impressionne plus du tout. Surtout quand ils sont immobilisés à l'adhésif et que les trous qu'ils ont dans la tête dégagent une odeur de sang dégoulinant. « Ta mère suce des chèvres en enfer, a-t-il ajouté d'une voix éraillée.

— Voilà une repartie évocatrice, je te le concède, mais n'empêche que je dis vrai, et tu le sais. Alors écoute-moi. On sait qu'Arlond Maxen a trouvé le moyen de vous faire sortir, donc, ça, ce n'est pas la peine de me le dire. » Howie et Dath ont laissé exploser leur surprise mais j'ai fait la sourde oreille. « Donc, concentrons-nous sur l'autre question : où Yhandim a-t-il planqué les alters ?

— Tu sais très bien que j'te dirai rien », a répondu Ghuaji en toussant une pleine gorgée de sang.

J'ai dégagé le col de son manteau et j'ai vu que sa plaie à la gorge était elle aussi en passe de se rouvrir. Au-dessus de la clavicule, une fleur de sang indiquait que de ce côté-là aussi, des ennuis se préparaient.

J'ai haussé les épaules. « Comme tu voudras. Mais le temps passe. »

À peine avais-je allumé une cigarette dans le couloir qu'un cri s'élevait dans la pièce. Entrebâillant la porte, j'ai vu Vinaldi auprès de Ghuaji. J'ignorais ce qu'il avait pu faire pour lui arracher un tel hurlement, et je ne voulais pas le savoir. J'ai refermé le battant tandis que retentissait un nouveau cri, et terminé ma cigarette tout seul.

Mon problème, c'était Suej. Suej, Quasi, et les autres alters, bien sûr ; pourtant, c'était Vinaldi qui s'acquittait du sale boulot. Mais il n'y avait pas d'autre possibilité. Moi, je n'ai pas le courage de faire ce genre de choses. C'était déjà comme ça dans La Brèche. Je me suis contenté de faire mon service en sauvant ma peau. Je ne m'en suis pas trop mal sorti, mais de temps en temps, je compare ma vie à un shareware en version démo : les fonctions essentielles ou particulièrement intéressantes sont désactivées, et le programme ne tourne que pendant une période d'essai de quatorze jours qui se renouvelle sans cesse, sans que j'en devienne jamais vraiment propriétaire.

J'ai donc patienté au-dehors, tirant sur ma cigarette en appariant ces hurlements à d'autres cris entendus jadis. Quelque chose me dépoussiérait de toutes ces années, je ne savais pas si c'était la fatigue ou le désespoir. Je redoutais constamment de voir des éclairs orange, de surprendre des battements d'ailes ou des voix depuis longtemps réduites au silence. Je repensais aux gens que j'avais tués, j'essayais de me rappeler pourquoi, et je voyais que tout ça n'avait aucun sens. On ne peut pas comprendre quand on manque à ce point de recul, quand on est prisonnier de la boucle spéculative. Peut-être faut-il être mort pour saisir le sens global de l'histoire. Ce sont la vie et le hasard, les auteurs du programme qui nous fait avancer ; et nous, tout ce qu'on peut faire c'est les regarder exécuter les instructions écrites, alternativement attristés, assommés d'ennui ou bien horrifiés. Les sentiments, eux, gouvernent les actes, ainsi qu'ils l'ont toujours fait, et le cerveau n'a pas le pouvoir d'intervenir.

En d'autres termes, j'étais au trente-sixième dessous.

Vinaldi est venu me rejoindre au bout de dix minutes. Il n'était même pas essoufflé, bien que le devant de sa chemise soit éclaboussé de sang.

« Yhandim est dans La Brèche », m'a-t-il annoncé avec un petit sourire cruel.

Cela sautait aux yeux, et peut-être l'avais-je toujours su. Quelle meilleure cachette que celle où nul ne saurait pénétrer ? Voilà sans doute pourquoi, depuis vingt-quatre heures, je me consacrais à des futilités de plus en plus circonscrites, en décrivant des cercles qui m'éloignaient des vrais problèmes.

« Alors on va attendre qu'il en ressorte.

— Allons, Randall. Vous savez bien qu'on ne peut pas faire ça. Il retient votre gamine là-dedans, sans parler de la jeune femme. Ce n'est pas un endroit pour elles. Ni pour qui que ce soit, d'ailleurs.

— Johnny, La Brèche a été fermée après la dernière évacuation. Et ça fait quand même vingt ans, merde ! Comment voulez-vous qu'on y entre ? Enfin, c'est impossible !

— Manifestement non, puisque nos petits amis à la cervelle cramée vont et viennent à leur guise. Maxen a dû trouver un truc. Non ? Howie a un plan. Pour une fois, il est bon — tellement bon, même, qu'il lui vaudra peut-être de monter en grade dans ma hiérarchie à une date ultérieure. On libère le prisonnier, on lui fait croire qu'on en a fini avec lui et on voit où il va. Comme il est dans un sale état, si vous avez vu juste, il va y retourner en quatrième vitesse.

— Ça ne marchera pas.

— Il y a une chance.

— Non.

— Mais enfin, qu'est-ce qui vous prend ? m'a braillé Vinaldi juste sous le nez. Vous avez une meilleure idée ?

— Je ne peux pas retourner là-bas. Pas question que je remette les pieds dans La Brèche.

— Vous avez la trouille ? Eh bien, moi aussi, figurez-vous, a-t-il craché. Seulement, c'est la seule solution, Randall. Soit on va là-bas régler leur compte à ces salauds, soit ils vont régler le leur aux deux nanas, et aux autres personnes dont vous n'arrêtez pas de parler. Pire, du moins en ce qui me concerne, et je suis un égoïste heureux de l'être, quand ils auront fini, *c'est à mes trousses qu'ils se lanceront.* Or, j'ai bossé vingt ans pour arriver où je suis, et je refuse de tout paumer parce que des types censés être morts depuis tout ce temps me rendent responsable ; est-ce ma faute à moi s'ils n'ont pas été foutus de se repérer et de suivre les autres pour sortir d'un pétrin où ce n'était même pas moi qui les avais fourrés ? »

Je me suis détourné, mais il a continué à fulminer.

« *Moi,* je pourrais attendre qu'ils ressortent, tout simplement ; mais vous, non ! Vous, vous *devez* allez les chercher là-bas. Je vous propose mon aide, Randall, mais cette offre n'est pas éternelle, compris ?

— Je ne peux pas y retourner », ai-je répondu. Et je suis parti.

On me retrouve toujours quand je n'en ai aucune envie. Lorsque Vinaldi est apparu sur le seuil, j'étais assis par terre chez Hal, avec autour de moi des bouts de papier alu usagés, des doses intactes encore dans leur paquet, et une seringue. La moitié de ce qu'il me restait d'argent circulait dans mes veines et le reste ne perdait rien pour attendre. Dans mon raisonnement, si j'étais chez Hal c'était parce Yhandim connaissait l'adresse et que tôt ou tard, il pouvait venir me chercher; en réalité, je n'avais pas d'autre endroit où aller.

J'étais monté tout droit chez mon dealer du 24e. Il n'a eu l'air surpris ni de me voir, ni que je lui demande du Raviss moins coupé. Je lui ai donné tout ce que je possédais et il m'a approvisionné. Je me suis shooté à l'arrière de son magasin.

Le temps que je redescende au 8e, j'étais en plein trip. Je ne sais pas comment j'ai fait pour emprunter le conduit d'aération débouchant dans les toilettes; j'avais rarement affronté une tâche aussi difficile. Mais mes facultés intellectuelles agonisantes m'avaient averti : si Maxen entretenait des liens aussi étroits avec la police, je ne pouvais pas me permettre de sortir par la voie normale. Alors j'ai serré les dents.

J'ai retrouvé mon chemin jusqu'au puits principal, plus par chance que par la puissance de mon jugement. Là, j'ai entrepris de descendre, péniblement. Je ne sais pas si vous avez déjà parcouru huit étages verticalement, un barreau après l'autre, avec les veines pleines d'amphétamorphines hallucinogènes de synthèse, mais cela exige un certain degré d'obstination. D'abord, il faisait très sombre; des ombres brunes me glissaient continuellement sur la figure et sur les mains; elles étaient pareilles à des serpents, car plus sèches qu'il n'y paraissait, mais contrairement à ces derniers, elles me murmuraient des horreurs à l'oreille, ce que font rarement les reptiles. Une fois j'ai perdu pied et, vu mon état, j'ai cru que je chutais vers le *haut*. J'en ai conclu que ça tombait bien, que je ne risquais rien, et je ne me suis guère soucié de savoir où j'allais atterrir. Peut-être allais-je filer jusqu'aux 200, auquel cas j'en profiterais pour dire à Maxen ce que je pensais de lui.

De lui et de son frère, ai-je marmotté. *Ces sales saloperies de salopards.*

Heureusement — enfin, je crois —, mon cerveau postérieur a compris que j'avais peu de chances, en fin de compte, d'avoir vaincu la pesanteur autrement que dans mon imagination, et c'est de manière totalement indépendante de ma volonté que mes mains ont saisi un barreau au vol. Il s'en est fallu d'un poil que je ne me disloque le poignet, sur quoi j'ai empoigné correctement la majorité des barreaux restants, sauf sur les deux derniers mètres. J'ai lourdement atterri sur le dos et je suis tombé dans les pommes.

Quand je me suis réveillé, tout était pire qu'avant. Mais je me suis laborieusement relevé, ayant décidé qu'il était temps de me remettre en marche. Vers où, ça, je ne savais pas.

Là-dessus, je me suis perdu.

Cet accès clandestin, je l'ai emprunté un nombre incalculable de fois dans les deux sens. Une bonne partie du parcours s'effectuant dans le noir, il faut bien se repérer. Cette fois-là, je n'étais pas en état. J'avais même du mal à me rappeler comment me servir de mes jambes, alors… J'ai bien essayé de fermer les yeux, mais ça n'a eu pour effet que de me transporter dans une salle d'opération immaculée où un gâteau d'un jaune aveuglant surmonté d'un glaçage blanc attendait l'intervention. La scène est restée visible plusieurs minutes après que j'ai rouvert les yeux, puis elle s'est progressivement fondue dans les ténèbres. J'ai préféré garder les yeux ouverts. J'avais l'impression d'avoir marché trop longtemps sans trouver les repères escomptés ; d'un autre côté, chaque goutte de sueur perlant à mon front paraissait mettre une heure à couler, et en plus, j'avais peur de me noyer ; dans ces circonstances, il est possible que je n'aie pas joui à ce moment-là de toutes mes facultés.

Ensuite, j'ai eu très, très peur. De quoi, je ne sais pas, et ça n'a duré que quelques minutes. Au maximum une demi-heure.

Après cela, j'ai connu une brève période de lucidité relative, ce qui constitue généralement le prélude à la seconde montée de Raviss — nettement plus éprouvante. J'ai saisi l'occasion pour m'avouer que j'étais perdu, et en plus dans une zone du MégaComm que je ne connaissais pas. J'étais allé jusqu'au fond du conduit d'aération principal, au rez-de-chaussée, au lieu de le quitter un niveau plus haut comme toujours. Je me trouvais donc près du cœur du bloc moteur, sans moyen apparent de trouver la sortie. Le couloir était circulaire et tapissé de panneaux en céramique très épais. Ce ne pouvait être que la tuyère principale.

Alors m'est apparue une série d'explosions de fleurs roses. C'est du moins ce que j'ai cru tout d'abord. À terme, et après quelques pas prudents, le phénomène s'est révélé être non pas visuel mais auditif. C'était un bruit de piston, assez doux. En proie à des gloussements irrépressibles, j'ai avancé avec circonspection. De toute façon, ça ne pouvait pas être pire que ce qui se passait dans la tête.

« Qu'est-ce que vous fichez là ? » a dit une voix.

Et voilà, j'avais eu tort : il existait des choses plus effrayantes, par exemple s'entendre interpeller dans le noir là où aucun être humain n'avait jamais eu l'idée de mettre les pieds. J'ai poussé un hurlement très peu distingué et cherché à m'enfuir, mais mes jambes s'étaient muées en piliers de riz très friables. Elles ont cédé d'un coup, me déposant sur le sol où j'ai attendu l'inévitable en repoussant les assauts d'une escouade de nonnes volantes dont même *moi* je savais qu'elles ne pouvaient pas être réelles.

Il y a eu d'autres bruits roses. Puis j'ai vu quelque chose par terre devant moi. Ça mesurait environ un mètre de haut et c'était en métal. Un grand nombre de bras compliqués saillaient en divers endroits du tronc, tous se terminant par des extensions préhensiles. Le corps proprement dit était tout abîmé et abondamment rapiécé, comme s'il avait fait l'objet d'un nombre élevé de réparations successives. Au sommet reposait une superstructure en forme de tête qui me foudroyait du regard.

« Euh, salut, ai-je lancé.

— Je travaille aussi vite que je peux », a crié la chose. En plus de se manifester par un bleu très foncé, sa voix rendait un son étrange. Mécanique, pas très humain, pour tout dire, malgré sa couleur ravissante. « Je ne dispose pas du matergiciel nécessaire !

— C'est embêtant, en effet », ai-je commenté en voulant me montrer compréhensif sans pour autant m'embarquer dans une conversation interminable. Sentant approcher pesamment les prémices du second flash, je voulais être loin quand le Raviss donnerait toute sa mesure.

« En fait, je ne pense même pas qu'il s'agisse ni de matériel, ni de logiciel, m'a confié la machine. Pour moi, ce n'est que du potentiel de traitement. Je suis toute seule, vous savez ; complètement seule.

— Je vois », ai-je répondu, moi qui ne voyais rien du tout, au contraire.

« Mais non ! a hurlé la machine sans se laisser abuser un seul instant. Vous ne voyez rien du tout. On vous a envoyé m'espionner, voilà tout !

— C'est faux », ai-je fait plaintivement. Le grand flash était en bonne voie. « Je vous assure. Je me suis perdu, c'est tout.

— Mon cul, salopard !

— Je vous en prie, je vous laisserai continuer tranquillement votre boulot si vous me dites seulement comment remonter d'un niveau.

— Faites demi-tour, parcourez 46,23 mètres, tournez à gauche, faites encore 21,11 mètres, à droite, 7,89 mètres, puis passez par le panneau de plafond auquel est fixée une échelle, a débité la machine à une vitesse telle que j'ai eu du mal à suivre. Et maintenant, foutez-moi le camp. Laissez-moi travailler. »

C'est là que la remontée de Raviss m'est tombée dessus, comme un crépuscule instantané. Avec toute la vivacité d'une pomme de terre, j'ai suivi d'aussi près que possible les instructions de la machine — peut-être pas à la deuxième décimale près, quand même. Entre-temps, j'avais acquis la quasi-conviction qu'elle était un pur produit de mon imagination ; peut-être un stratagème mis au point par mon subconscient pour me montrer la sortie ? La tentative étant méritoire, j'ai résolu d'obéir à ses indications. Je me devais bien ça, et s'il se trouvait que j'avais vu juste, je mériterais une récompense ; par exemple, une dose supplémentaire de Raviss.

J'ai fini par trouver l'issue de la tuyère, puis l'accès à l'étage supérieur ; de là, j'ai gagné tant bien que mal le couloir de service, puis la sortie habituelle. Les vigiles m'ont adressé un salut joyeux mais à ce stade, je n'étais même plus capable de les voir. Tout était trop dense, trop pressant, et très, très noir. J'ai longé en trébuchant à chaque pas des rues pavées qui me paraissaient transformées en tunnels et j'avais conscience que le monde avait rétréci parce que je distinguais nettement la courbure de la terre ; d'ailleurs, j'étais contraint d'avancer précautionneusement, sinon j'allais perdre pied. Évidemment il pleuvait, et les nuages bas étaient si gonflés, si sombres qu'on se serait cru en début de soirée. Les parois du tunnel étaient percées de portes qui s'ouvraient périodiquement en laissant échapper des bruits de gens attablés dans des bars à nouilles. Ces bruits se muaient en petites créatures sonores enragées qui détalaient dans le tunnel tels des rats mécaniques. Sur quoi la porte en question se refermait et je me retrouvais seul dans un monde où le son proprement dit n'avait jamais existé, sauf sous forme de lumière verte émise par le crépitement de la pluie.

J'ai réussi à isoler l'immeuble de Hal dans la masse indifférenciée qui m'entourait et escaladé en clopinant un nombre infini de marches, dont chacune mesurait au moins deux mètres de haut. À un moment donné, je me suis retrouvé tout désorienté, puis j'ai vu que j'étais devant la porte de Face-de-rat et qu'elle était ouverte. J'ai trouvé cela très curieux et je suis entré, tout en sachant que dans mon état, il n'était pas très judicieux de côtoyer d'autres êtres humains. Par chance, le problème ne s'est pas posé : justement, Face-de-rat et son copain avaient été assassinés. On avait rendu leurs visages méconnaissables, apparemment à l'aide d'un fer à vapeur, et leurs organes internes ne méritaient plus ce dernier qualificatif. L'idée m'a bien effleuré que j'avais pu faire tout cela au cours des dix dernières minutes, mais comme le sang était sec et l'odeur désagréable, j'ai décrété que l'un dans l'autre, c'était peu probable.

Quand je suis finalement arrivé chez Hal, je me sentais vraiment mal. La seconde montée est la plus écrasante et elle s'accroche à toutes les précédentes comme une petite loupiote sur une guirlande de Noël. Les voix des morts étaient si sonores, si ténébreuses que je ne voyais plus où j'allais. Je me suis traîné jusqu'au centre de la pièce, j'ai sorti ma shooteuse et une nouvelle dose, et je me suis octroyé une rallonge. Le but du jeu était d'enlever un peu de mordant aux vilaines visions entraînées par le premier fix, en enrobant l'effet initial ; mais il est rare que ça marche. En fait, c'est même la plus glissante des pentes glissantes. Je suis resté un moment affalé, avec partout des visions de sang et de merde, puis j'ai perdu connaissance.

Quand j'ai entendu frapper à la porte, j'ai immédiatement ouvert les yeux… pour me rendre compte qu'ils étaient *déjà* ouverts, et ce depuis le début. Je revenais de très loin ; j'avais passé un moment dans une cachette lointaine, ancienne et exiguë, et mes globes oculaires me faisaient mal tant j'étais resté longtemps sans ciller.

La porte s'est ouverte et une silhouette s'est détachée sur fond de couloir mal éclairé. Il m'a fallu une éternité pour l'identifier. Je n'ai pas vraiment sauté de joie.

« Comment vous m'avez retrouvé ? » ai-je articulé d'une voix pâteuse. Ma langue claquait dans ma bouche comme un bâton sur des barreaux métalliques.

« Les types de l'entrée clandestine ont appelé Howie, m'a répondu Vinaldi avec un grand sourire. En disant, je cite : "Le costaud déjanté s'est fait la belle." Howie en a déduit que vous étiez là. Vous avez vu le carnage, au-dessous ?

— C'est Yhandim. Je l'ai vu avec ces mecs il y a deux ou trois jours. »

Saisissant la perche, Vinaldi a placé : « Il tient la petite et Quasi.

— Je le sais bien. Vous croyez me l'apprendre ?

— En tout cas, vous avez intérêt à vous magner. On a relâché Ghuaji ; Dath lui a discrètement collé un traceur. Il vient de quitter New Richmond et à l'heure qu'il est, lui aussi est quelque part dans la Porte. Un de mes employés l'a vu monter en voiture et il se dirige vers la cambrousse. Vers chez lui, quoi. » Vinaldi m'a tendu une main que je n'ai pas saisie.

« Je refuse toujours d'y retourner. »

Calmement, il a répondu : « Oh que si, vous allez y retourner, Randall. Et vous le savez pertinemment. Une camionnette nous attend dehors, et je vois qu'il va me falloir conduire, moi qui n'ai pas tenu un volant depuis au moins dix ans ; alors debout, maintenant. On part à sa recherche.

— Je ne vous comprends pas », ai-je répliqué en tentant de me relever seul. Je n'avais toujours aucune intention d'aller dans La Brèche. Seulement de le faire un peu chier en jouant son jeu. Mais les murs ondulaient dangereusement. J'ai bien failli renoncer. Malheureusement, une fois que j'ai été debout, la simple perspective de me rasseoir m'a paru insurmontable. « Vous n'avez qu'à rester à l'abri dans votre forteresse du 185e et laisser vos hommes s'en occuper. C'est quand même pour ça que vous les payez, non ? J'ai essayé de vous faire la peau, je vous le rappelle. Alors pourquoi restez-vous constamment sur mon dos ?

— Pour me racheter, Randall. L'expiation, vous connaissez ?

— J'ai déjà entendu le terme, mais je ne vois pas le rapport. Vous l'avez dit vous-même : tant pis pour eux s'ils ont été assez cons pour se retrouver largués dans La Brèche. Et même si ce n'était pas de leur faute, tout le monde a commis des horreurs là-bas, et il est trop tard pour y remédier. Alors payez pour ce que vous voudrez — la drogue que vous dealez aux Shelley Latoya qui en crèvent d'overdose, par exemple, ou pour tous les mecs que vous avez descendus —, mais moi, laissez-moi tranquille. »

À la fin de ma tirade, je braillais comme un sauvage. Vinaldi a laissé passer un temps avant de déclarer calmement et d'un ton sans réplique : « Allez, Jack. On perd du temps, là. »

J'ai relevé les yeux sur lui. Était-ce parce qu'il m'avait appelé par mon prénom — apparemment sans le faire exprès, sans préméditation ? D'un seul coup je n'avais plus sous les yeux Johnny Vinaldi, le roi des gangsters, le truand brutal qui tenait la moitié des bas-fonds de New Richmond au creux de sa paume, mais juste un homme obligé de se préparer mentalement face à une tâche qu'il n'avait nulle envie d'accomplir. Une tâche qui lui faisait peur, encore plus qu'à moi peut-être. Une tâche qui, pour des raisons propres à Vinaldi, me donnait une chance de me racheter moi aussi, en évitant pour une fois d'abuser du temps et de la patience d'autrui.

J'ai fermé les yeux et je me suis détourné ; et là, ça m'est tombé dessus : un frisson empreint d'irrémédiable, comme quand on se résout à avouer à son aimante épouse qu'on ne veut plus d'elle. Terreur et soulagement ; soulagement et terreur, si étroitement imbriqués que les deux vous font l'effet d'être un seul et même sentiment.

Je me suis baissé, en équilibre instable, pour ramasser mon attirail, puis : « Je voudrais seulement que vous sachiez une chose : si c'est par rapport à Yhandim que vous tenez à expier, ne comptez pas sur moi. Parce que dès que je l'aurai trouvé, étant donné qu'il a enlevé Quasi et Suej, je vais lui arracher la tête.

— J'aime mieux ça, a commenté Vinaldi en m'assenant une claque dans le dos. On est redevenu raisonnable, et on a bien raison.

— Foutez-moi la paix, j'ai marmonné. Alors, il est où ce camion ? »

À quatre heures de l'après-midi, nous traversions Covington Forge à tombeau ouvert sous un rideau de flocons de neige gros comme des chiots. On n'y voyait rien, le chauffage du véhicule était en panne et nous étions tous les deux gelés. La bouteille de Jack Daniels achetée dans une station-service de Waynesboro faisait de son mieux pour adoucir le climat mais ne nous apportait qu'une maigre consolation. Vinaldi me faisait la gueule parce qu'il avait demandé un cappuccino-amande et que l'employé et moi, on s'était bien foutu de lui. De toute évidence, il y avait un bon moment qu'il n'avait pas affronté le monde réel.

Le dérivateur de la Matrice installé à la périphérie de la ville avait grillé longtemps auparavant ; depuis, il servait de cible pour l'entraînement au tir. Covington Forge n'était donc plus reliée au réseau ; livrée à elle-même, elle en profitait pour s'autocannibaliser. Tandis que Vinaldi roulait dans les rues désertes, je me représentais l'Amérique sous la forme d'une immense matrice : un ensemble de villes chatoyantes et dangereuses, fourmillant d'individus aussi rusés que dénués de tout, interconnectées par une toile d'araignée d'auto-routes, gratuites ou non, et cernée de côtes plus tranquilles, saupoudrées de flâneurs âgés. Avec, dans les interstices, les brèches, une masse à demi effondrée de bourgades à encéphalogramme plat qui avaient raté le passage au XXIIe siècle — elles vivaient et, théoriquement, elles étaient les égales des autres, mais elles se décomposaient, elles se délitaient comme la peau sur le visage d'un grand malade. Le nez semble aussi pointu, les yeux aussi vifs qu'avant, les pommettes sont en place ; mais dans les régions intermédiaires, entre les parties saillantes, la chair s'affaisse.

Ce n'était pas une réflexion très profonde, mais j'avais l'excuse d'être transi. De part et d'autre, les bâti-ments semblaient d'accord avec moi, trop conscients de leur situation historique. Pour être francs, ils avaient l'air de faire la gueule. Les trottoirs étaient éventrés, les murs boursouflés, les toits à un poil de s'effon-drer sur les existences fétides qu'ils recouvraient. On avait l'impression de rouler à travers un cadavre aux entrailles putréfiées mais dont le torse se soulève encore, au rythme d'une respiration pas près de s'interrompre. Bref, c'était super.

On avait espéré que Ghuaji avait rendez-vous ici, mais il nous est vite apparu qu'en fait, il ne faisait que passer. J'étais en pleine redescente, malgré la sensation qu'on me touillait le cerveau du bout d'un index tiède. Les bruits étaient redevenus reconnaissables et je considérais comme réelles la plupart des choses que je voyais. C'est-à-dire, pendant presque tout l'après-midi, essentiellement une sombre masse d'arbres sur fond de collines à mesure que nous grimpions dans les Appalaches. Sous les derniers feux de l'après-midi, nous avions foncé sur la 64 en traversant notamment la scintillante Charlottesville avant de monter encore sur les contreforts des Blue Ridge. Après Waynesboro, Ghuaji avait pris la 81 en direction du sud, pour bifurquer dans la 60 à Lexington ; les routes étaient de plus en plus étroites et s'éloignaient constamment de la civilisation — ou ce qui en tient lieu de nos jours — en s'enfonçant dans une zone de transition mal définie.

Pendant que Vinaldi conduisait en silence, je m'occupais en fumant cigarette sur cigarette et en surveillant le Positionex monté sur le tableau de bord. L'appareil affichait la position de Ghuaji déterminée par GPS, sur fond de réseau routier local et au mètre près. Le plus difficile ne serait pas de garder sa trace, mais de savoir que faire quand on le rattraperait, ce qui n'allait pas tarder. Après Covington Forge, il n'y avait plus grand-chose.

« Mais enfin, où il va ? » a marmotté Vinaldi comme nous ressortions de la ville pour retrouver la campagne. « Le temps a oublié de passer, dans le coin. Je n'en reviens pas, à mon âge, de rouler vers nulle part, surtout par un temps pareil. » Sa voix assurée trahissait à peine l'unique sentiment contre lequel il se débattait : l'irritation.

« Dieu seul le sait, j'ai répondu en frissonnant de la tête aux pieds. À partir d'ici, il n'y a plus rien jusqu'à la Virginie-Occidentale. »

Avec un grognement, Vinaldi a reporté son attention sur le pare-brise d'un air relativement pessimiste, sans insister sur l'hostilité que lui inspiraient les arbres noueux et autres à-pics rocailleux. J'ai noté que selon le Positionex, Ghuaji avait réduit sa vitesse.

« On dirait qu'il va tourner, j'ai commenté. On devrait peut-être se rapprocher.

— Si vous avez d'autres conseils précieux, ne vous gênez surtout pas, a grommelé Vinaldi en exhalant un nuage de buée. "Ne lui rentrez pas dans le train" ou "Buvez votre café, il va être froid", par exemple. Sauf qu'évidemment, on n'a pas de café, vu que vous avez acheté du whisky en dépit de mes instructions pourtant claires.

— Là ! »

Il s'est arrêté et a regardé sans grand intérêt dans la direction que j'indiquais. J'avais failli passer à côté. Du côté droit de la route, à peine visible à cause de la neige et de l'obscurité, une route étroite partait dans les hauteurs.

« C'est à peine carrossable », a-t-il constaté, rompant le silence capitonné de neige.

Un coup d'œil à la carte m'a appris qu'il avait raison. À cent mètres de nous sur la gauche se trouvait une bretelle rejoignant la 616, mais à droite, rien ; pourtant, c'était bien là que s'était engagée la camionnette de Ghuaji. Le voyant du Positionex le montrait avançant vers l'ancien parc naturel de Douthat.

J'ai haussé les épaules. Vinaldi a donné un coup de volant et nous avons bifurqué dans le chemin. Aucun panneau n'en signalait l'entrée et il était tapissé de neige sauf là où Ghuaji avait laissé des traces de pneus. Une forêt dense se pressait de chaque côté, bien plus épaisse et plus présente qu'on pouvait s'y attendre. Vinaldi a marqué un nouvel arrêt le temps de scruter le paysage d'un air éloquent.

« Vous êtes sûr ? a-t-il demandé sur un ton dubitatif.

— Johnny, je ne suis sûr de rien. Mais tant qu'à suivre Ghuaji, autant le suivre jusqu'au bout, et c'est par là qu'il est allé. »

Nous nous sommes donc remis en route, en restant au milieu du chemin pour éviter les branchages envahissants. Je m'assurais en permanence, au moyen du Positionex, que la distance entre Ghuaji et nous demeurait constante, ce qui impliquait de rouler un peu trop vite à notre goût — même si nous n'atteignions vraiment pas des records en la matière. Si on dépassait le 45 à l'heure, les pneus patinaient et le véhicule se déportait. Mais quand on ralentissait, il menaçait de s'incliner devant les lois de la pesanteur et de repartir en arrière, vers le bas du raidillon. Vinaldi n'avait allumé que les veilleuses, mais je redoutais tout de même que Ghuaji ne les repère.

La route a cessé de monter au bout de dix minutes. La neige s'était calmée, et entre les rares flocons on apercevait un tronçon de route toute droite. On voyait également un arbre d'assez petite taille poussant sur la moitié gauche du chemin ; les phares l'ont baigné, au passage, d'un éclairage étrange.

Vinaldi s'est tourné vers moi. « Bizarre…

— Sans blague. » Apercevant quelque chose sur le bas-côté, je me suis penché tout près de la vitre pour scruter l'extérieur. Une vieille cabane, manifestement abandonnée depuis des décennies. Devant, des squelettes de pompes à essence. Pendant que Vinaldi examinait la scène, j'ai manipulé l'interface du Positionex afin de me repérer plus précisément. Mais le module refusait d'afficher la moindre route sur notre position, même en remontant à la fin des années 1990.

« Si l'on en croit les cartes, il ne devrait pas y avoir de route dans ce coin.

— Moi qui croyais en avoir définitivement terminé avec ce genre de trucs ! Moi qui croyais que c'était du passé !

— Et moi donc », ai-je soufflé.

Tout à coup, Vinaldi a tourné la tête vers la gauche et ses yeux ont paru balayer rapidement le rideau d'arbres qui bordait la route.

« Qu'est-ce qu'il y a ? ai-je demandé à voix basse.

— J'ai cru voir quelque chose. » Sa voix était altérée.

« Mais encore ?

— Une femme. Je crois. En tout cas une forme blanche qui courait entre les arbres, parallèlement à nous.

— Au bord de la route ?

— Non, une dizaine de mètres plus loin dans le bois. »

Aha, ai-je songé en resserrant mon manteau autour de moi.

J'ai regardé par ma vitre. À cet endroit, les arbres étaient plantés un peu moins serrés ; j'ai cru comprendre que nous longions une ancienne aire de pique-nique, quelque chose dans ce genre. Il y avait longtemps qu'elle n'existait plus, mais l'espace de quelques secondes, il m'a semblé discerner des formes dans la clairière où la nature avait repris ses droits ; peut-être une table de pique-nique entourée de quatre noyaux d'ombre. J'aurais même juré avoir fugitivement entrevu quatre paires de petits points lumineux orange qui nous suivaient du regard, mais c'était sans doute parce que mes propres yeux étaient écarquillés au maximum et que je n'avais pas battu des paupières depuis un bon bout de temps. Pourtant, j'étais sûr d'une chose : ça n'avait rien à voir avec le Raviss. En fait, c'était même pour ne plus affronter ce genre de trucs que j'étais devenu accro au Raviss.

Vinaldi m'a entendu inspirer brusquement. « Vous avez vu quelque chose ?

— Non. Rien de réel. Encore des rêves, c'est tout.

— On se rapproche, hein ?

— Faut croire. Regardez le Positionex. » Le voyant signalant la progression de Ghuaji s'était immobilisé à environ huit cents mètres devant nous. J'ignorais où nous allions, mais apparemment, nous étions presque arrivés.

Vinaldi a ralenti progressivement puis s'est arrêté ; il a baissé la tête jusqu'à ce qu'elle finisse par reposer sur le volant. « Oh, merde », a-t-il dit d'une voix que j'entendais trembler pour la première fois. « C'est maintenant que je m'en rends compte, mais vous aviez peut-être raison de ne pas vouloir *y* retourner. Tout à coup, votre solution me paraît frappée au coin du bon sens. Celle qui consistait à se terrer quelque part sans rien faire en attendant que ça se passe.

— Ouais, ai-je commenté en allumant *deux* cigarettes. Mais c'est vous qui aviez raison. Je n'avais pas le choix. Si Quasi et Suej sont là-dedans, il faut que j'y aille aussi. Vous non, en revanche. Vous pouvez me laisser là et faire demi-tour. »

Vinaldi n'a pas bronché ; il respirait bruyamment. Ce n'était pas du théâtre, je le savais. Il y songeait sérieusement. « Tout seul, vous n'avez pas l'ombre d'une chance, a-t-il enfin lâché.

— C'est valable pour tout le monde. Et pourtant, on est encore là, tous autant que nous sommes. »

À ces mots, il m'a regardé dans les yeux. Puis, tout doucement, il s'est mis à rire. « Si vous continuez votre baratin, je vous fous dehors le cul dans la neige et je rentre. Un repas chaud, une femme également chaleureuse, et je me marrerai bien en pensant à vous, qui vous gelez à mort dans ce trou. »

J'ai souri et je lui ai passé une des deux cigarettes. « Marché conclu. »

Vinaldi a secoué la tête, puis fait rugir le moteur. Nous nous sommes élancés sur la route, qui nous paraissait encore plus sombre, encore plus abandonnée.

C'est alors que le voyant du Positionex s'est éteint.

13

« Merde ! s'est exclamé Vinaldi. Qu'est-ce qu'il a, ce truc ? »

J'ai donné un coup de poing à l'appareil. Geste bien inutile, puisqu'il s'agissait d'une masse d'un seul tenant et parfaitement impénétrable, mais les vieilles habitudes ont la vie dure. Aucune réaction. Puis, deux secondes plus tard, le point lumineux est réapparu… pour s'éteindre aussitôt. J'ai eu beau taper sur l'engin, il n'est pas revenu.

« Insistez, a dit Vinaldi. Menacez-le de l'abattre sur place, s'il le faut.

— Ce n'est pas lui qui est en cause, ai-je promptement répondu. Ghuaji doit être presque arrivé. Si on ne le rattrape pas, il va s'introduire sans nous. »

Vinaldi a enfoncé la pédale de l'accélérateur — mais trop violemment : les roues arrière ont patiné et le véhicule s'est déporté à cause du verglas. Il a tout de même réussi à redresser suffisamment pour que les roues trouvent une prise sur le chemin et, avec une dernière embardée, nous avons continué en direction d'un virage marquant la fin du tronçon à plat.

« On ne le rattrapera jamais, a prédit Vinaldi entre ses dents tout en luttant pour garder le contrôle du véhicule. Je ne peux pas rouler assez vite. On risque de sortir de la route.

— Allez aussi vite que vous pouvez, voilà tout. »
J'ai fouillé dans mes poches à la recherche d'un chargeur neuf, que j'ai engagé d'un coup dans le magasin.
Puis j'ai sorti deux paquets enveloppés dans de l'aluminium. « Si on le perd, autant quitter la route, de toute
façon. Pour vous autant que pour moi. Nous sommes
en fin de parcours. Et nous ne sommes pas les seuls.

— Qu'est-ce que vous racontez ?

— Si on n'empêche pas Yhandim de faire l'aller et
retour, il va y avoir de plus en plus de fuites. Tout va
changer, et pas pour le mieux.

— Vous devriez vous spécialiser dans la carte de
vœux genre "Tous mes souhaits pour votre mariage
— je suis sûr qu'il ne durera pas" ou bien "J'ai su que
vous étiez mort — sincères condoléances". »

Il a accéléré et nous nous sommes dangereusement
approchés du tournant en essayant de suivre les traces
de pneus. Les arbres défilaient à toute allure et de
sombres branchages heurtaient le véhicule au passage.
Beaucoup trop tard à mon goût, Vinaldi a braqué et les
roues se sont bloquées ; nous avons dérapé en direction
d'une paroi rocheuse. J'ai fermé les yeux et regretté
de n'avoir pas mieux choisi mes derniers mots. En
les rouvrant, j'ai vu que contre toute attente, il s'était
débrouillé pour négocier le virage sans interrompre la
glissade.

« Joli, ai-je commenté. Mais s'il vous plaît, ne
refaites jamais ça. » Puis il a freiné brusquement et
éteint les phares. Je me suis tu.

Nous nous trouvions dans une clairière plus ou moins
circulaire. J'apercevais les feux arrière de Ghuaji à une
soixante de mètres devant nous. Ils ne se déplaçaient
plus.

Nous étions arrivés. Nous ne savions pas où, mais
c'était là.

« Qu'est-ce qu'on fait ? s'est enquis Vinaldi.

— On avance. En faisant le moins de bruit possible. »

Nous avons couvert une vingtaine de mètres, puis est apparue une saillie rocheuse derrière laquelle j'ai fait signe à Vinaldi de s'arrêter. De là, nous pouvions constater deux choses : un, le moteur tournait toujours mais Ghuaji n'était plus au volant ; et deux, un bâtiment se dressait sur le côté gauche de la route. Les murs en béton étaient anciens et abîmés ; apparemment, il était à l'abandon. Pas de lumière aux fenêtres, pour la plupart brisées. La disposition des lieux était d'une familiarité dérangeante, mais c'est seulement quand j'ai identifié la zone plane comme étant un enclos que j'ai compris à quoi nous avions affaire.

« Une Ferme ! me suis-je exclamé, ahuri. Une Ferme SécuRéseau à l'abandon. » Sur cette révélation, je me suis retourné sur mon siège pour l'observer dans son ensemble.

Jadis, une clôture électrifiée avait dû ceindre l'endroit où nous étions arrêtés. Le bâtiment principal s'adossait à la montagne, où j'étais bien sûr que s'enfonçaient des tunnels, autant de matrices désertées. J'espérais qu'ils étaient vides. Mais rien à craindre de ce côté-là : *ils* n'abandonneraient jamais de précieux alters en même temps que les locaux. Mais l'espace d'un instant, les autres possibilités me sont apparues, par trop réelles. Je me représentais des corps nus, dégradés, rampant dans le noir jusqu'à la fin des temps en se nourrissant les uns des autres, ou bien de leurs excréments, jusqu'à ce qu'il ne reste plus rien.

Je n'avais pas encore pris toute la mesure de ce que les Fermes avaient d'extraordinaire, de ce qu'elles révélaient vraiment sur l'humanité. En contemplant ces ruines, j'ai senti descendre le long de ma colonne vertébrale un frisson totalement indépendant de la température extérieure, et même de La Brèche : le lien entre les Fermes et cette dernière sautait aux yeux ; en un sens, derrière les unes comme derrière l'autre, on trouvait la même mentalité.

« Pourquoi ici ? » s'est enquis Vinaldi.

Je me suis péniblement extrait de mes pensées en haussant les épaules. « Aucune idée. On n'est pas plus près de La Brèche ici qu'ailleurs.

— Sauf si Maxen a trouvé un moyen de circuler entre les deux.

— Impossible.

— Pourquoi ? On nous en a bien fait sortir, nous.

— Non. C'est La Brèche qui s'est débarrassée de nous, en fait. On n'a fait que nous rapatrier.

— Allons, allons. Si cette saloperie n'était qu'une espèce de zone de code foireuse, comme on nous le disait, pourquoi serait-il impossible à un bidouilleur d'y entrer par effraction ? »

J'ai secoué la tête. « Cette histoire de zone de code, c'était la version officielle, rien de plus.

— Et vous, vous avez une autre idée, hein ? » Son ton se teintait d'ironie, ce qui était bien fait pour moi, finalement.

« En effet. »

C'est alors que nous avons aperçu Ghuaji. Il sortait en boitant de l'ancienne Ferme en tenant quelque chose en laisse. Le soldat avançait lentement, gauchement, en traînant la patte. Nous étions trop loin pour distinguer les détails, mais on pouvait supposer sans grand risque d'erreur qu'à présent, il souffrait le martyre ; ses blessures — à la tête et ailleurs — étaient en train de se rouvrir et cherchaient à attirer tout son corps vers la place que ce dernier rêvait d'occuper : un trou six pieds sous terre, où l'attendait une forme de paix. Mais au lieu de cela, Ghuaji tentait de le ramener là où il n'avait jamais eu sa place.

283

« Qu'est-ce qu'il tient ? a soufflé Vinaldi. Et puis, si on est là à regarder, est-ce que ça va marcher quand même ?

— Réponse aux deux questions : je ne sais pas.

— Un chat, a repris Vinaldi. Il y a un *chat* au bout de cette laisse. »

Le félin était petit et malingre ; à la lueur des phares, il semblait malade et sous-alimenté. Manifestement, ce n'était pas un animal de compagnie réquisitionné pour l'occasion mais une espèce d'instrument apporté sur place des semaines plus tôt dans un but bien précis. Sa présence prouvait que l'expérience avait été couronnée de succès. Qu'il n'ait pas été nourri depuis, mais simplement abandonné sur place jusqu'à ce qu'on ait à nouveau besoin de lui, voilà qui achevait la démonstration. Maxen et ses acolytes ne méritaient qu'une seule chose : un bon coup de pied en pleine tête.

Ainsi Maxen avait bel et bien trouvé un passage. Selon toute probabilité, ça n'aurait pas marché si Yhandim et les autres ne s'étaient pas efforcés au même moment de sortir, mais le résultat était là. Peut-être les deux côtés devaient-ils nécessairement entrer en contact en certaines occasions. Qui sait ? Qu'il s'agisse du hasard, du destin ou de forces obscures, quelle importance ? Il n'était plus temps de feindre. Vingt années allaient s'envoler en fumée.

Nous étions à peine plus que des adolescents, vous savez. Dix-huit, dix-neuf ans. Non, on n'était pas plus âgés que ça quand *ils* nous ont introduits dans un monde auquel nous ne comprenions rien. Ils nous ont laissés là-dedans jusqu'à ce que l'évidence apparaisse : nous n'avions aucune chance de gagner ; alors ils nous ont fait ressortir et ils nous ont balancés. Sauf qu'ils ont extrait les *corps* sans vérifier qu'on avait toujours une âme.

Ghuaji s'est penché par la portière de son véhicule pour couper le contact. Heureusement, plus rapide que moi, Vinaldi a simultanément éteint notre moteur. La montagne et le ciel étaient silencieux à l'extrême ; on n'entendait que le crissement des pas de Ghuaji dans la neige et le battement de nos propres cœurs. Tiédeur et froidure ne cessant de se rapprocher l'une de l'autre.

« Il va nous voir, a murmuré Vinaldi.

— Peut-être, mais ce n'est pas sûr. Pour le moment, je ne crois pas qu'il voie grand-chose.

— Il est quand même arrivé jusqu'ici.

— Certes, mais il a aussi pris une balle dans la tête. Ce n'était peut-être pas lui qui pilotait. Si ça se trouve, on l'a "attiré" jusqu'ici.

— Ne recommencez pas avec ces conneries. » Je lui ai fait signe de baisser le ton : Ghuaji traversait la route à trente mètres devant nous. Il n'y avait presque pas de lumière et il regardait ailleurs, mais je m'expliquais toujours mal qu'il n'ait pas surpris un reflet de clair de lune sur notre carrosserie. Sa tempe s'est trouvée brièvement éclairée et j'y ai distingué du sang, ainsi qu'une tache sombre sur sa chemise. Sa fin était proche ; s'il ne trouvait pas rapidement l'entrée, il allait mourir, et avec lui tous nos espoirs. Quasi et Suej avaient disparu depuis près de douze heures maintenant. Je ne voulais pas penser à ce qui avait d'ores et déjà pu leur arriver, sans parler des autres alters.

Le chat encordé avançait derrière Ghuaji en levant les pattes un peu plus haut à chaque pas, à cause de la neige. C'était une chatte. Elle a tourné la tête vers notre camionnette et nous a regardés comme si elle redoutait de la voir exploser d'un moment à l'autre, puis elle s'en est désintéressée et s'est remise en marche en observant le monde autour d'elle.

Après avoir franchi la route et parcouru cinq mètres, Ghuaji s'est immobilisé, tête baissée. La chatte l'a dépassé et est entrée sous les arbres, à la lisière de l'enclos, en traînant la corde derrière elle.

« Ça alors ! Mais qu'est-ce qu'il fout ? » Vinaldi paniquait.

« Vous avez bien dû entendre raconter la fameuse histoire. Comment on a découvert La Brèche. » Maintenant que le moment était venu, j'éprouvais une curieuse sérénité, comme quand on vient d'avoir un grave accident de voiture. Comme si toute sa vie on avait pressenti l'imminence de la catastrophe, et que dans les secondes qui suivent l'accident, on trouvait enfin quelques instants de paix, de soulagement, après la tension découlant de l'attente.

« J'en ai entendu au moins cent dès le premier jour, a-t-il répliqué avec irritation. Je n'en ai pas cru une seule.

— À moi aussi, on m'en a raconté plein, ai-je opiné, mais une seule m'a paru crédible. » Le chat circulait entre les arbres en vaquant à ses affaires de chat, comme toujours mystérieuses.

« Vous n'allez pas encore me sortir une de vos absurdités baba cool, non ?

— Un jour, ai-je poursuivi sans tenir compte de sa remarque, un type observait un chat — je ne sais où, en tout cas pas dans le coin ; quelque part sur la côte Ouest, je crois. Et si ça se trouve, ce type planait complètement, vous avez raison. Quoi qu'il en soit », ai-je poursuivi en prenant ma shooteuse dans la poche de mon blouson pour la poser sur le tableau de bord, « il l'a observé un bon bout de temps, ce chat, et il a eu une révélation ; une des grandes vérités de l'existence lui est apparue.

— Ah oui ? Et laquelle ? » Vinaldi regardait la seringue d'un air soupçonneux. J'ai ouvert deux paquets de papier alu et je les ai soigneusement disposés sur l'écran du Positionex.

« Les chats sont toujours du mauvais côté de la porte, ai-je poursuivi. Si on ne les laisse pas sortir, ça suffit pour qu'ils veuillent aussitôt être dehors. Et si on leur ouvre, tout d'un coup, ils veulent rentrer. Si on ne les laisse *jamais* sortir de la maison, ils ont envie d'aller dans les placards ; mais si on les enferme dans un placard, ils veulent en ressortir. Mettez un chat n'importe où sur terre et il voudra instantanément être ailleurs. »

Un regard par le pare-brise m'a appris que Ghuaji était toujours immobile et que le chat avait atteint l'extrémité de l'enclos. Il continuait à flairer à droite et à gauche en inspectant les environs. J'ai pris la bouteille de Jack Daniels par terre et j'ai versé un peu de whisky dans le bouchon. Puis j'y ai plongé le bout de mon doigt et soigneusement déposé la goutte ainsi collectée dans un des bouts de papier alu dépliés. J'ai répété l'opération avec l'autre paquet et regardé les deux petits tas de Raviss se liquéfier. En quelques secondes, deux minuscules flaques de concentré formaient sur le papier comme deux gouttes de mercure.

« Le type a cogité là-dessus en se demandant ce que le chat peut bien vouloir. Il s'est mis en tête qu'il existait une porte quelque part et que tous les chats la cherchaient. Alors un jour qu'il était stone et qu'il n'avait rien de mieux à faire, il a fait sortir le chat et décidé de le suivre partout. Évidemment, la première réaction de la bestiole a été de rentrer. Naturellement. Puisque c'est un chat. Au bout d'un moment, il ressort et s'aventure dans le jardin. Lequel, voyez-vous, se prolonge par un bois où le chat a l'habitude d'aller se promener. Le type lui file le train à distance et le regarde vaquer à ses activités habituelles.

— Moi, je crois que Ghuaji est mort, a coupé Vinaldi.

— Mais non. Écoutez-moi. J'ai presque fini. Le type suit le chat toute la journée dans ses pérégrinations.

— Je ne sais pas ce qu'il s'était envoyé dans les veines, mais ça devait être efficace.

— Il le regarde passer derrière les arbres, descendre dans les creux, remonter, bref, faire le chat, quoi. Et là…

— Il se passe quelque chose, m'a interrompu Vinaldi.

— Quoi ?

— Je ne sais pas. J'ai vu quelque chose.

— Mais *quoi* ?

— *Je ne sais pas !* C'est pour ça que je dis "quelque chose". »

Je me suis vivement emparé de la seringue hypodermique, j'ai ajusté une aiguille neuve, puis empli le réservoir. Après en avoir éjecté une gouttelette par le bout de l'aiguille, j'ai relevé les yeux et constaté que Vinaldi avait raison. La tête de Ghuaji s'était redressée, bien que ses yeux fussent toujours fermés. Le chat avançait sous les arbres en traînant sa corde. D'ailleurs, on ne le voyait plus ; seule restait visible cette laisse improvisée plongeant dans les ténèbres. Moi, j'y avais toujours cru, à cette histoire. Il y a sacrément longtemps qu'on idolâtre les chats, qu'on en fait des animaux familiers. Il doit bien y avoir une raison.

Alors j'ai entendu un bruit. L'écorce grinçait, les branches riaient, le clair de lune égratignait le ciel. Par la vitre, j'ai vu une unique feuille d'arbre filer sur la neige le long de la camionnette. Pourvue de deux tiges, elle s'en servait de pattes et courait vers je-ne-sais-quoi ; ou alors elle fuyait, et je ne saurai jamais quoi.

« Ouais, c'est parti », ai-je constaté. Vinaldi tremblait de la tête aux pieds.

« J'aurais dû vous écouter. Rester à New Richmond. » Je lui ai tendu la seringue mais il a secoué la tête de toutes ses forces. « Pas question que je m'envoie cette saloperie. À l'époque, il m'a fallu deux ans pour me désintoxiquer.

— Si, il le faut. Vous allez être obligé de partager, mais vous n'y couperez pas. La première fois, on s'en est sortis de justesse, Johnny. Depuis, on a pris de l'âge. Si vous ne vous protégez pas, vous allez perdre la raison vite fait. »

Il a multiplié les signes de dénégation. J'ai remonté ma manche et planté l'aiguille. À présent, Ghuaji se tenait bien droit et dans sa main, la corde se tendait avec plus d'insistance. Le chat avait atteint la limite de sa marge de manœuvre ; mais à mon avis, ça n'aurait guère d'importance.

À ce moment-là, l'Inversion s'est produite et Vinaldi a poussé un cri. L'intervalle entre les arbres est devenu solide tandis que les troncs, eux, devenaient des brèches. J'ai tourné lentement la tête pour regarder l'ancienne Ferme et constaté que là aussi le phénomène s'était produit. Le bâtiment proprement dit s'était transformé en néant, en absence, tandis que l'espace alentour prenait une consistance quasi impénétrable au regard.

« Oh, bordel de merde, non ! » s'est écrié Vinaldi en me tendant brusquement son bras. J'ai remonté sa manche, planté à nouveau l'aiguille et injecté la seconde moitié de la dose, qui était double et extrêmement forte. Dehors, le bruit s'amplifiait à mesure que les brèches entre les sons devenaient elles-mêmes sonores, et que les vrais bruits, eux, s'évanouissaient. Et croyez-moi, c'est dans ces moments-là qu'on quantifie le silence pour de vrai. Les silences entre amants quand certaines choses doivent être dites à tout prix ; le silence d'un parent face à un enfant qui, plus que tout au monde, a besoin d'entendre un mot et un seul ; les silences, les intervalles et tout ce qui ne constitue pas une réponse. Tous ces mutismes et d'autres encore se sont rassemblés autour de nous, s'infiltrant comme dans un entonnoir à l'intérieur des instants et des lieux où les choses n'arrivaient pas, et où personne ne trouvait le salut.

Pour moi, une chose résume mieux que toute autre la réalité de La Brèche : un avertissement reçu quand j'étais petit, au bord d'un lac ; un dessin représentant sommairement un gamin tombé à l'eau. Personne à proximité ; rien que ce petit garçon s'enfonçant de plus en plus profondément. Il tendait le bras, sa bouche s'ouvrait sur un cri suppliant, mais il allait mourir, on le sentait bien. « NE JOUEZ PAS N'IMPORTE OÙ », disait la légende. « IL N'Y AURA PEUT-ÊTRE PERSONNE POUR VENIR À VOTRE SECOURS. »

Soudain le bras de Ghuaji a tressauté : la corde s'était tendue au maximum. Ses paupières se sont rouvertes : elles laissaient échapper un rayon lumineux qui se projetait sur les arbres. Sauf que ce n'était pas à proprement parler de la lumière ; plutôt un point de vue différent, un regard de biais. Le spectacle auquel nous assistions par l'intermédiaire de sa vision personnelle n'avait aucune existence ; mais il aurait pu en avoir. La corde a de nouveau tressauté. Ghuaji a fait un pas mal assuré en direction du chat, lequel avait dû trouver la fameuse porte, celle que ses congénères cherchaient depuis l'éternité.

« Démarrez, ai-je intimé à Vinaldi.

— Mais… il va nous entendre, non ?

— Non. Nous ne serons qu'un bloc de silence, au contraire. »

Vinaldi a tourné la clef de contact et le moteur s'est mis en marche avec réticence ; une minute de plus et il ne voulait plus rien savoir. Nous avons regardé Ghuaji s'enfoncer en trébuchant sous les arbres. J'ai fait signe à Vinaldi de prendre la même direction.

« Comment voulez-vous qu'on passe avec la camionnette ?

— Allez-y, je vous dis. Et faites bien attention à rester juste derrière lui. »

Tout à coup Ghuaji a pressé le pas, un peu parce qu'il attaquait une pente escarpée, mais surtout, emporté par son élan. Au moment où Vinaldi braquait pour sortir de la route, les premiers effets du Raviss se sont fait sentir ; c'étaient les signes avant-coureurs des signes avant-coureurs, et ils s'insinuaient dans mon métabolisme. « Encore ! Mais c'est pas vrai ! » a protesté mon cerveau. En fait, c'était la seule solution, il le savait — en plus, elle intervenait à point nommé. La camionnette a dévalé la pente en cahotant ; l'Inversion était plus sensible ici : l'espace entre les choses donnait l'impression de résister ; Vinaldi a dû enfoncer la pédale d'accélérateur, alors que nous étions en pleine descente. Ghuaji ne s'est pas retourné ; pourtant, nous n'étions qu'à cinq mètres de lui. Il ne nous entendait pas. La laisse du chat était tendue devant lui tel un câble en acier et le tirait tellement fort qu'il était obligé de courir.

Alors une vibration sonore est née dans la terre et s'est mêlée au bruit de la camionnette, oblitérant le silence en venant s'y ajouter. On avait la sensation que le véhicule glissait le long d'un canal sans aspérités taillé à même l'air, et que les cahots provoqués par le sol accidenté n'étaient que des turbulences. Les arbres étaient encore plus serrés, le rictus de Vinaldi plus contracté sous l'effet de la concentration ; puis Ghuaji a lâché la corde et s'est élancé à l'instant même où je voyais le chat revenir à toute vitesse en sens inverse. Il avait découvert ce qu'il y avait de l'autre côté et ce n'était absolument pas à son goût.

Ghuaji, lui continuait à courir ; j'ai crié à Vinaldi d'accélérer et notre véhicule s'est mis à foncer vers le bas de la pente. Les arbres ne paraissaient plus se dresser qu'à une dizaine de mètres. L'espace d'une seconde l'habitacle s'est mis à ressembler à l'intérieur d'un tronc ; les surfaces étaient mouchetées, parcourues de lignes. J'ai su que ce n'était plus qu'une question de secondes.

« Oh, merde », a lâché Vinaldi.

Lui aussi savait. « Détournez les yeux, ai-je ordonné. Ne me regardez pas, et ne *le* regardez pas non plus. Dirigez-vous vers le plus gros arbre et surtout, *ne regardez pas* ! »

Juste avant de tourner la tête, j'ai vu devant nous un gros tronc ; oubliant ses blessures, Ghuaji s'est élancé vers lui. L'arbre faisait bien un mètre de diamètre ; un véritable pilier de ténèbres. Mais à présent, ce n'était plus une *chose*. Dans la noirceur de sa substance, je percevais les ombres de l'au-delà. L'arbre n'était plus qu'une brèche dans l'espace imperméable, et à travers cette brèche je distinguais la silhouette d'autres arbres, des arbres qui poussaient dans une forêt différente, un lieu différent.

J'ai détourné la tête de manière à ne voir ni Vinaldi ni Ghuaji et regardé défiler les autres brèches, qui s'entremêlaient et tourbillonnaient tandis que la camionnette faisait crisser de gros cailloux sous ses pneus en se précipitant vers l'ailleurs sur les traces de Ghuaji.

Vinaldi a poussé un cri au dernier moment, comme pour tenter de changer de cap par le seul pouvoir des mots. Mais il était déjà trop tard.

Le véhicule a heurté l'arbre de plein fouet et est passé à travers.

14

Au début, on a prétendu que c'était l'« Internet »,
comme on disait à l'époque. Que la circulation sur le
réseau était devenue trop dense, que ce monde virtuel
avait fini par peser trop lourd, que l'homme au chat
n'avait fait que constater : c'était déjà commencé. On a
dit tout cela, mais ce n'était pas la vérité.

C'est sûr, l'Internet a cessé de fonctionner quinze
jours avant la découverte de La Brèche, et on n'a jamais
compris pourquoi. C'est vrai, on a dû se rabattre sur la
Matrice de substitution, qui était d'ores et déjà en place,
et l'ancien réseau n'a plus jamais marché.

Mais La Brèche avait toujours été là, à attendre.

Puis on a incriminé le còde, ces petites lignes de programmation syntaxiques jusque-là considérées comme
inviolables, parfaites, autant d'instructions simples
adressées à des êtres simples, les microprocesseurs qui,
dans le grand inconnu de l'intérieur, faisaient fleurir du
sens pour créer de la fonction. Nous croyions nos lan-
gages artificiels à l'abri de toute ambiguïté ; mais dès
le premier jour il y a eu des fuites. Dans un langage
naturel déjà, la même phrase prononcée avec deux
inflexions différentes donne lieu à deux interprétations
légèrement divergentes. Et nous n'avions pas envisagé
toutes les conséquences de ce phénomène au niveau du
code, pour la bonne raison qu'on ne savait pas vraiment
comment pensaient les ordinateurs. Alors tous les sous-

entendus qui ne nous atteignaient pas, toutes les allusions, tous les corollaires invisibles, dit-on, ont fini par se combiner, se déplacer et créer un lieu *autre*.

On a cru saisir le fond de l'affaire quand on a cessé d'écrire en « code collapsé », langage basé sur la structure de la pensée humaine propre et qui, pour peu qu'il soit parfaitement rédigé, s'effondrait sur lui-même en donnant naissance à un programme constitué d'une seule et unique ligne de code à la signification opaque, même pour l'auteur de départ. Avec l'apparition de ce langage de programmation, le processus d'écriture a pris des allures d'enfance — égarées, insaisissables. Les programmes tournaient (ils tournaient même admirablement) mais on craignait constamment d'avoir inclus au sein de leurs instructions un élément imprévu. Surtout une fois qu'on a confié aux ordinateurs eux-mêmes la tâche de les écrire, ces programmes. Les machines s'en tiraient bien, bien mieux que nous, mais leurs motivations étaient parfois incertaines ; or, une fois le code scellé, on ne savait plus du tout ce qui se passait à l'intérieur. Peut-être s'y disait-il des choses que nous n'étions pas en mesure de saisir ; peut-être s'agissait-il de discussions que les humains n'étaient plus autorisés à surprendre.

À partir du moment où on a interdit le code collapsé, La Brèche a cessé de s'étendre ; il y avait donc un peu de vrai dans cette théorie. Mais nous étions quelques-uns à croire qu'il n'avait joué qu'un rôle de catalyseur en nous permettant d'accéder à ce que nous cherchions depuis le début sans nous rendre compte de ce que nous pouvions trouver.

On n'aura jamais de certitude, d'ailleurs, car maintenant que c'est fini, personne ne veut plus y repenser. En essayant de conquérir La Brèche, nous avons commis une erreur ; et les erreurs, en général, on ne s'en vante pas. La guerre a été tenue secrète et le résultat fut un silence assourdissant. On n'a pas tourné de films racontant ce qui s'y était passé, et on n'en tournera jamais. Ce fut une défaite de trop. Officiellement, ce ne fut même pas une guerre mais un « Service d'entraînement », et vous seriez surpris de savoir combien d'Yeux-de-Feu sont morts dans des circonstances douteuses depuis qu'elle est terminée. Surtout parmi ceux qui s'étaient mis à raconter.

Vous n'en trouverez pas mot dans les livres d'histoire, et pourtant, c'est arrivé. Je suis bien placé pour le savoir. J'y étais.

Nous avons trouvé le moyen de pénétrer dans l'inconscient du monde, mais au lieu de le respecter, de laisser son influence positive filtrer dans l'univers du conscient comme il en a été de tout temps, nous avons voulu donner l'assaut, y prendre le pouvoir comme s'il s'agissait d'un nouveau territoire à conquérir. Nous avons trouvé le jardin d'Éden et nous l'avons noyé sous le napalm ; nous avons découvert les fontaines inépuisables du pays d'Oz et nous avons pissé dedans ; nous avons déniché la source d'énergie qui garantissait au monde sa santé d'esprit et nous y avons répandu le virus de la démence. Peut-être avons-nous même mis la main sur la vérité — celle que, selon mon père, le monde réel *devait* receler ; dans ce cas, nous aurions mieux fait de ne pas y toucher.

« La Brèche » n'a jamais été la dénomination officielle du phénomène. En fait, il portait plusieurs noms dont la longueur augmentait proportionnellement à l'ascendant de leur auteur. Mais ceux qui y sont réellement allés ne l'ont jamais appelé autrement. Et quand on nous y a fait entrer, nous qui n'avions rien de mieux à faire que de servir de cobayes pubères dans une guerre qui ne nous concernait pas, pourquoi nous a-t-on positionnés de manière que nous ne puissions ni voir les autres, ni être vu par eux ? Parce qu'à mon avis, c'était ça, La Brèche, justement. Ça voulait dire tomber entre les fissures, se retrouver coupé de la boucle, confiné dans le rôle de code inactif, mort — de code qui a perdu sa place dans le programme, oublié de tous.

Pour moi, La Brèche est composée de tous les lieux où personne ne va, de tous les points de vue ignorés. Elle naît du silence, de la carence, de tout ce qui a été supprimé, non lu ; c'est l'intervalle, le fossé, la brèche entre ce qu'on désire et ce qu'on possède, l'amour et l'affection, l'espoir et la vérité. C'est d'elle que proviennent les signaux erronés, les répliques mal venues, et elle est la réponse à une question : l'arbre existe-t-il s'il n'y a personne pour le contempler ?

Oui, il existe, mais dans La Brèche. Où il sera loin d'être le seul, où l'ombre est loin d'être protectrice, et où les arbres n'ont rien de bienveillant.

Rapide succession d'images, par éclairs : des moignons hydrauliques ; des nuques ensanglantées ; des armes enrayées ; la peur. Des images sans aucune réalité — rien qu'un spasme de remémoration.

Puis Ghuaji devant nous, même s'il n'était pas tout à fait là ; seuls ses vêtements couraient sous les arbres en s'inclinant sur le côté ou en faisant de brusques écarts, comme s'ils essuyaient une grêle de balles. Le rugissement du moteur au milieu du silence. Et puis les arbres. Les arbres étaient tous là.

Nouvel éclair, cette fois bien réel : un craquement sonore — la camionnette vient de percuter un alignement de troncs. Vinaldi et moi entrons en collision avec le pare-brise. Il se fendille, mais pas suffisamment ; c'est à peine conscients que nous passons nos premières secondes dans La Brèche.

Puis la brume se dissipe et, en proie au vertige, je vois les mêmes vêtements suspendus dans l'air à quelque distance, telle une corbeille à linge en cavale. Je reste un instant atterré, comme au bord de refaire un cauchemar récurrent qui, le jour, ne laisse pas de traces mais, la nuit, revient tel un vieux gant souillé. Une appréhension incommunicable où il est question de demi-tours amorcés, de regards fixes, de cris entre les rayonnages et de souliers pointant sous les rideaux au beau milieu de la nuit. « Viens nous voir », disent les souliers. Mais leur ancien propriétaire est mort, vous le savez, et ils n'ont rien à faire là.

En constatant que je voyais toujours courir les habits alors que huit cents mètres au moins nous séparaient, j'ai su que ça y était. Il fait très noir, là-dedans ; un noir de soie. Pourtant, on y voit quand même. C'est inimaginable tant qu'on n'y est pas allé, et une fois qu'on a vu ça, on ne peut plus l'oublier. Il y a ce silence, cette extrême immobilité ; mais quand on a entendu ce silence-là, on reste pour l'éternité les mains plaquées sur les oreilles afin de se protéger du vacarme.

Ce n'est pas un cauchemar. Qu'on l'explique comme ceci ou comme cela, ça n'a rien à voir avec un rêve. C'est là, c'est tout. Et nous étions là aussi.

Vinaldi s'est affaissé dans son siège en secouant la tête ; était-ce à cause de la collision, du Raviss ou de La Brèche, je n'aurais su le dire.

« Ça va ? je lui ai demandé.

— Non. Non, ça ne va pas du tout, merde ! »

Je l'ai secoué doucement par l'épaule. « Il faut y aller tout de suite, sinon on ne le rattrapera jamais. » Il a cherché à tâtons à actionner le levier de changement de vitesse, mais sans grands résultats : autant agiter un bâton pourri dans de l'eau ; ça ne faisait aucun effet. « Je ne crois pas que la camionnette soit *vraiment* là, ai-je ajouté. Allez, descendez. »

J'ai attrapé autant de munitions que je pouvais en fourrer dans mes poches, j'y ai ajouté un des fusils à pompe que Vinaldi avait eu la bonne idée d'apporter, puis j'ai ouvert la portière et mis pied à terre. Vinaldi a fait de même de son côté et nous sommes restés un instant indécis, à regarder autour de nous.

Dans La Brèche, l'obscurité a quelque chose d'étrange. Elle s'apparente à l'absence de toute lumière puisque le soleil n'y a jamais brillé, et pourtant, parfois, du coin de l'œil, on dirait un coucher de soleil aux rayons obliques. Quand on tourne la tête, on voit d'autres choses, des éclairages différents. Pendant une seconde, j'ai cru voir une lumière vespérale se refléter sur le toit de la camionnette, puis tout est redevenu d'un noir soyeux et le véhicule a repris son aspect d'espace coloré sous mes yeux. Il règne là-dedans une clarté bleutée que j'ai retrouvée en un seul autre endroit.

Dans toutes les directions, à perte de vue, les arbres. Une forêt d'un âge inimaginable, rangée sur rangée de troncs épais s'élançant vers l'infini. Parfois, on a l'impression qu'ils sont bien distincts, et à d'autres moments qu'on a affaire à des extrusions d'un seul et même gigantesque objet. Le tapis de feuilles était si dense qu'on ne les différenciait même plus ; ce n'était qu'une moquette en moleskine nappée d'une brume fine et changeante.

« Il est parti par où ? » s'est enquis Vinaldi en se passant la main sur le visage. « D'ailleurs, ça n'a pas tellement d'importance, mais bon…

— Par là, ai-je répondu en le rejoignant. Je crois que je vois encore ses vêtements, tout là-bas. » Ce n'était pas vrai, mais nous avions besoin d'une impulsion de départ. Rester sans bouger dans La Brèche, c'est comme s'arrêter de nager quand on est un requin. On coule à pic et on ne va plus nulle part.

Nous nous sommes mis en marche en toute hâte, non sans jeter un regard à la camionnette, au bout de quelques mètres, comme pour nous avouer qu'en l'abandonnant, nous nous coupions toute retraite. Mais elle avait disparu, et cela ne m'a pas surpris outre mesure. Il est impossible de faire entrer d'un bloc des objets volumineux dans La Brèche. Pendant la guerre, il fallait y importer les véhicules en pièces détachées et les assembler sur place ; même chose pour les machines qui, à la fin, nous ont relatéralisés.

« Vous vous sentez Ravi, vous ? m'a demandé Vinaldi.

— Non, mais ça ne va pas tarder.

— Tant mieux ; ça ne sera pas de trop. Je sens venir la Trouille.

— On devrait peut-être courir.

— Vous avez peut-être raison. »

Nous sommes donc partis au petit trop en espérant suivre la piste de Ghuaji, ce dont je n'étais déjà plus certain. Pour le moment la forêt ne bronchait pas, comme si elle fermait les yeux sur notre présence, mais nous savions bien que ça ne durerait pas. Les feuilles mortes se sont mises à courir à nos côtés comme des enfants qui veulent jouer. Vinaldi leur a donné des coups de pied, mais je l'en ai empêché.

« Saloperies ! a-t-il lâché.

— Il vaut mieux ça que les arbres. »

Nous avons couru de plus en plus vite à mesure que la Trouille se profilait. Cette sensation nous rappelait tout ce que nous croyions avoir laissé définitivement derrière nous. Pas seulement nos souvenirs personnels, mais une mémoire collective, à tel point que nous ne suivions plus réellement Ghuaji : nous fuyions tout et tout le monde. Des hommes morts ou blessés gisant en morceaux sur le sol, dans leur sang encore mouvant. Des enfants avançant vers nous par spasmes successifs. Nous n'avions pas ces choses sous les yeux, mais elles avaient existé ici, et La Brèche s'en souvenait. La Brèche qui grouillait de spectres, de cadavres d'individus disparus par milliers sans qu'on ait eu le temps de prendre le deuil ou de les remercier.

Le visage de Vinaldi m'apparaissait par intermittence sous l'aspect d'éclairs blancs, nos deux respirations étaient irrégulières et haletantes ; nous fumions depuis bien trop longtemps pour jouir de l'exercice. La sensation qu'une main se refermait sur mes tempes se précisait à mesure que la Trouille se figeait, glaciale, dans la moelle de mes os, mais nous maintenions l'allure.

« Je ne vais pas pouvoir rester très longtemps, a dit Vinaldi, hors d'haleine. Je ne tiendrai pas le coup.

— Moi non plus. » La terreur rendait nos jambes capables de prouesses ; nous filions entre les arbres, avec sur les talons un sillage de feuilles enthousiastes qui faisaient semblant d'être distancées pour mieux nous rattraper ensuite. Sur les troncs, l'écorce nous raillait au passage, mais cela n'avait pas d'importance ; elle ne se déplaçait pas assez rapidement pour représenter un réel danger.

« Où on va ?

— Je n'en sais rien », ai-je répondu. Tout à coup, la lumière a disparu. Vinaldi a laissé échapper un gémissement et nous nous sommes retrouvés au milieu d'un énorme buisson, à nous débattre contre une foule d'aiguilles et d'épines. En vain : il était de plus en plus inextricable, et le pire c'était qu'après, quand on en serait sortis, ce serait encore moins marrant.

Nous étions prisonniers, face à face, incapables de bouger, incapables de nous regarder dans les yeux. Nous n'entendions que nos deux souffles, aussi lugubres que sonores. Vinaldi avait envie de me tuer, je ne l'ignorais pas ; il aurait voulu m'arracher les yeux et les croquer tout en me dépeçant la figure. Je ressentais la même chose envers lui. Mais tout à coup, le buisson s'est volatilisé et la lumière est revenue — sauf qu'elle était à présent jaune, alourdie par l'âge et pareille à du lait caillé.

Vinaldi m'a regardé d'un air confondu. « La dose de Raviss n'était pas assez forte, Jack. Elle ne m'a fait aucun bien. Au contraire, j'étais tout prêt à…

— Ouais, je sais. Mais c'est tout ce qu'on avait sous la main.

— C'était une erreur. On n'aurait pas dû revenir.

— Hé, qu'est-ce que c'est que ça ? »

Vinaldi a pivoté afin de suivre mon regard ; en même temps j'ai compris de quoi il s'agissait : la veste de Ghuaji. Le buisson se trouvait à plusieurs mètres, et la veste de treillis ensanglantée y était accrochée. Le tissu s'est défait et le sang séché s'est revivifié, en suspens dans les airs, pour former une gouttelette prête à tomber. Un arbre tout proche a étendu une brindille qui l'a goulûment aspirée.

Alors Vinaldi m'a saisi par le bras et a indiqué un point situé derrière moi.

Les autres habits de Ghuaji se tenaient à une cinquantaine de mètres, face à nous. Ils ont décrit une lente révolution, comme campés sur un piédestal tournant, avant de disparaître promptement en se glissant dans la pénombre.

Nous nous sommes lancés à leur poursuite en croisant d'autres arbres, d'autres ombres ; tant de feuilles nous cernaient que nous nous sentions chuter dans un tunnel de matière sèche. Finalement, le Raviss a agi dans toute sa splendeur et l'espace d'un instant, nous n'avons plus su ni où nous étions, ni ce que nous faisions, ni même qui nous poursuivions. Pendant un laps de temps indéterminé, nous n'avons plus été que deux ombres en marche vers le néant, et c'était exactement comme autrefois.

Je ne crois pas pouvoir donner une description fidèle de la guerre dans La Brèche, ni évoquer les arbres, les villages, les disparitions tragiques avec assez de précision, alors qu'aujourd'hui encore je revois tout cela en rêve et que, selon toute probabilité, il en sera ainsi jusqu'à la fin de mes jours. Je me représente les fougères, les feuillages, la lumière bleutée filtrant entre les arbres ; je vois de petits villages nichés dans la forêt tels des hameaux de contes de fées. Mais en réalité ce n'était pas comme ça. Car justement, c'était cela, La Brèche, entre autres choses : la certitude de n'avoir sous les yeux qu'une apparence, quel que soit le degré de concentration. Je ne sais comment, la réalité qui se cachait derrière était toujours légèrement hors de portée, ou masquée par une couche de lumière. On ne pouvait se fier ni aux individus ni au paysage, et sur la fin, on ne pouvait même plus se fier les uns aux autres. Nous étions comme des enfants perplexes et terrifiés, tout seuls dans un parking souterrain sombre et plein de sadiques.

Pour une part, c'était à cause de la drogue. Huit hommes sur dix étaient défoncés en permanence. On nous y encourageait. Cela avait pour effet de mieux nous protéger contre la Trouille. Sur les dix, les deux autres étaient soit ivres, soit fous.

Je m'en suis rendu compte quelques minutes après qu'on m'a latéralisé dans La Brèche. Alors j'ai conclu un pacte avec moi-même. J'avais beau crever de peur, j'allais affronter la situation sans ce genre de béquille. Dès qu'on mettait le pied dans La Brèche, on voyait bien que quelque chose clochait ; ensuite, chaque inspiration vous le confirmait, intégrait cette certitude au sein de votre métabolisme. La Trouille circulait en nous tel le sang. Qu'on ait sous les yeux un homme recroquevillé, tout tremblant, entre les racines d'un arbre, ou un autre fièrement planté sur ses jambes, le torse bombé et le doigt pressé sur la détente, ce qu'on voyait, c'était un être mortellement pénétré de terreur. Le premier jour, au camp de base, en voyant tout autour de moi ces coquilles vides qu'on appelait des hommes, j'ai espéré de toute mon âme que je faisais un mauvais rêve, que j'allais me réveiller. « Ce n'est pas possible », me disais-je en frémissant déjà. « Pas possible qu'ils soient tous dans cet état-là ; et même si c'est vrai, je ne veux pas devenir comme eux. Si je dois avoir peur à ce point, je veux savoir ce que je fais. »

En quelques heures, une horrible appréhension avait gagné mes extrémités et progressait lentement vers le milieu de mon corps. Comme quand on se rend compte qu'on s'est fait prendre la main dans le sac, qu'on a fait une erreur et qu'on va le payer ; ou alors, quand on apprend qu'on a perdu un être cher. Pendant quelques secondes, on a du liquide glacé à la place de la cervelle et on ne ressent plus rien que le déni serein.

Sauf que là, le moment perdurait. La sensation ne passait pas. Au contraire, elle ne cessait de croître. Aussi mes bonnes résolutions ont-elles duré en tout quatre jours. Elles m'ont valu une forme de respect réticent de la part des autres. Quatre jours à tenir bon, c'était long, et cela m'a tenu éloigné de certains camarades. La peur compte parmi les sentiments qu'on dissimule le plus farouchement. Entre hommes, ça ne se fait pas, point final. Mais dans La Brèche, ce n'était pas pareil. On ne pouvait *pas* la cacher. Alors la plupart du temps on était entouré de gens s'affichant sous leur jour le plus puéril, le plus vulnérable, le plus désemparé.

Dans La Brèche, il y avait des habitants, et c'étaient contre eux qu'on était censé se battre ; mais les habitants étaient le cadet de nos soucis, en fait. Les enfants — morts, mais à qui on avait cloué des structures hydrauliques à même les os afin qu'ils puissent se jeter sur nous, bourrés de poison ; les nappes de feu qui naissaient dans nos poches et se redressaient brusquement pour venir nous brûler le visage… Autant de sources de peur, mais nullement comparables à la Trouille, inhérente à La Brèche, qui contenait tout cela et le germe de bien d'autres choses.

Finalement, j'ai compris que je mettais mes camarades en danger. J'étais tout simplement trop terrifié, et *en permanence.* J'avais l'impression que toutes mes cellules, jusqu'à la dernière, étaient des gouttes de glace ; qu'on me promenait constamment une lame de couteau sur la nuque, là où se hérissent les cheveux ; que je dormais, le dos nu et exposé aux regards, en attendant la hache. Le quatrième jour, j'ai suivi deux gars sous la tente où ça se passait. Je n'avais encore jamais pris de drogues. Cela me faisait peur. Mais j'avais aussi peur de ne pas en prendre. En fait, tout me faisait peur.

Le Raviss avait pour effet d'intensifier la réalité jusqu'à l'occlusion complète. Il affectait tout et propulsait tout dans la stratosphère ; il assombrissait encore la lumière derrière les feuilles, accroissait la taille des choses au point qu'elles disparaissaient dans les hauteurs, augmentait la chaleur au point qu'elle en devenait froide. Il rendait toutes les perceptions si intenses qu'on n'avait plus le choix : on était obligé de les occulter. Les journées n'étaient, heure par heure, qu'une longue suite de trous noirs, de trous de mémoire. On pouvait se retrouver à huit cents mètres sur la piste sans savoir comment on y était arrivé. Regarder le type avec qui on parlait et se rendre compte qu'on avait tout oublié de la conversation. Baisser les yeux et voir qu'on tenait une tête humaine par les cheveux, puis comprendre qu'on l'avait détachée du corps à coups de fusil, sans plus savoir ce qui s'était passé.

Le cerveau rejetait tout en bloc, en temps réel, minute par minute, mais en même temps, on entendait une petite voix narrer ce qui se passait. On avait beau se bourrer de Raviss, elle nous alimentait, nous injectait la vérité au goutte-à-goutte, seconde par seconde, telle la succession de répugnants mensonges dont le schizo-

phrène se nourrit. Alors que vouliez-vous qu'on fasse ?
On rallongeait la dose pour faire taire la petite voix.

Voilà ce qu'on vivait les trois quarts du temps ; le
reste de la journée, on était ailleurs, raide défoncés par
ce cocktail de Raviss et de Brèche. Le trou noir. On
appelait ça être « Absent » et c'était la seule façon de
s'échapper de La Brèche. Au bout d'un moment, on
apprenait à reconnaître certaine lueur dans le regard
d'autrui, qui trahissait son tout récent « Retour ». On
enviait les quelques instants de paix que l'autre avait
connus en étant « Absent », mais en même temps, on
redoutait la véritable nature de cette absence.

Nous n'avions guère suivi d'entraînement. On nous
avait donné des armes. Ceux qui étaient là depuis plus
longtemps, les lieutenants, n'en savaient pas davantage : au contraire, ils avaient la cervelle encore plus
cramée. C'était une guerre qui se livrait au sol, voire à
terre, derrière les arbres et les buissons. Il y avait bien
des sortes d'hélicoptères de combat, mais ils étaient
bizarres, expérimentaux ; en forme de poisson, ils servaient uniquement de refuge aux gradés. Il ne nous
restait que notre intelligence de base, ce qui aurait pu
suffire. Huit hommes réunis en commando, ça aurait
dû apprendre à se battre — ou au moins à se planquer
efficacement ; mais n'oublions pas qu'on était complètement allumés vingt-quatre heures sur vingt-quatre.

Les effets du Raviss ne sont pas seulement intenses
au moment où on s'injecte une dose : ils sont aussi
cumulatifs. Au bout de quelques semaines, le Raviss
vous redessine une carte neurologique au point qu'on
ne sait plus *du tout* où on est — et nous, on en a pris
pendant deux ans. Par exemple, on crapahutait dans les
broussailles sans savoir ni où on était ni où on allait, et
tout à coup, on se retrouvait face à un épais fourré. Un
type disait : « Bon, on traverse le fourré.

— Quel fourré ? demandait un autre, perplexe.

— Celui-là, là.

— Oui, mais lequel ? Il y en a partout, de ces putains de fourrés.

— Celui-là, *là*. T'as pratiquement le nez dessus. »

Et l'autre, soulagé : « Ah, ouais, ce fourré-là. OK.

— Ouah, tu parles d'un fourré ! Vous avez vu ça ?

— Ouais, superbe. Il a de ces feuilles !

— Géniales, les feuilles. »

Puis, soudain : « Il me plaît pas.

— Qu'est-ce que tu veux dire ?

— Ce fourré, là, il me file la Trouille.

— Mais non, ce n'est qu'un fourré. Un fourré normal.

— Je te dis que non, mec ; il me file la Trouille, merde !

— Bon, d'accord, d'accord. On ne passe pas par le fourré. Oublie-le.

— Je ne peux *pas* l'oublier. Il est en plein devant moi.

— Mais non, pas celui-là. L'autre, là.

— Oh, merde ! Il est encore pire !

— Merde, t'as raison.

— Qu'est-ce qu'on va faire ?

— On le contourne. »

Et arrivés de l'autre côté on se faisait tirer dessus ; on passait un sale quart d'heure et on perdait la moitié de nos effectifs.

Pourtant, faire le tour d'un buisson et en sortir indemne, ce n'est pas si difficile. On aurait dû se tirer de ce genre de situation ; mais non. On ne savait pas. Notre stratégie consistait essentiellement à partir en courant comme des dératés. Le contact était coupé entre nous en tant qu'individus, entre nous et le sens commun, entre nous et la réalité.

C'était une guerre livrée contre des démons par des hommes devenus eux-mêmes démoniaques. Telle est

306

sans doute la principale révélation que j'en ai retirée :
n'importe qui, camarade, ami, frère, peut, dans les circonstances appropriées, se muer en une chose dont on
ne veut même pas admettre l'existence. Une fois qu'on
a été confronté à cette évidence, on ne regarde plus
jamais les gens du même œil. Et puis, il y a La Brèche
elle-même ; en quoi l'avons-nous affectée à notre
tour ? Elle n'a pas toujours été comme ça, ce n'est pas
possible. Ou alors si, et c'est *nous* qui n'avons pas la
forme d'esprit adéquate, *nous* qui avons apporté notre
conscience à des choses qui auraient dû rester enseve-
lies.

Tout ça ne tient pas debout ; ce n'est pas un compte
rendu policé. Mais je n'y peux rien : mes souvenirs
ne présentent pas davantage de cohésion. Je pourrais
passer en revue tout ce que j'ai fait là-bas, tenter d'y
mettre un peu d'ordre, mais je n'en ferai rien. Ça n'en
donnerait pas une vision fidèle. Cohésion, ordre, chro-
nologie… Dans La Brèche, on apprenait vite que ces
trois mots ne signifiaient rien, absolument rien. Une
fois, un type que je connaissais est resté Absent trois
jours — oui, trois jours *entiers*. On s'en rendait bien
compte, on faisait avec ; le plus souvent, on y arrivait.
C'était notre pain quotidien, on s'y faisait. Mais trois
jours, quand même…

Au Retour, il avait changé. Être Absent, ce n'était
ni dormir ni être inconscient. On était éveillé, mais
ailleurs. Quand ça ne durait pas trop longtemps, ça
allait — je crois que ça ne faisait pas trop de dégâts.
Mais lui, au bout de ces trois jours, il n'était plus le
même. De temps en temps, par la suite, il en a parlé ; il
essayait d'évacuer son expérience. Mais il n'y arrivait
pas. L'endroit où il était allé était trop profondément
enfoui. Car il en parlait parfois comme d'un *lieu* radicalement différent, à croire que son corps était resté avec
nous, à frissonner sous les arbres ou à faire sauter la

tête des villageois, mais que son âme, elle, s'en était allée dans des contrées autres, mais pas plus agréables pour autant. Je ne peux pas en être certain, mais je pressens qu'il y a là-dedans un élément de vérité. On avait en permanence autour de soi un tiers de types Absents qui oscillaient entre les deux états par périodes de dix à vingt minutes, et on avait l'impression de défiler en compagnie d'un ramassis de zombies. *Bon sang*, je me disais, *ces mecs sont mes copains, mes alliés, et on se croirait dans une manif de morts-vivants lobotomisés.*

La plupart des gens présentent la même réaction au Raviss, mais certains se mettent à se comporter très bizarrement. Sous son influence, quelques troufions régressaient ; tout à coup, ils couraient en tous sens tels des enfants terribles. De temps en temps, on avait le sentiment qu'ils retrouvaient bien l'enfance, mais pas tout à fait celle d'une créature humaine. Ou alors il s'agissait d'une humanité ayant connu une évolution différente. Comme s'il y avait eu à l'origine deux tribus identiques en apparence mais subtilement différentes sur le plan affectif et psychologique. Peut-être les enfances des habitants de La Brèche y erraient-elles entre les arbres, perdues mais vivantes. Et si ça se trouve, elles possédaient certains d'entre nous.

Dès qu'on voyait un type susceptible de mal tourner, on s'efforçait d'en faire un buveur. C'était trop dérangeant de le voir dans cet état. On n'assumait pas.

Malheureusement, tout ça ne faisait que masquer la réalité. Et encore, pas complètement. Elle ne disparaissait pas pour autant. Cette peur terrible, aujourd'hui, on n'en est toujours pas venus à bout. Chacun s'efforce de la dissimuler à sa manière, en jouant les durs à cuire ou au contraire en devenant un faible, un flic ou encore un gangster, mais tous la ressentent. Aujourd'hui encore, nous avons tous peur.

Quand la première montée de Raviss a atteint une phase plateau génératrice de lucidité, nous avons cessé de courir ; brusquement, nous avions la poitrine emplie de feu liquide. J'ai obliqué tant bien que mal vers les buissons et vomi de manière incontrôlable tant mon organisme se révoltait contre l'exténuation ; il me faisait clairement comprendre qu'il ne voulait plus rien savoir. Un corps, c'est bien, et pour rien au monde je ne me séparerais du mien, mais ça se montre parfois très décevant. Si on traitait son corps aussi mal qu'on traite son esprit, tout le monde serait mort ; et pourtant, les corps sont là à se plaindre sans arrêt. Il faudrait que quelqu'un se décide à tous les réunir histoire d'avoir une petite conversation avec eux.

La seule chose présente à mon esprit tandis que je régurgitais mes boyaux, c'était l'espoir de ne pas éliminer dans le processus la moindre molécule de Raviss. J'allais en avoir sacrément besoin et je pensais déjà aux deux seuls paquets qui me restaient. C'était toute notre fortune, mais je me retenais de ne pas me les envoyer séance tenante.

Pendant ce temps, courbé en deux et les mains sur les genoux, Vinaldi inspirait de grandes goulées d'air, comme s'il était au bord de l'explosion. Il avait dû passer du temps dans un club de gym ; à côté de moi, c'était Superman. Je sentais mon propre corps zieuter le sien avec envie en regrettant que je ne lui réserve pas un traitement équivalent. Je déteste les gens en super forme physique. Ils me sapent le moral.

Le temps de récupérer et on s'est mis à examiner les environs en décrivant un lent mouvement tournant. Sur 360°, on ne voyait que des arbres… sauf que lors de notre seconde révolution, un petit cours d'eau a fait son apparition. (C'était un phénomène normal ; soit que dans La Brèche, les cercles comptent plus de 360°, soit que ça ne marche pas comme ça, point.) Nous avons constaté que nous avions les pieds mouillés, donc que nous venions selon toute probabilité de traverser ledit cours d'eau. Sur l'autre rive, une foule de feuilles qui ne pouvaient pas suivre. Bien qu'elles n'aient pas d'yeux — évidemment, ce n'étaient que des feuilles, après tout —, on sentait bien qu'elles nous regardaient. Et que si on essayait de rebrousser chemin, elles nous en empêcheraient.

Alors nous avons continué à pivoter sur place et constaté que derrière nous, le paysage n'était pas tout à fait conforme à nos attentes. Il n'y avait pas qu'une simple forêt. Au bas d'une pente douce, à quatre cents mètres environ, se trouvait un village.

« Comment on est arrivés jusqu'ici ? s'est enquis Vinaldi.

— Comment vous voulez que je le sache ? Vous n'en avez aucune idée ?

— Vous rigolez ? J'avais même oublié qui j'étais ! Quant à vous, j'avais oublié jusqu'à votre existence.

— Je ne veux pas descendre au village, ai-je subitement déclaré.

— Moi non plus, a renchéri Vinaldi. Mais il le faut.

— Pourquoi ? On peut aller ailleurs. Ce n'est peut-être pas là. Ou alors, les habits nous ont conduits dans un traquenard.

— Jack, que ce soit là ou pas, ça n'a guère d'importance. Je ne pourrai pas rester beaucoup plus longtemps. Je ne sais pas si vous vous souvenez, mais je n'ai plus les yeux de feu, moi. »

Alors j'ai pleinement saisi la dose de courage qu'il lui avait fallue. Je m'explique. On nous opérait des yeux la veille de notre latéralisation dans La Brèche. Certains types de lumière régnant dans sa forêt — mais pas dans les villages — avaient le don de brûler les yeux humains *de l'intérieur* ; on implantait donc, par laser, une substance chimique qui venait recouvrir la rétine d'une fine pellicule protectrice. Quand on réintégrait le monde réel, cette substance se parait de reflets dans certaines conditions d'éclairage, d'où le surnom d'Yeux-de-Feu qu'on nous donnait. Or, Vinaldi venait de passer… bon sang, *deux heures!* ai-je constaté en consultant ma montre — dans la forêt sans la moindre protection. Il était soit extraordinairement courageux, soit très con.

« En effet, j'avais oublié. »

Les jambes tout endolories par la course, on s'est traînés jusqu'au village. Pour l'instant, la lumière était sans danger, et même assez agréable, comme si l'on avait posé de petites lampes jaunes au pied d'un arbre sur dix. Comme tous les lieux habités de La Brèche, le village semblait minuscule comparé à la forêt, tout en paraissant plus ancien. Même à cette distance, on voyait des troncs s'élancer çà et là au travers d'un toit de chaume ; leur diamètre était tel qu'ils prenaient toute la place dans les maisonnettes qu'ils avaient envahies. Personne ne sait pourquoi ; on n'a jamais pu discuter assez longtemps avec un indigène pour poser la question. L'un des deux — vous ou lui — était forcément mort avant la fin de sa phrase. Le problème, vis-à-vis des villageois, était double : d'abord, il y avait leur férocité implacable ; puis le fait qu'ils n'étaient pas visibles en permanence. On les repérait plus facilement dans le noir, mais en général, à ce moment-là on n'avait plus que quelques secondes à vivre. Les enfants étaient plus apparents et semblaient nous en vouloir un peu moins, mais souvent les villageois leur faisaient trimballer des mines. Pendant des années après ma relatéralisation, à la fin de la guerre — ou plutôt à la capitulation —, je n'ai pas pu voir un enfant sans péter de trouille. C'est seulement quand Angela est entrée dans ma vie que les petits spectres ont trouvé le repos dans ma mémoire, et seulement quand Henna et elle sont mortes que j'ai compris à quel point elles m'avaient protégé.

« Ça va ? m'a demandé Vinaldi au bout d'un moment.

— Ça peut aller.

— Mouais. »

Une trentaine de huttes étaient disposées en cercle approximatif autour d'une aire centrale, avec deux sentiers qui se croisaient à peu près à angle droit. Les habitations baignaient dans une lumière orangée circulant tout autour telle une marée d'or. Je savais par expérience qu'il lui arrivait de se condenser pour donner naissance aux « oiseaux ». Ces épouvantables volatiles avaient le cerveau lésé, mais ils avaient tout le temps l'air heureux et leur brusque entrée en mouvement était pareille à une explosion de flammes liquides. Après un court instant de chaos, ils disparaissaient les uns après les autres comme la fumée se dissout dans le ciel assombri. Ils ne se trouvaient que dans les villages, par ailleurs déserts et qui, apparemment, n'avaient jamais été occupés.

« Bon », ai-je déclaré quand nous nous sommes retrouvés à quelques mètres des premières huttes. « Quel est le plan ?

— Ça alors, aucune idée. Aller voir là-dedans si on trouve quelque chose, non ? »

Ce n'était pas très raffiné, comme plan d'attaque. Je me suis pris l'arête du nez entre deux doigts en essayant de réprimer la seconde montée de Raviss et de penser de manière cohérente. « Ensemble ?

— Évidemment, ensemble ! a-t-il aboyé. Vous vouliez peut-être vous aventurer tout seul dans des escaliers menant à de petites pièces obscures ?

— D'un point de vue tactique, il serait plus logique de se séparer, non ?

— Pas question. »

Nous y sommes donc allés ensemble, prêts à tirer, en surveillant les deux côtés du sentier. Au passage nous observions attentivement les cabanes, en guettant le moindre mouvement à l'intérieur. Comme toujours, elles étaient parfaitement finies, impeccables, assemblées à partir de matériaux imaginaires mais flambant neufs. On distinguait dans les moindres détails chaque brin de chaume, chaque aspérité dans la boue séchée blanche recouvrant les murs extérieurs.

Nous avons décidé de les fouiller les unes après les autres, un peu pour hâter le processus, mais surtout parce qu'on avait peur. Et partir en reconnaissance quand on a la Trouille, c'est comme s'aventurer les yeux bandés dans une pièce tapissée de lames de rasoir.

Le temps de gagner l'aire centrale, nous avions le visage dégouttant de sueur et je sentais mon index glisser sur la détente. Nous étions tendus à l'extrême et notre temps de Raviss était compté. On s'est immobilisés, l'oreille tendue. Mais on n'a rien entendu ; en outre, il n'y avait rien d'autre à voir que des troncs et des huttes.

« Vinaldi, ai-je dit. Il faut se dépêcher. On va bientôt avoir une remontée de Raviss. »

Il a réfléchi, opiné, puis indiqué le sentier. « Je me charge de l'autre côté. Vous, vous décrivez des cercles. Si vous voyez quelque chose, criez. »

Il s'est engagé prudemment dans le tronçon de sentier opposé en regardant prudemment autour de lui. Moi, j'ai obliqué vers le groupe de huttes en regardant par les fenêtres et en risquant un œil avant de tourner à l'angle des façades, sans rien voir que des filaments de lumière orange. Les habitations étaient désertes, aseptisées, stériles comme si on venait à peine de les sortir du moule. Dans l'une d'elles j'ai aperçu une petite colonie de feuilles qui, amassées dans un coin, semblaient tenir un conciliabule ; mais rien de plus intéressant. Les réunions de feuilles ne représentaient pas une menace. Je crois que pour elles, c'était en fait une espèce de jeu.

Quand j'ai eu passé en revue mon premier quart de village, j'ai retraversé le sentier par lequel on était arrivés ; j'ai aperçu Vinaldi qui, tout au fond, revenait vers le centre.

Comme j'inspectais une hutte, j'ai subitement entendu du bruit derrière moi. J'ai fait volte-face, tout près d'appuyer sur la détente ; là, j'ai vu un vol d'oiseaux orange jaillir de nulle part comme une fontaine et prendre son essor. Ils ont gazouillé et gloussé gaiement, puis disparu dans un frémissement de l'air. Tout est redevenu silencieux.

Enfin, presque. Car une fois le dernier battement d'ailes dissipé, j'ai entendu autre chose à l'autre bout du village. Une bribe de voix humaine. Ma première pensée a été que Vinaldi avait trouvé quelque chose et qu'il m'appelait ; j'ai planté là ma hutte pour regagner promptement le sentier central, en restant le plus près possible du sol.

Le temps que j'arrive le bruit avait cessé et Vinaldi était introuvable. J'ai envisagé de l'appeler, mais si ce n'était pas lui que j'avais entendu, s'il y avait quelqu'un d'autre dans le coin, j'avais plutôt intérêt à la fermer. Je me suis replié sans hâte au centre du village, les yeux piquants à force de rester écarquillés et les oreilles tellement aux aguets qu'elles me semblaient montées sur tiges.

Sur ce, j'ai capté un cri ; cette fois pas de doute. Je me suis figé sur place. Il venait du fond du village et s'il avait été articulé, je n'en avais pas saisi le sens.

Le moment était mal choisi pour prendre une décision : je sentais justement mes doigts s'allonger exagérément, ma tête s'emplir de flou. Je pouvais m'Absenter d'un moment à l'autre, et voilà que j'avais à réfléchir !

Deux possibilités. Un : je filais à toute allure entre les huttes pour aller voir ce qui se passait. Inconvénient : si ce n'était *pas* Vinaldi qui m'appelait parce qu'il avait trouvé quelque chose, je me dirigeais droit dans un piège tendu par Yhandim. À la faveur d'un brusque éclair de lucidité, l'idée même d'entrer dans un village m'a paru irrémédiablement stupide. Si on était là, c'était parce qu'on avait suivi les habits. D'accord, on devait trouver le camp de Yhandim, mais pas s'y précipiter tête baissée !

Choisissant la seconde option — celle qui présupposait un piège —, j'ai battu en retraite. Parvenu à l'orée du village, j'ai pris à droite et, restant constamment le dos à la forêt, j'ai longé en courant l'arrière des maisons, non sans inspecter rapidement l'espace entre arbres et bâtiments. À l'extérieur du village, la température était nettement plus basse. Encore une nuit qui s'annonçait. La « nuit » n'est pas vraiment la nuit, dans La Brèche. Juste un intervalle indéterminé pendant lequel il fait encore plus sombre. Et où on a encore moins envie d'être là.

Tout à coup j'ai aperçu une silhouette à l'autre bout, devant une des huttes. Ça ressemblait à Vinaldi, mais ça ne bougeait pas. J'en ai éprouvé du soulagement, qui malheureusement n'a pas duré : sa posture avait quelque chose de bizarre ; on aurait dit qu'il tenait les mains en l'air. Qu'est-ce qu'il fichait ? J'hésitais à appeler. C'est ce moment qu'a choisi la remontée de Raviss pour me frapper de plein fouet et tout est devenu compliqué, étrange. L'espace de quelques secondes, j'ai bien failli m'Absenter, mais j'ai réussi à me retenir.

Je me suis plaqué contre la cabane la plus proche, puis j'en ai fait prudemment le tour — en battant des paupières parce que je sais que parfois, ça aide. Quelque chose déconnait. Si Vinaldi avait les mains en l'air, c'est parce qu'on les lui avait liées en hauteur et accrochées à la cabane ; je ne voyais pas de sang mais sa tête pendait sur sa poitrine.

Fous le camp, hurlait une voix dans ma tête. *Tire-toi d'ici.*

J'ai avancé de deux mètres, en cillant de plus en plus rapidement pour lutter contre l'obscurité naissante. Vinaldi était vivant ; sa tête était animée de légers tressaillements. Soit il tentait de s'éclaircir les idées, soit c'étaient les effets du Raviss. Les deux, certainement. Moi-même j'avais les idées claires comme de l'eau d'égout, et de plus en plus emberlificotées. Ne voyant personne, j'ai voulu aller le libérer. Mais aussitôt, quelque chose a attiré mon attention au bout du sentier menant au centre du village.

Je n'y ai surpris aucun mouvement ; en revanche, la clairière avait un aspect irrégulier, comme si je la voyais à travers une brume de chaleur. Je la retrouvais partout dans mon champ de vision. En outre, elle était animée de brèves palpitations, comme un film dont la copie est mauvaise, sauf que les « blancs » n'étaient pas blancs, mais noirs. Je me suis frotté énergiquement les yeux ; à nouveau j'ai battu des paupières et vu trente-six chandelles, mais l'effet s'est maintenu. Les mouchetures semblaient se structurer sous mes yeux pour former des lignes verticales discontinues et mouvantes, comme si quelque chose se cachait derrière un rideau de pluie, mais une pluie colorée de façon à reproduire ce tronçon de sentier particulier.

J'ai compris une seconde avant que l'image se stabilise et que mes yeux l'interprètent. C'étaient Ghuaji et Yhandim et ils couraient droit sur moi. Ils avaient si bien été assimilés par La Brèche qu'ils s'y coulaient tels des indigènes. Les plaies de Ghuaji ne le ralentissaient plus ; quant à Yhandim, il semblait n'avoir jamais été blessé. Ce qui était probablement le cas. Les types dans son genre, il ne leur arrive jamais rien ; c'est toujours dans l'autre sens que ça se passe.

On aurait dit un concentré de meute sauvage modelée à coups de matraque jusqu'à revêtir forme humaine ; un joyeux hurlement assoiffé de sang s'échappait de leur gorge.

Je me suis rappelé mon entraînement : je suis parti à toutes jambes.

III

NEW RICHMOND

15

Je me suis donc enfui, et au bout d'un moment je me suis Absenté. Je serais bien incapable de vous dire où. Tout ce que je sais, c'est cela :

Henna avait coutume de m'apprendre des noms de fleurs ; elle me disait ce dont elles avaient besoin en termes d'arrosage et d'ensoleillement, et aussi d'où elles venaient, à l'origine. Que nous arpentions les couloirs du 72e ou que nous fassions une excursion dans les campagnes de Virginie, j'avais droit à un bruit de fond constant, chargé d'informations de ce type, un flot de données issu de son monde intérieur. Au début, j'ai feint de m'y intéresser ; puis je n'y ai plus prêté attention. Et maintenant c'est trop tard, je ne saurai jamais. Elle me racontait également ses journées, parce qu'elle m'aimait. Mais comme ses journées ne collaient pas avec la vie que je menais, là non plus je ne l'entendais pas.

Tous ces fragments de mon passé, j'aurais pu les sauvegarder ; mais non, ils m'ont glissé entre les doigts, et ils ont disparu.

J'ignore avec combien de femmes j'ai couché après mon mariage avec Henna. Je ne veux pas dire par là qu'il y en a eu des centaines ; simplement que je n'ai pas tenu le compte, ce qui, en un sens, fait encore plus mauvais effet. Je n'ai commencé qu'au bout de trois ans, mais ensuite je n'ai plus pu m'arrêter. Je pouvais être ivre, Ravi ou parfaitement sobre, ça ne faisait aucune différence. Je ne peux alléguer d'aucune substance atténuante, sauf si on part du principe qu'elle est sécrétée par mon propre cerveau. J'ai été programmé pour être infidèle.

Je ne me cherche pas d'excuses. C'est inexcusable. C'est ça, justement, le vice : qu'il s'agisse de l'alcool, des différentes toxicomanies, des troubles de l'alimentation... il *faut* que le vice soit inexcusable. L'âme part en guerre contre le moi et l'incite à faire des choses inacceptables en guise de châtiment pour des crimes qu'il ne se rappelle même pas avoir commis. Car si l'acte n'est pas méprisable, à quoi bon ? Que faire quand on sait qu'on ne peut s'empêcher de commettre des actes méprisables ? Eh bien, continuer, voilà. Le manège ne cesse jamais de tourner. Le pire, c'est que les gens se mettent à respecter vos dépendances en légitimant la guerre civile que vous vous menez, tout seul dans votre coin. Ils se disent que vous ne pouvez pas vous en empêcher, que la cause est à chercher du côté de votre enfance ou d'un quelconque malaise culturel. Bref, ils accusent le monde entier sauf vous-même. Parfois ils ont raison, mais souvent, c'est que vous êtes un enfoiré, un point c'est tout.

Pour un flic, ce n'est pas très difficile de trouver quelqu'un à mettre dans son lit. Il y a toujours une femme seule à consoler après qu'elle a trouvé son appartement vandalisé, une fille rencontrée dans un bar et qui trouve excitant ce type qui devrait être en train de capturer des criminels — ou mieux encore, qui devrait être chez lui avec femme et enfant. Chez moi cela durait quelques semaines, au plus quelques mois, puis je me purgeais, je laissais tomber. Pendant un temps j'étais sage, je faisais semblant d'être heureux, et puis ça recommençait.

J'ai connu Henna par l'intermédiaire de Hal quand j'avais vingt-deux ans ; je venais juste d'entrer dans la police. Hal, lui, y était depuis deux ans et semblait apprécier. On avait été Yeux-de-Feu ensemble ; en fait, on était les deux seuls survivants de notre commando. Après avoir été relatéralisés, lourds de secrets et pleins d'aspirations, nous avions débarqué à New Richmond. Hal était originaire de Roanoke mais ne voulait pas y retourner. Quant à moi, je n'étais plus de nulle part. À l'époque, ma mère avait déjà été emportée par le cancer et mon père n'allait pas tarder à commettre son mesquin suicide. N'étant particulièrement attaché à aucune des villes où nous avions résidé, c'est vers New Richmond que je me suis tourné quand j'ai eu besoin de me sentir chez moi quelque part.

Ni Hal ni moi n'avions fait beaucoup d'études, et il ne fallait pas compter sur nos origines familiales pour nous aider à grimper les barreaux de l'échelle sociale, par exemple jusqu'aux 100 ; mais on s'en moquait. Pendant quelques années, on a tâté de tout dans l'espoir que le salut nous tomberait dessus tout cuit. On était sous le charme de la ville, des possibilités qu'elle renfermait, même quand elle ne nous témoignait que de l'apathie. C'était une vaste demeure aux pièces innombrables que je tenais à visiter les unes après les autres en les forçant à s'ouvrir devant moi. Au lieu de chercher du travail, j'en arpentais les rues en plongeant dans ses passages les plus secrets, jusqu'à être certain que je pouvais m'y installer définitivement.

Hal a fini par se rendre compte qu'il n'avait guère le choix, à part entrer dans la police. La première année je l'ai observé, je l'ai vu s'absorber dans son travail ; j'en ai conclu que j'en étais capable aussi. Et en fait, je m'en suis trouvé encore mieux que lui, en un sens. Le chemin qu'il fallait se frayer au milieu des débris, des rebuts ; les cinglés et les prostituées ; le sang et la violence… tout cela s'adressait directement à une aire bien précise de mon cerveau. Je trouvais ça excitant. La Brèche n'avait pas eu le même effet sur tous les Yeux-de-Feu ; personnellement, je m'y étais en quelque sorte épanoui ; en la quittant j'avais eu l'impression qu'on me privait d'un élément essentiel de mon alimentation — pas un nutriment dont l'absence tue l'arbre, non ; plutôt une substance qui, s'il l'absorbe, change la couleur de son feuillage. J'avais appris à vivre dans le giron de la peur. C'était ce côté de ma personnalité que séduisait la perspective de devenir flic, et aussi de rester en marge de la société. Je voulais rester à l'extérieur, tout en observant ce qui se passait dedans. Alors je me suis présenté au bureau de recrutement, j'ai prouvé que je savais épeler au moins une moitié de mon patronyme complet, on m'a donné un badge et une arme.

J'ai rencontré Henna quelques mois plus tard, dans les abîmes d'une soirée houleuse au 110ᵉ étage. Hal nous avait obtenu des invitations par je ne sais quel moyen — il avait fait la connaissance d'un groupe de 100-et-plus dans le cadre de son boulot. On s'est faits beaux, on a sauté dans un xPress et on s'est mis en quête de bringue. Au début, je me souviens, je ne me suis pas beaucoup amusé ; j'avais trop conscience de loger dans un trou à rats du 38ᵉ — et dans une des rues les plus inquiétantes de l'étage, en plus. C'est peut-être mon imagination, mais j'avais l'impression que Hal et moi avions été invités pour jouer les ours savants. J'ai réagi de la manière la plus constructive, comme je savais si bien le faire : je me suis enivré.

À dix heures, j'étais tellement saoul qu'on m'avait officiellement rétrogradé de plusieurs barreaux sur l'échelle de l'évolution. Un type m'avait écouté tenter en vain d'aligner quelques mots, puis ôté le droit de prétendre à la catégorie *Homo sapiens*. Désormais, j'étais apparenté à une forme de vie végétale. J'ai dû remplir tout un tas de formulaires. Très gênant, vraiment.

Mais à ce moment-là j'ai repéré Henna, j'ai discuté avec elle, et finalement, la soirée a pris un tour positif. Elle était grande et mince, avec des yeux verts au regard minéral et une silhouette agréablement élancée ; malgré mon état, j'ai vu tout de suite qu'elle était à la fois belle et intelligente. De son côté, elle était prête à oublier, d'une part, ma rancœur et, d'autre part, mes haut-le-cœur avinés pour trouver *certains* de mes propos intéressants, et pas seulement agressifs. À la fin de la soirée je suis parti en zigzags, mais avec son numéro de téléphone.

Un mois plus tard, elle quittait le 102e pour emménager au 61e, dans un appartement que nous avions loué — au départ, grâce à l'aide substantielle que représentait son salaire. Entre nous, ça ne s'est pas arrêté à l'enthousiasme des premières nuits. On s'aimait bien, et deux ans plus tard on s'est mariés. Hal a été notre garçon d'honneur. Les parents de Henna sont venus à la cérémonie ; ils se sont montrés polis — rétrospectivement, je me rends compte que cette politesse était glaciale —, je n'ai saisi que bien plus tard l'ampleur de leur réprobation. Je n'avais pas d'argent, j'étais flic débutant et mes origines se situaient résolument en dessous de la ligne fatidique. Mais tout ça, c'était leur problème, pas le mien.

Toutefois, c'étaient quand même les parents de Henna. Un soir, peu de temps avant sa mort, elle m'a involontairement révélé qu'ils haïssaient cordialement leur gendre et j'ai entrevu la vérité : elle avait dû renoncer à beaucoup de choses pour moi, et je lui avais donné bien peu en échange. L'espace d'un instant — d'un *bref* instant —, j'avais compris quel genre de type j'étais devenu ; et je suis sorti en coup de vent pour aller passer quelques heures avec ma maîtresse.

Mes trois premières années de mariage ne m'ont laissé qu'un souvenir flou mais agréable. Henna se déclarait heureuse, elle me disait qu'elle m'aimait, et les jours passaient. J'étais doué pour le boulot de flic, et celui-ci revêtait de l'importance à mes yeux. Je faisais des pieds et des mains pour entrer à la Criminelle. Henna supportait mes retours tardifs, ne disait rien quand je manquais carrément à l'appel, et résistait à l'angoisse, un beau soir, de ne pas me voir rentrer du tout. On discutait, on se faisait des sourires, on sortait, on faisait des choses ensemble. De temps en temps on s'emportait l'un contre l'autre, on se disputait aussi brièvement qu'amèrement, mais globalement, c'était le bon temps.

Reste que je ne l'ai pas suffisamment aimée ; après, c'était trop tard. J'avais une profonde tendresse, une profonde affection pour elle, mais même le jour où je l'ai demandée en mariage, je crois que mes sentiments intimes ne relevaient pas de l'amour proprement dit.

Je croyais avoir connu l'amour fou à l'âge de dix-huit ans. Elle s'appelait Fhee et nous étions restés deux ans ensemble. Elle avait un sourire de chat devant un feu de cheminée et j'avais une peur bleue de la perdre. C'était une force de la nature, impossible à contenir, un cri clamant son existence, le tout doté d'épais cheveux auburn et de grands yeux noisette. Une jeune femme pétrie de légèreté, sans cesse en mouvement, dont j'avais constamment l'impression qu'elle se retournait vers moi pour me presser de la rattraper. Sa peau était parfois douce, parfois rêche, et sa chevelure en queues de rat lui tombait au milieu du dos. Faire l'amour avec elle, c'était être victime d'un délicieux accident de la route qui vous laissait pantelant, sous le choc. Loin d'être une sage fête à la gloire de l'amour révéré, l'acte devenait une fonction de son être tout entier, une réaction physiologique aussi irrépressible qu'un éternuement, aussi élémentaire que la peur.

Quelques semaines après notre séparation, je me suis retrouvé dans La Brèche parce que j'étais en colère, malheureux, je ne savais plus où aller. J'y suis resté plus de deux ans et cette période a définitivement modifié ma vision du monde. Quand j'en suis ressorti, Fhee n'était plus là. Je ne l'ai revue qu'une seule fois, bien des années plus tard.

Parfois, j'ai du mal à croire que j'ai laissé mon couple se dégrader à cause d'un premier amour idéalisé, depuis longtemps défunt ; malheureusement, dans la vie on ne tire pas toujours des leçons de ses erreurs : une fois qu'on les a commises, on change les règles du jeu.

En prenant de l'âge, j'ai été de plus en plus hanté par la vision de la femme idéale qui, je le croyais, *devait* m'attendre quelque part. En chaque femme je ne voyais que les manquements ; en chaque lieu, chaque acte, je pressentais ce qui manquait. De temps en temps j'avais l'impression de la *voir* de mes yeux, cette femme parfaite ; je la flairais, je la sentais sous mes doigts. Je savais *exactement* quel physique elle aurait, comment elle s'exprimerait, quelle serait sa manière d'*être*.

Je savais en épousant Henna qu'elle n'était pas cette femme-là ; elle aurait dû, mais non. Elle était ce qu'elle était. Je l'ai épousée quand même. Parce que c'est ce qu'elle attendait de moi, parce que je l'aimais trop pour la décevoir. Ne croyez surtout pas que ce mariage ait été une épreuve pour moi. Henna était très forte au billard, se montrait très gentille avec moi, et quand elle s'absentait, elle me manquait terriblement. Elle riait en cascade, ne me prenait pas au sérieux et possédait le plus mignon menton de tous les temps. Non, vraiment, elle était très bien comme ça, il ne lui manquait rien ;

simplement, elle n'était pas *l'autre*, et à l'occasion, quand j'allais à sa rencontre, c'était cette autre femme que je m'attendais à trouver. L'autre. Celle qui aurait fait naître la peur en moi.

Les pulsions contradictoires de culpabilité et d'excitation, les lèvres d'une inconnue pressées sur les vôtres en un lieu où vous ne devriez pas vous trouver… Quelque part entre ces deux sentiments se trouvait peut-être ce que je cherchais.

Je n'ai jamais trouvé. Là-dessus Angela est arrivée et les choses ont changé. J'ai moins couché à droite et à gauche, et quand cela m'arrivait encore c'était dans un esprit de pragmatisme revanchard. J'aimais Angela de tout mon cœur, et si j'en ai été capable, c'est en partie parce qu'elle tenait beaucoup de sa mère. J'avais tout à coup l'impression d'avoir devant moi une autre Henna, une Henna que je n'avais pas épousée et avec qui je n'étais pas obligé d'entretenir des relations traditionnelles homme-femme. Une Henna que je pouvais aimer en toute simplicité. Angela, elle, n'était pas une version imparfaite de ma fameuse créature imaginaire. Elle était ma fille, et elle était parfaite. L'amour qu'on voue aux autres repose en grande partie sur l'image qu'ils nous renvoient de nous-mêmes, et face à Angela, je me sentais digne d'être aimé. Parfois elle se plantait devant moi, les yeux levés, puis d'un seul coup elle bondissait de toutes ses forces, les bras écartés, sûre que je la rattraperais. Je la serrais en boule contre ma poitrine et de temps en temps, tandis que je lui fourrais mon nez dans le cou, je sentais la présence de Henna dans mon dos. Il en émanait une vague de bonheur et de soulagement quasi tangible.

Je les regardais toutes les deux, je les écoutais bavarder ; je n'avais jamais été aussi heureux. Et bien sûr, je ne l'ai plus jamais été depuis. Je me souviens, un après-midi nous sommes allés nous promener à pied sur la route touristique des Blue Ridge, non loin de Lexington ; Angela a trouvé un escargot qui avançait sur un rocher. « Regardez ! » Henna s'est approchée et lui a expliqué que les escargots transportaient leur maison sur leur dos. Elle en a été enthousiasmée et j'ai eu la certitude qu'elle se souviendrait toute sa vie de cette histoire — qu'un jour, elle la raconterait à sa propre petite fille.

L'espace de quelques secondes, je me suis retrouvé là-bas pour de vrai, au soleil, à leur côté, dans un monde réel, et non issu de ma seule mémoire. Il aurait fallu que les choses changent pour moi à cette époque-là ; alors je me serais fait une vie digne de ce nom, ou quelque chose d'approchant. Tout ce qui m'en empêchait, c'était l'impossibilité de m'engager. Mais j'aurais peut-être pu apprendre.

Malheureusement, deux choses se sont mises en travers de mon chemin. D'abord, il y a eu Fhee.

Un soir — Angela avait quatre ans —, je traînais dans un bar de la Porte dans l'espoir de recueillir des informations sur un meurtre à connotation sexuelle dans lequel était impliqué un habitant du 138e. La nuit était jeune et moi à peine éméché ; soudain on m'a tapé sur l'épaule ; en me retournant, j'ai découvert un visage familier.

Une femme. Elle m'a souri et j'ai compris : c'était Fhee, mais en plus âgée. Je suis restée bouche bée, puis j'ai complètement oublié toutes les questions que je voulais poser aux toxicos alignés au bar.

J'ai aussi oublié Henna, Angela, le présent, tout. Pendant trois heures nous sommes restés face à face — nos genoux se touchaient, nos mains étaient jointes — à nous rappeler le passé en faisant de la surenchère. Dix ans... À mesure que nous l'évoquions nous prenions toute la mesure de sa disparition, mais cela n'avait pas d'importance. Comme si les années se détachaient par couches successives, comme si l'on emplissait de soude caustique les canalisations que j'avais dans la tête, et qui étaient bouchées depuis des années.

À dix heures on a acheté deux bouteilles pour la route et on est partis au volant de ma voiture ; nous avons sillonné la campagne au hasard jusqu'à tomber sur le lac Ratcliffe. On s'est garés au bord de l'eau et on est partis se promener le long du rivage, sans cesser de parler. Puis on a aperçu une petite île qu'on a gagnée en pataugeant dans l'eau glacée. On l'a explorée, escaladant maladroitement les rochers dans le noir, dénichant çà et là des choses qu'on se montrait en poussant des exclamations réjouies, comme par le passé.

Après avoir fait le tour de l'île, on s'est dirigés vers sa partie supérieure, où on a trouvé un creux, une enclave située à quelque distance du point le plus élevé et protégée sur deux côtés par la paroi rocheuse. On s'y est installés pour évoquer en fumant et en buvant les gens qu'on avait connus, les choses qu'on avait vécues, mais aussi les scintillements du clair de lune à la crête des vaguelettes.

Puis, tout à coup, nous nous sommes retrouvés allongés ; elle avait posé la tête sur ma poitrine, j'avais négligemment passé mon bras autour d'elle. L'inévitable s'est produit sans hâte et tout à fait à l'improviste ; nous l'avons regardé se profiler tandis que nos lèvres se frôlaient, que les mains de l'un se promenaient de façon moins aléatoire sur les bras, le visage, le corps entier de l'autre. Tout étonnés, en vieux amis que nous étions, nous avons fait l'amour ; puis nous sommes restés couchés là, nus et tièdes, toujours aussi amis. Un petit moment après, avec un enthousiasme aussi serein que surpris, nous avons refait l'amour sans cesser de parler et de rire, comme nous l'avions toujours fait, puis nous nous sommes endormis blottis l'un contre l'autre dans notre creux.

Nous avons été réveillés au bout d'une heure par les premières gouttes tombant du ciel tiède. La pluie s'est peu à peu intensifiée et, l'un contre l'autre, mais sans effusion, nous l'avons essuyée en parlant et en riant à voix basse.

Au matin on a regagné le rivage main dans la main, on a enveloppé dans une feuille de temps la nuit qu'on venait de passer et on a pris nos distances avec elle. J'ai revu trois ou quatre fois Fhee à New Richmond, en amis, mais on n'a plus jamais regardé en arrière, et cette fameuse nuit n'a plus été évoquée, sauf peut-être à travers nos silences, çà et là, dans la plus grande loyauté. À travers, aussi, la rose que j'ai déposée sur son cercueil scellé le jour où elle a eu la tête réduite en bouillie par un obus de mortier tiré contre un restaurant où elle déjeunait par hasard, et où on en voulait à un chef de gang dont elle n'avait jamais soupçonné l'existence.

À ma manière, j'ai mis un point final à cette nuit d'amour en pénétrant un jour dans un bordel du 67ᵉ et en logeant trois balles dans la tête du commanditaire de l'attaque contre le restaurant. Mais elle a trouvé des échos plus tard, dans les choses que je n'ai pas dites à Henna, dans les matins où je me suis réveillé sans savoir où j'étais, dans l'aveu qu'en fin de compte, même Angela n'avait pas suffi à sauver mon mariage. Ni mon mariage, ni ma vie.

Le deuxième bâton dans les roues fut l'affaire Vinaldi, qui m'a occupé pendant la quasi-totalité de ma dernière année en tant que flic. J'avais été élevé au grade de lieutenant, et je ne faisais pas du tout ce que j'étais censé faire. C'est un peu une habitude chez moi. Je résistais parce qu'il me fallait un domaine où être dans le vrai, où me reposer béatement sur un socle de rectitude morale, absent du reste de mon existence.

À l'époque, Vinaldi était un caïd en pleine ascension mais bien loin du parrain qu'il allait devenir pendant mon passage à la Ferme. Une ascension inexplicablement fulgurante, d'ailleurs, à moins qu'il ait de solides appuis dans la police. Alors j'ai décidé de montrer à tout le monde, à la ville entière, ce qui se passait *réellement*. J'en étais venu à me méfier de la ville autant que de mon propre cœur. Fhee était morte depuis trois ans et mon couple se pétrifiait dans la tiédeur polie. Pas invivable, comme situation, mais cela ne me suffisait pas. Je ne me rappelais plus ce qui m'avait naguère paru important, je ne savais plus pourquoi je ne me satisfaisais pas de ce que j'avais. Et je me suis rendu compte que j'étais *vraiment* marié.

Ma contre-attaque visant Vinaldi était un substitut de vie, rien de plus ; et je l'ai lancée avec un zèle de damné.

Dans les faits, j'ai voulu mettre sur pied une force de police parallèle opérant secrètement à l'intérieur des structures existantes. J'ai recruté dans ce but les rares hommes sur qui je savais pouvoir compter, à commencer par Hal. Parvenu au grade de sergent, Hal s'occupait principalement des meurtres liés à la prostitution et aggravés de mutilations corporelles ; ayant vu trop de choses insupportables dans La Brèche pour supporter l'équivalent dans le monde réel, il pourchassait implacablement les coupables. En plus, il s'est révélé surdoué pour repérer les complices de Johnny Vinaldi, les flics qui l'aidaient à passer du statut de petit truand à celui d'empereur du crime. Les autres lui faisaient leur rapport, puis il venait me trouver. Quant à moi, je ne rendais de comptes à personne, ni dans la police, ni ailleurs. Je résolvais mes homicides, je faisais régner l'ordre dans le service… donc, on ne venait pas mettre le nez dans le reste de mes affaires, d'autant qu'en ce temps-là, j'étais tellement accro au Raviss que les gradés me considéraient comme inoffensif.

Je prenais du Raviss de temps en temps, depuis La Brèche, mais les dernières années ça s'est aggravé : je cherchais quelque chose qui m'éclaircisse enfin les idées, une chose assez puissante pour me ramener en arrière. Pour moi, ce que le Raviss a de plus séduisant c'est la peur qu'il engendre, et il m'en fallait de plus en plus pour conserver ma santé mentale. Une existence sans peur, ce n'est pas une vie ; et au centre de ma vie, donc chez Henna, rien n'était susceptible de provoquer cette peur.

L'enquête engendrait ses propres peurs à mesure qu'elle avançait : je me rendais progressivement compte qu'il se passait quelque chose de très particulier. On a découvert qu'effectivement, un petit nombre de policiers étaient à la solde de Vinaldi, mais ils n'étaient pas assez nombreux pour expliquer son exorbitante réussite. Avec le temps, il est devenu évident que son fan-club englobait les hautes sphères de la police, ce qui, à mes yeux, n'avait aucun sens. Le *statu quo* durait depuis des années, à New Richmond ; alors pourquoi les pontes allaient-ils s'acoquiner avec un truand parmi d'autres ?

Hal et moi persistions à fouiner, en nous rapprochant de plus en plus de la vérité. Puis il y a eu cette fatale semaine, il y a cinq ans. Je pressentais — pure intuition — que l'enquête touchait à sa fin. En temps normal, mes intuitions ne valent pas le papier qui me sert à les torcher, mais là, c'était différent, j'en étais sûr. Cela faisait comme une vibration continuelle sous mes doigts et cette semaine-là, je l'ai passée en quasi-totalité soit au bureau, soit dans la rue, pratiquement sans jamais voir Henna et Angela.

Le dernier jour, je me suis levé très tôt — mais pas trop pour qu'Angela jaillisse de sa chambre et se jette dans mes bras ; j'ai failli la laisser tomber, et là, j'ai compris que ce petit jeu entre nous était de moins en moins fréquent. Un peu parce que j'étais tout le temps dehors, mais aussi parce qu'elle avait grandi, elle n'en prenait plus aussi souvent l'initiative. J'ai eu peur. Si je continuais comme ça, j'allais passer à côté de son enfance, ou de ce qu'il en subsistait ; que me resterait-il alors ?

Je l'ai reposée en l'embrassant au sommet du crâne, puis j'ai lancé un au revoir à Henna en franchissant le seuil. Peut-être est-elle venue dans le salon pour m'embrasser, me souhaiter bonne chance. Je ne le saurai jamais, parce que je ne l'ai jamais revue vivante.

« On » avait appris ce que je trafiquais, « on » savait que j'étais tout près de découvrir le pot aux roses. Alors « on » a donné un ordre, et ce jour-là, quelqu'un est venu chez moi découper en morceaux les deux êtres que j'aimais. On s'y est pris de manière à ne laisser aucun doute : on savait tout de moi, des choses que j'avais vues dans La Brèche, des peurs qui continuaient à couver au cœur de mon existence. Pendant cinq années je devais croire que ce « on » avait été embauché par Vinaldi, mais par la suite, j'ai changé d'avis.

Pourtant, le coupable existait quelque part. On avait *contribué* à ma destruction, mais finalement, c'est moi qui avais apporté la touche finale, la plus destructrice.

Car à l'heure où Henna et Angela ont été tuées, je n'étais pas au travail. Au lieu de rester à la maison, ce qui m'aurait été loisible, j'étais en compagnie d'une autre femme. Au lit. Elle s'appelait Phieta, et c'est elle qui, plus tard, m'a retrouvé dans l'entrepôt où je me suis terré après avoir découvert les corps. À l'instant de la mort de Henna j'embrassais les seins de Phieta ; à l'instant de celle d'Angela, j'en étais probablement au nombril. Je ne peux rien affirmer quant à la simultanéité exacte. Mais ça n'a pas vraiment d'importance.

Combien de temps doit-on attendre ce qui peut ne jamais arriver ? Faut-il inlassablement chercher le Pays

d'Oz ? Et en dernière analyse, le Pays d'Oz existe-t-il ?
Ou bien n'est-ce qu'un MaxBrico, un moyen de passer
le temps ?

Après cinq ans à la Ferme, je n'avais pas progressé
d'un pouce dans la compréhension de toutes ces
choses. Peut-être ne suis-je pas fait pour les réponses ;
seulement le produit d'expériences ratées et de mauvais conseils. Je me souviens d'un jour, quand j'avais
quatorze ans ; une des rares fois où mon père a exprimé
quelque chose. Attablé dans la cuisine minuscule, il
bâfrait le dîner préparé par ma mère, qui faisait la vaisselle. Je ne sais plus dans quelle maison c'était ; je les
confonds toutes, maintenant. Mais je le revois mater
longuement ma mère occupée à récurer ; il parcourait
des yeux ses épaules lasses. Enfin il s'est tourné vers
moi et m'a dit :

« N'oublie jamais ça, Jack : la masturbation, ça ne
remplacera jamais une femme. »

J'avais beau adorer ma mère et détester mon père plus
que tout au monde, je crains que sa vision du monde
n'ait triomphé, finalement. Ce ne sont pas forcément
les belles et bonnes choses, les choses justes, qui ont
le plus d'impact. Chaque petit détail, y compris la fai-
blesse, apporte sa courte ligne de code au programme.
Les choses négatives peuvent se révéler vraies et les
bons conseils se retourner contre vous.

Je ne mange plus très souvent de crème glacée, mais
je me suis toujours remémoré les paroles du vieux
monsieur sur la plage. J'ai essayé de modeler le monde
à mon goût et de ne jamais me contenter de peu.
D'écrire moi-même mes lignes de code, çà et là. Ce
vieux monsieur était plein de bonnes intentions, mais
ce qu'il ne m'a pas dit, c'est que parfois les meilleurs
sentiments, les actes les plus glorieux se révèlent insuf-
fisants. Que le monde est plus fort que nous, tout sim-

plement, et nous fait plier plus que nous ne le plions à notre volonté. Et que la plupart du temps, nous lui donnons un coup de main.

Il ne m'a pas dit qu'on pouvait se retrouver désorienté, perdu, sans jamais être secouru.

J'avais rendu ma vie inévitable. J'étais le seul responsable. Et pendant mon Absence, j'ai commencé à comprendre : peut-être y avait-il encore moyen de me racheter.

16

Je suis resté Absent longtemps — plusieurs heures. Je n'étais jamais resté aussi longtemps dans cet état. En Revenant je me sentais exténué, terrifié et seul. Quand vous Revenez, vous avez l'impression de vous réveiller avec votre soixante-quinzième gueule de bois d'affilée pour apprendre qu'il n'y a plus de café et qu'American Express a mis votre tête à prix. J'ai peu à peu repris vie avec le vague sentiment d'avoir été convoqué et je me suis retrouvé dans un coin de forêt très dense manifestement éloigné du village.

Je me sentais coupable d'avoir abandonné Vinaldi, mais cela ne m'aurait avancé à rien de me faire prendre. Nous avions eu raison de nous séparer. Si les scénaristes appliquent ce principe dans les films d'horreur, ce n'est pas seulement pour faire durer le suspense, mais parce que, ainsi, tout le monde ne se fait pas tuer en même temps. J'avais fait le bon choix en partant en courant, même si je m'en voulais. Vinaldi avait été capturé et pas moi : théoriquement au moins, j'étais toujours en mesure d'agir.

Une fois mon sentiment de culpabilité dissipé, j'ai regardé autour de moi afin d'identifier si possible ma position. Ici aussi les arbres s'alignaient en rangs serrés dans toutes les directions, mais jamais je n'avais vu de terrain aussi accidenté dans La Brèche. De gros rochers perçaient le tapis de feuilles et partout on voyait des creux et des bosses. Terne et filtrée par les arbres, la lumière était d'un bleu tirant sur le vert. On se serait cru dans une forêt immergée.

J'ignorais totalement où j'étais et comment regagner le village. L'examen superficiel du paysage ne m'avait pas permis de déceler parmi les feuilles mortes le moindre dérangement indiquant une direction possible ; apparemment, j'avais été téléporté de nulle part.

La première décision à prendre concernait le Raviss. Fallait-il en reprendre ? Ou plutôt, puisque de toute façon c'était inévitable, fallait-il que je me l'injecte séance tenante ? Sentant un bourdonnement résiduel au fond de mon crâne, j'en ai déduit que le niveau se maintiendrait encore une heure, mais à tout moment pouvait survenir tel ou tel événement exigeant que je sois raide défoncé si je voulais survivre. Décision difficile à prendre.

« Soldat. »

En entendant cette voix, j'ai cru mourir. Toutes mes viscères se sont contractées en même temps, comme pour sortir d'un bond de mon organisme, estimant que ce dernier n'en avait plus pour longtemps. Je me suis accroupi en dardant des regards en tous sens, à m'en faire jaillir les yeux des orbites.

« Soldat. »

La deuxième fois, j'ai failli ne pas l'entendre tant mon cœur battait fort. Mais la voix a répété ce mot unique. Cela venait de derrière moi. Évidemment.

Prenant appui sur les mains, j'ai fait lentement demi-tour, sans me relever. Personne. Rien qu'un tas de petits talus plantés d'arbres qui se fondaient dans la pénombre en évoquant des ondulations de fonds marins.

« Oui, soldat. Venez à moi. »

Apercevant une palpitation lumineuse près d'une hauteur, j'ai curieusement eu envie de me relever ; et puis non, merde ! Je resterais où j'étais ! Avec le Raviss, on apprend à se méfier cordialement de ses premières impressions. Se trouver dans La Brèche, c'était déjà déconseillé. Mais s'y avancer délibérément vers un inconnu, c'est franchement stupide.

« Venez, s'il vous plaît », a dit la voix. Alors j'ai vu qu'il y avait bel et bien quelqu'un près d'un affleurement rocheux, à une vingtaine de mètres. Du moins selon mes estimations ; la silhouette, s'il s'agissait bien d'une silhouette, était étonnamment petite.

Que faire ? Inutile de m'enfuir : j'étais repéré, point final. Si j'avais réussi à fuir Yhandim et Ghuaji, c'était parce qu'ils n'étaient pas encore tout à fait spatialisés. Et aussi parce que je cours drôlement vite quand je suis mort de trouille et que j'ai une longueur d'avance. J'avais la certitude absolue que la créature du rocher, quelle qu'elle fût, saurait me rattraper au bout de quelques mètres.

Je me suis redressé prudemment et j'ai fait quelques pas. La silhouette a eu un hochement de tête encourageant, mais elle est restée attendre près de son rocher.

Je me suis décidé : mieux valait aller à la rencontre de son sort que le prendre dans le dos.

La créature était effectivement de petite taille, mais c'est seulement quand je m'en suis approché à quelques mètres que la lumière intermittente est progressivement devenue identifiable. Tout d'abord je n'ai pas vu une silhouette à proprement parler mais un espace plus sombre que le reste — comme si sa seule emprise sur le monde consistait à y projeter une ombre.

Puis celle-ci s'est matérialisée et a pris la forme d'un garçonnet d'une dizaine d'années, vêtu de l'étrange assemblage de haillons et de lanières typique des enfants de La Brèche.

Il m'a tendu la main en souriant. Je l'ai regardé sans rien dire. J'étais incapable de réagir. Puis j'ai compris : il attendait que je lui serre la main. Alors j'ai fait un pas en arrière, certain d'être tombé dans un piège, ou au moins d'être victime d'une hallucination. Les enfants de La Brèche ne sont pas immatériels, comme les villageois. Ils ont l'air réels ou presque. On peut les voir, les attraper; c'est d'ailleurs pour cela que… Enfin, croyez-moi sur parole. On peut. Alors que celui-ci avait quelque chose d'anormal.

L'enfant n'a ni parlé, ni fait mine de s'avancer. Il a patiemment attendu que je me décide. Si c'était un piège, il était si raffiné qu'il était inutile de résister. J'ai tendu la main, précautionneusement.

J'ai eu du mal à sentir le premier contact parce que sa menotte était fine, d'une consistance aérienne; mais elle a bientôt acquis quelque solidité, et serré ma main en retour. J'ai eu l'impression de refermer mes doigts sur de l'eau tiède — légèrement au-dessus de la température corporelle — et cela m'a rappelé, sans que je sache trop pourquoi, le jour où j'avais pris Suej par la main, la toute première fois, pour la faire sortir du tunnel, à la Ferme.

Le petit garçon s'est détourné et m'a fait signe de le suivre. Le souffle court, je me suis demandé dans quoi je m'embarquais et quel allait être le prix à payer, mais je me suis laissé entraîner.

Nous nous sommes mis en route; je ne pensais à rien, je regardais autour de moi en attendant la suite. Les enfants de La Brèche n'approchaient jamais les inconnus, à moins d'avoir une excellente raison pour cela. Je ne voyais vraiment pas ce qui motivait cet enfant-ci, ni où il pouvait bien m'emmener.

Finalement, nous nous sommes arrêtés de l'autre côté de la petite colline. Il m'a regardé puis, avec un petit geste de la main, il s'est encore détourné. J'ai suivi son regard.

Ils pouvaient être deux cents, sans doute plus. Pendant quelques secondes, j'ai cru qu'ils se multipliaient à l'infini dans la forêt tels des galets sur la plage. Puis j'ai vu que la multitude s'arrêtait à peu près à l'endroit où la lumière se dissolvait dans l'obscurité, à une cinquantaine de mètres.

C'étaient tous des enfants de La Brèche et ils se tenaient immobiles sous la lumière bleue. Une rangée après l'autre, impalpables, à peine présents, ils avaient les yeux fixés sur moi. Entendant un bruissement, je me suis retourné : un nouveau groupe d'enfants était apparu sans bruit derrière nous. Ils étaient presque aussi nombreux.

Dans toutes les directions, à perte de vué, j'étais entouré de gosses muets.

D'habitude, on ne voyait jamais plus de trois enfants à la fois ; ils allaient et venaient au compte-gouttes. Pendant la guerre, on n'était même pas sûrs d'avoir affaire à des villageois miniatures. Certains y voyaient des êtres d'un genre à part. Moi-même je n'étais pas certain que les villageois fussent des « gens » à proprement parler ; peut-être notre cerveau interprétait-il simplement ainsi un phénomène radicalement nouveau pour lui ; si ça se trouvait, ces créatures étaient des symboles incarnant les pensées nées dans l'esprit de La Brèche ; auquel cas les enfants représentaient encore autre chose ; des pensées moins anciennes ? Ils figuraient une forme de jeunesse ; voilà bien, d'ailleurs, pourquoi ce qui était arrivé restait inacceptable. Même à l'époque, je le comprenais — moi, le jeune drogué. Après la naissance d'Angela, je l'avais ressenti encore plus nettement.

Tout à coup, une ondulation a perturbé l'immobilité générale. Les enfants les plus proches ont avancé de quelques pas trottinants, jusqu'à frôler mes jambes. Ceux de derrière poussaient et j'ai failli crier. Puis j'ai compris : ils me souhaitaient la bienvenue, ils m'accueillaient en ami.

Mille sourires muets se sont dessinés sur mille visages grisâtres tournés vers moi, de petits bras se sont tendus pour effleurer mon manteau, mes manches. Nul son ne s'échappait de ces bouches, qui pourtant s'ouvraient et se refermaient alternativement, comme s'ils parlaient. J'avais la sensation d'être enveloppé dans un nuage d'humidité en constante mutation où se concrétisaient des mains, des bras, des visages. Il y avait des filles et des garçons — de tout jeunes adolescents mais aussi des bambins tenant à peine debout. Après les idées qui m'étaient venues pendant mon Absence, cette apparente démonstration d'affection était si inattendue que j'avais du mal à la supporter. Comme si, à mon Retour, je m'étais justement trouvé confronté à ce qui me manquait le plus.

Ou, peut-être, comme si on me montrait que je pouvais en jouir à nouveau.

Au bout d'un moment le contact s'est rompu et la foule s'est divisée devant moi. Le premier garçonnet m'a repris la main pour m'entraîner. Les autres se sont tournés dans la même direction, comme pour se mettre en marche en même temps que nous.

Non sans passer une main légère dans la chevelure grise, immatérielle, de la plus proche petite fille, j'ai déconnecté mon esprit et décidé de les suivre où ils voudraient m'emmener.

Sur le moment, j'ai cru sans hésitation que La Brèche ne pourrait m'offrir spectacle plus étonnant que ces enfants. Une demi-heure plus tard je me rendais compte de mon erreur.

Nous marchions en silence dans la forêt ; le garçonnet me guidait en avançant à une allure régulière et les autres suivaient. Je me suis retourné plus d'une fois avec l'intention de m'en assurer, pour découvrir une colonne qui s'étirait au loin en se perdant dans l'obscurité. Le terrain demeurait rocailleux, inégal, et bien que ce ne fût pas très évident, j'ai cru sentir que nous prenions de l'altitude. Une brume épaisse s'amassait entre les arbres ; blanche et moelleuse, elle semblait éclairée de l'intérieur.

Au bout d'un temps j'ai commencé à distinguer des objets sur le sol : des armes, des emballages de munitions vides. J'ai d'abord pensé que c'étaient des traces de la guerre semées au hasard, mais c'était impossible : si la plupart des armes portaient l'écusson de l'armée US, d'autres, de conception inconnue, avaient manifestement appartenu aux combattants de La Brèche. Quelques-unes gisaient çà et là en désordre, mais la grande majorité était entassée au pied des arbres.

Des débris plus volumineux ont fait leur apparition : sacs à dos moisis, radios cassées, fragments d'armes plus volumineuses gisant telles des stèles tombées en tous sens dans un cimetière abandonné. Les enfants ne leur ont prêté aucune attention. Des formes de plus grande taille se profilaient au-devant, dans la brume, et quand elles sont devenues identifiables j'ai dû m'arrêter brusquement. Les enfants, qui ne paraissaient pas s'en soucier, m'ont regardé approcher, bouche bée, de la plus proche carcasse.

C'était une Jeep, un véhicule léger de l'armée US comme on en utilisait en de rares occasions pendant la guerre. La plupart du temps on devait se déplacer à pied car la forêt était plantée trop serrée ; en plus, la position des arbres avait tendance à varier de minute en minute. Mais il y avait effectivement eu quelques Jeep de ce type, presque exclusivement réservées aux gradés. On racontait pour plaisanter que seule la marche arrière fonctionnait. J'ai passé la main sur le métal froid du capot, essuyant la rosée au passage. La tôle était froissée et arborait un grand trou. À en juger par les dégâts et l'épaisse couche de suie, elle avait dû être touchée par une roquette.

En tentant de percer la brume, j'ai vu que toutes les formes de même taille qui s'enflaient entre les arbres étaient des véhicules d'une espèce ou d'une autre. Deux hospiVans, quelques motos blindées (celles que les villageois avaient eu tant de facilité à détruire), et trois ou quatre Jeep en plus ou moins bon état. J'ai tiré sur les portes arrière d'un hospiVan ; elles se sont ouvertes avec un grincement qui m'a paru ridiculement sonore dans le silence ambiant. Dans l'habitacle sombre et nauséabond pourrissaient divers articles médicaux inutilisables. Pendant la guerre, on n'avait pu employer la téléchirurgie car les signaux ne franchissaient pas la démarcation entre les deux mondes ; pas de bataillons de chirurgiens à distance pour nous soigner, comme dans les conflits normaux. On devait se contenter des hospiVans et de leurs superinfirmiers, au moins aussi Ravis que nous et enclins à vomir d'affolement à la seule vue du sang. J'entendais presque les hurlements des hommes qu'on allongeait dans ces ambulances et qui tremblaient en pleurant devant les mains mal assurées qui se tendaient vers eux.

Aucun de ces véhicules ne m'a paru en état de marche, mais ce n'était pas cela l'important. De toute évidence, « on » avait sillonné La Brèche afin de collecter tous ces objets et de les rassembler ici.

C'était un mémorial, un monument muet au souvenir d'une guerre qui n'aurait jamais dû avoir lieu.

Le garçonnet est venu me rejoindre et les autres lui ont emboîté le pas. À leur attitude, j'ai compris que nous n'avions pas encore atteint ce qu'ils voulaient me montrer.

Au bout de deux cents mètres, le gamin s'est à nouveau immobilisé et m'a regardé d'un air plein d'espoir. Je ne saisissais pas ; qu'étais-je censé regarder ? Une petite fille s'est détachée du groupe et a parcouru une dizaine de mètres d'un pas assuré avant de pointer un doigt et de se retourner vers nous.

Manifestement, les autres ne pouvaient ou ne voulaient pas apporter d'éclaircissements. Je me suis donc avancé seul, en essayant de distinguer quelque chose. D'abord, je n'ai vu que les troncs énormes, puis mon souffle s'est bloqué dans ma gorge et j'ai enfin découvert ce qu'on m'avait amené voir.

C'était un hélicoptère de combat ; couché sur le flanc entre deux très gros arbres, il se découpait sur fond de brume de telle manière qu'il semblait éclairé par-derrière. Je me suis approché, la mâchoire pendante ; comment les enfants l'avaient-ils transporté jusqu'ici ? Car c'était eux, j'en étais sûr ; eux aussi qui avaient réuni les autres débris.

Les rares hélicoptères de combat employés dans La Brèche étaient de conception très spéciale. En raison de l'omniprésence des arbres, ils avaient plus ou moins l'aspect d'une aile volante profilée verticalement. La meilleure comparaison qui me vienne à l'esprit, c'est un scalaire géant — un fin triangle renflé vers l'avant sur une épaisseur de trois mètres maximum mais effilé au niveau du nez et des autres pointes jusqu'à perdre la quasi-totalité de son épaisseur. Les hublots positionnés de part et d'autre du cockpit renforçaient l'analogie : on aurait dit des yeux. Ceux-ci ne servaient pas à grand-chose, d'ailleurs : pour voler dans La Brèche, il fallait des martioDroïdes superpuissants, et ces engins-là n'avaient nul besoin de hublots. L'hélico mesurait dix mètres de hauteur et sa carrosserie kaki arborait des deux côtés de grands insignes noirs.

Il semblait en parfait état.

Les enfants s'étaient alignés dans mon dos. Comme ils ne faisaient pas mine de m'indiquer la marche à suivre, j'ai obéi à mon intuition immédiate : j'ai escaladé l'échelle boulonnée sur l'aile inférieure et actionné le dispositif d'ouverture situé en haut. Le rabat s'est ouvert sans bruit.

J'ai reporté mon regard vers le sol afin de quêter un peu de réconfort, mais les enfants n'étaient plus là.

Je me suis senti très malheureux, complètement abandonné ; mais ils s'en étaient allés parce qu'ils avaient rempli leur mission, voilà tout. Or, je ne connaissais rien aux hélicoptères de combat ; j'avais mis le pied une seule fois à bord d'un de ces engins, pour en extraire un officier ivre mort dont les prétendues compétences étaient requises. Il avait tenté de me soudoyer en se prétendant à même de me relatéraliser hors de La Brèche. Je l'avais balancé à terre.

J'ai ouvert le rabat en grand et pénétré dans l'habitacle. La porte donnait sur une étroite coursive parcourant toute la longueur praticable de l'appareil. À ma droite, elle ouvrait directement sur une aire circulaire au rayon légèrement inférieur à un mètre. La paroi était en métal abondamment riveté, et en entrant dans le poste de contrôle, on se serait cru dans une bouilloire rouillant depuis une éternité au flanc d'un talus.

Une des baies d'observation avant était brisée, mais à part cela, le pont semblait miraculeusement intact. L'appareil n'avait peut-être jamais participé au moindre combat ; du moins, il n'avait pas été abattu en vol. À l'avant de la zone dégagée se trouvait du matériel informatique et des écrans de contrôle, le tout tapissé de feuilles. Avant toute chose, je les ai soigneusement ramassées avant de les jeter par le hublot. Elles ne m'inspiraient aucune méfiance particulière, mais on ne savait jamais. Drôlement imprévisibles, les feuilles, dans le coin.

La majeure partie de l'habitacle était occupée par deux rangées de trois sièges, sans compter les bancs latéraux surélevés, aménagés le long des parois. La cloison du fond était couverte de relevés topographiques et autres instructions écrites — dans La Brèche, on devait s'en remettre presque exclusivement au bon vieux duo papier-crayon : les ordinateurs y fournissaient des résultats peu fiables. Quant aux machines qui pilotaient l'engin, l'énergie considérable qu'elles consommaient était en grande partie absorbée par la vérification des erreurs.

J'en devenais presque nostalgique. Chaque feuillet punaisé au panneau portait le logo de la guerre dans le coin supérieur droit. Ce petit dessin, il y avait bien longtemps que je ne l'avais plus vu. Il me rappelait autant d'ordres donnés en dépit du bon sens, autant de directives entachées d'inexactitudes, le tout récrit maintes fois par le département Marketing, au point que pour finir, ça ne voulait plus dire grand-chose. Comme les généraux avaient dû s'amuser, bien à l'abri dans le monde réel, à déplacer comme des pions leurs troufions morts de peur !

Ça ne leur était plus arrivé depuis longtemps car à une époque, les individus ont commencé à se poursuivre mutuellement en justice pour dommages corporels ou matériels en temps de guerre ; alors, chaque fois que c'était possible, les gouvernements renonçaient à déclencher les hostilités. Cela revenait décidément trop cher puisque les conflits armés dégénéraient invariablement en batailles juridiques. Souvent les soldats étaient portés manquants lors des offensives majeures parce qu'ils témoignaient devant les tribunaux ou consultaient leurs attachés de presse. Bref, toute l'affaire était devenue impossible à gérer.

À l'inverse de ce qui se passait dans La Brèche. Les villageois, eux, se foutaient bien des poursuites judiciaires ; ce qu'ils voulaient, c'était l'annihilation pure et simple de l'envahisseur. C'était la guerre façon vieille école, et les généraux n'avaient même pas à nous fournir de housses en plastique : quand ils mouraient, les combattants disparaissaient purement et simplement. J'ai perdu ainsi beaucoup de camarades ; on avait deux minutes pour s'imprégner de leur souvenir avant qu'ils ne s'évanouissent, absorbés par la texture de La Brèche.

J'ai fini par aller m'asseoir sur le siège du pilote. Bon, d'accord, j'avais trouvé un vieil hélico de combat. Et alors ?

Si les enfants m'avaient amené jusqu'ici, c'était dans un but bien précis ; mais lequel ? Je ne voyais pas. Je ne savais pas piloter cet engin, je ne comprenais rien à ce qui m'entourait. En plus, le tableau de bord avait été désossé à la fin de la guerre. L'appareil était inutilisable. À la rigueur, il me servirait de refuge quand le Raviss viendrait à me manquer.

En parcourant des yeux les commandes toutes crasseuses, j'ai aperçu un logement dépouillé de son contenu. Un rabat ouvert, marqué « QI », révélait un espace exigu. Au milieu, une indentation de quatre centimètres sur deux, pourvue de minuscules contacteurs disposés en rangs sur les bords. Ceux-ci semblaient intacts. Mais à quoi pouvaient-ils bien me servir, de toute façon ?

Sentant la brise entrer par le hublot, j'ai jeté un regard au-dehors. La brume continuait à luire doucement autour des arbres, mais le silence régnait. Je n'avais jamais connu d'aussi longue période de calme relatif dans La Brèche. Les choses devaient être différentes, à présent ; ou alors, j'étais encore sous l'emprise du Raviss. Pourtant, je n'en avais pas l'impression. J'étais fatigué et nauséeux — les symptômes classiques de la redescente, et il était probablement temps de me refaire un fix ; mais pour l'instant je n'en avais pas le courage. L'excès de bonnes choses, ça existe. Alors au lieu de ça j'ai allumé une cigarette ; mon vœu le plus cher, en cet instant, aurait été de boire un bon café.

Je me suis efforcé de ne pas penser à Quasi, à Suej, aux autres alters, à Vinaldi, tout en m'occupant l'esprit en attendant que mon inconscient me souffle un plan — probablement irréalisable, d'ailleurs. C'est pour cela, sans doute, qu'il s'est arrêté obstinément sur le concept de café : si seulement j'en avais, je pourrais mettre de l'ordre dans ma tête, trouver une solution à ma situation.

Du café… *Si seulement j'avais du café…* Je humais son fumet, j'en sentais la délicieuse amertume sur ma langue, au fond de ma bouche.

Du café, songeais-je. *Du café.*

Et c'est alors que…

Ferraille !

Dans la poche de mon blouson se trouvait un objet que je traînais partout avec moi depuis des jours sans en avoir conscience, un objet en rapport avec l'informatique mais qui n'était pas pour autant un module de RAM. Je l'ai pris en main.

Laissant courir mes doigts à sa surface, j'ai vu que le processeur glissé dans mon sac par Ferraille lors de mes dernières minutes à la Ferme avait exactement la taille du logement pratiqué dans le panneau « QI ». Peut-être le chiffre « 128 », qui y était imprimé, était-il en fait un numéro d'identification, voire un numéro de série, et non une unité de mesure de capacité. Auquel cas la mention « QI » se référait à ses capacités mentales, donc à l'unité centrale de l'ordinateur embarqué.

J'ai posé le processeur le temps de le contempler, les sourcils froncés. Puis je l'ai doucement inséré dans le logement, numéro sur le dessus. Elle s'y adaptait à la perfection.

Il ne s'est rien passé. J'ai attendu en tirant sur ma cigarette. Je me sentais un peu bête. Comment avais-je pu croire qu'il existait un rapport entre ce processeur et un hélico de combat ? C'était parfaitement idiot. Conclusion, j'étais à bord d'une pièce de musée archéologique sans aucune idée de la marche à suivre, et le temps passait. J'ai écrasé mon mégot sous ma botte ; j'avais décidé de me shooter et de m'enfoncer en courant dans la forêt comme une poule devenue folle.

« Procédure d'initialisation achevée », a annoncé une voix qui m'a fait bondir. J'ai frénétiquement cherché du regard qui avait bien pu parler. Personne. Toutefois, une petite caméra suspendue dans un coin du plafond a brusquement braqué son œil sur moi et des voyants se sont allumés çà et là sur le tableau de contrôle.

Sur quoi la voix a de nouveau retenti.

« Bonjour, Jack. »

J'avais la cervelle qui en sortait par les oreilles, ou presque.

« Ça alors ! ai-je éructé dès que j'ai retrouvé mon souffle. Comment connaissez-vous mon nom ?

— Ici Ferraille, Jack, a calmement répondu la voix.

— Ferraille ! » Ma cervelle a tenté une nouvelle sortie par la voie auriculaire, probablement dans l'espoir de trouver ailleurs un logis plus hospitalier. J'ai pensé un instant me fourrer les doigts dans les conduits auditifs, histoire de lui barrer le chemin. Oui, mais alors, je n'entendrais plus rien…

« En effet. Content de vous revoir. Je suppose que nous sommes dans La Brèche. » Avec un léger bourdonnement, la caméra a zoomé sur mon visage. « Vos pupilles sont contractées. Vous avez recommencé à prendre du Raviss ?

— On s'en fout. Et pas la peine de me demander ce que j'ai fait depuis tout ce temps. Qu'est-ce que tu fous là, *toi* ?

— Aucune idée, a répondu Ferraille. C'est vous qui avez dû m'y amener.

— Ma foi, c'est vrai. Mais ce que j'aimerais savoir, c'est comment tu t'es retrouvé dans mon sac.

— Je peux tourner grâce à un processeur d'appoint. Quand il m'est apparu que, selon toute probabilité, les événements à la Ferme n'auraient pas d'issue favorable, j'ai placé mon unité centrale en sécurité, de manière que vous l'emportiez avec vous.

— Pourquoi ?

— Je ne voulais pas mourir, m'a-t-il répondu simplement. En outre, j'espérais me rendre à nouveau utile un jour. Que faites-vous dans La Brèche ?

— Une autre fois. C'est une longue histoire. Mais toi, tu sais piloter cet engin ?

— À l'origine, c'est pour cela que j'ai été conçu. Pas pour piloter celui-ci en particulier, mais ce type d'appareil. À la fin de la guerre, les unités centrales ont été récupérées. Arlond Maxen en a racheté un paquet. J'ai atterri à la Ferme.

— Tu as été martioDroïde ?

— Eh oui. »

J'ai regardé fixement la caméra ; mes pensées tournoyaient follement dans ma tête. Je me représentais des ordinateurs pleins de blessures de guerre pilotant des centres de contrôle de la circulation ou faisant fonctionner des grille-pain, et ce dans tout le pays. Cela expliquait beaucoup de choses. « Pourquoi ne m'as-tu rien dit ? Tu savais que j'avais été Yeux-de-Feu. Pourquoi tu ne m'as jamais dit que tu avais séjourné ici ?

— Vous ne me l'avez pas demandé. Mais de toute manière, je vous l'aurais caché. À l'époque, vous n'aviez vraiment pas besoin de souvenirs de guerre. Ce n'était pas ce qu'il vous fallait.

— Bon sang ! Voilà pourquoi tu étais si puissant sans raison apparente. Et pourquoi tu étais tellement *bizarre*.

— Bizarre, moi ? Vous pouvez parler, tiens ! »

C'est là que j'ai compris à quel point il m'avait manqué. Puis je me suis rappelé la situation, les perspectives d'avenir immédiat, et mon humeur s'est teintée de panique.

« Écoute. Bizarre ou pas, on a besoin de ton aide. »

17

Il m'a suffi de quelques minutes pour lui résumer la situation. Pendant ce temps, j'ai entendu divers ronrons lointains : l'ordinateur de bord procédait à la vérification des systèmes de propulsion et autres détecteurs de collision. Parallèlement, il s'efforçait de préparer du café dans la minuscule cuisine, mais la poudre était complètement moisie ; je me suis donc contenté d'une tasse d'eau chaude. Malheureusement, il n'y avait rien de prévu pour confectionner des cheeseburgers.

« Je n'ai aucun moyen de localiser ces personnes, a-t-il enfin déclaré. À vous entendre, ils peuvent se trouver n'importe où, et vous-même ne savez pas comment vous êtes arrivé jusqu'ici.

— Merde ! » J'ai fait un geste vague. « On ne pourrait pas… Je ne sais pas, moi… crapahuter jusqu'à ce qu'on les retrouve ?

— La Brèche n'a pas de limites, Jack, car celles qui séparent les individus, les trouées, les intervalles, sont infranchissables. Et pour explorer un espace infini, il faudrait…

— Un sacré bout de temps, oui, je sais. Attends : tu sais localiser les signaux Positionex ?

— Oui. Pas à partir du satellite, vu qu'il ne se trouve pas dans La Brèche, mais je peux me caler sur les impulsions émises par l'appareil lui-même. Pourquoi ?

— Si ça se trouve, Ghuaji porte toujours la balise sur lui. Allons-y. »

Je me suis sanglé à la hâte dans le siège du pilote. Les moteurs se sont réveillés en bourdonnant ; le moment était peut-être venu de reprendre du Raviss. Puis, réédition miniature et lasse de ce que j'avais ressenti bien des années plus tôt, j'ai décidé d'y aller sans béquille chimique.

La vibration des moteurs s'est accentuée, puis atténuée : les différents circuits se mettaient en mode Décollage. J'ai eu l'impression que la terre se soulevait paresseusement et l'appareil s'est redressé avant de quitter le sol.

Je dois avouer que j'ai poussé une exclamation d'enthousiasme. Cela ne m'était pas arrivé depuis bien longtemps et j'y ai pris plaisir.

J'ai regardé par le hublot jusqu'à ce que l'hélico soit suspendu à trois mètres du sol, son altitude de vol normale. Sur le tableau de bord, un écran s'est allumé ; il affichait un point bleu au centre d'un schéma représentant une forêt vue en coupe.

« J'ai trouvé, a annoncé Ferraille. La balise se trouve à six kilomètres environ.

— Pleins gaz, ai-je répliqué en savourant l'instant. Et quand on sera près de Ghuaji, n'économise pas les munitions. »

L'appareil a tangué gauchement puis trouvé son équilibre. Il s'est coulé dans une petite clairière, puis a fait un tour complet sur lui-même.

« Bien, a déclaré Ferraille. Il va falloir que je me concentre un moment. À plus tard. »

Nous nous sommes remis en route, d'abord assez lentement, puis de plus en plus vite, jusqu'à ce que les arbres défilent derrière le hublot tels des spectres bruns. On n'entendait pratiquement que le vent ; dans l'habitacle proprement dit régnait un silence impressionnant.

Je me cramponnais à mon siège pour ne pas être projeté au gré des manœuvres. Un jour j'avais vu passer un de ces hélicos ; l'habileté avec laquelle son ordinateur de bord le guidait entre les troncs tel un gros poisson évitant les algues avait fait mon admiration.

Mais comme j'en avais également vu un s'écraser, au moment où nous avons atteint notre vitesse maximum, j'ai fermé les yeux.

L'aveuglement soumettant mes nerfs à pire épreuve, j'ai fini par rouvrir les paupières. Les mains crispées sur les accoudoirs, j'ai senti l'appareil foncer à toute allure vers la position indiquée par le voyant sur l'écran. À un moment, nous avons traversé une nappe de Trouille sur quelques centaines de mètres, mais nous en sommes ressortis avant que j'aie pu attraper ma seringue et tordre le cou à mes bonnes résolutions.

Au bout de deux ou trois kilomètres, la lumière extérieure a changé. Le bleu pur est devenu boueux et j'ai commencé à me faire du souci. Mes soupçons se sont confirmés lorsque j'ai senti un brusque tressaillement au fond de mes yeux, comme si on me passait la lame d'un scalpel sous les paupières.

« Oh, merde. Ferraille, on est à quelle distance ?

— À peu près huit cents mètres, a répondu sèchement l'ordinateur. Pourquoi ? Vous avez envie d'aller aux toilettes ?

— Vinaldi n'a plus les yeux de feu. » Par mon hublot, j'ai vu des filaments luminescents et brunâtres s'entremêler entre les arbres. Jadis, on croyait que c'était de fines branches ou pousses non identifiées, mais un jour elles avaient attaqué les soldats, qui en étaient revenus en titubant, les globes oculaires brûlés et hérissés de brindilles lumineuses. Si Vinaldi n'était pas à l'abri, il courait de gros risques — de même que Quasi, Suej et les autres alters, en admettant qu'ils soient bien dans La Brèche. « Il faut qu'on se dépêche, tu m'entends ?

— Nous approchons de la source du signal », a répondu Ferraille.

J'ai eu l'impression que l'appareil se crispait tout autour de moi.

« Accrochez-vous. »

Comme je ne pouvais guère me cramponner davantage, je me suis borné à regarder par le hublot en cherchant à repérer d'éventuelles traces de Ghuaji et des autres malgré la lumière crépusculaire. L'appareil, qui décélérait rapidement, se faufilait entre les troncs avec une grâce de poisson en pointant droit sur le signal Positionex. J'ai sorti mon arme et vérifié le chargeur. Elle me rendrait des services limités car si Yhandim et Ghuaji — sans parler de leurs éventuels acolytes — avaient été assimilés pour de bon par La Brèche, ils étaient concrètement devenus des villageois, auquel cas il me faudrait bien autre chose qu'une balle normale pour en venir à bout. Plutôt un fusil à impulsion, comme ceux que l'appareil portait alignés sur ses flancs. Je n'avais jamais très bien compris comment ils fonctionnaient sauf qu'une fois, on m'avait dit qu'ils utilisaient la même énergie que celle engendrée par les propulseurs. De toute façon, ça m'était bien égal, du moment qu'ils faisaient leur boulot. Mon arme de poing n'était là que pour me rassurer. Elle fonctionnait… plus ou moins. Une bonne lampée de Jack Daniels aurait probablement eu le même effet.

Dehors, l'entrelacs de filaments énergétiques marron signifiait qu'il ne fallait pas se fier à la lumière visible ; je me suis donc focalisé sur le point lumineux qui matérialisait à l'écran la balise Positionex, tout en tambourinant sur le verre. Le signal était à présent tout proche. Ferraille a ralenti l'engin. À présent, nous atteignions à peine les dix kilomètres heure. J'ai vu les repères horizontaux et verticaux se rejoindre sur l'écran à l'endroit du point lumineux.

« On l'a dépassé, a annoncé Ferraille.

— Ce n'est pas possible.

— Observez l'écran. »

Il avait raison. Nous étions passés de l'autre côté du signal. « Comment on a pu le manquer ? Fais demi-tour, on réessaie. »

Ferraille nous a fait décrire un arc de cercle et nous sommes revenus en planant au-dessus du sol au niveau du point lumineux. Je surveillais les écrans donnant une vue de l'extérieur dans l'espoir de repérer… eh bien, n'importe quoi. La lumière brune s'était suffisamment dissipée pour que je discerne les troncs, mais pas Ghuaji. L'appareil était au pas. Bientôt, il s'est immobilisé complètement.

« Nous sommes en plein au-dessus », a dit Ferraille.

Il n'y avait rien du tout, mais j'ai vu plein de films, moi ; on ne me la fait pas si facilement. « Regarde vers le haut. Il est peut-être dans un arbre.

— C'est déjà fait », m'a rétorqué Ferraille en répercutant sur un écran les images capturées par une caméra située sur le dessus de l'appareil. Elle représentait un tronc disparaissant dans la pénombre, pareil à tous les autres. « Il n'y a personne là-haut, même dans l'infra-rouge.

— Descends un peu. »

L'engin s'est abaissé jusqu'à ce que son aile inférieure repose doucement sur le sol. « Oh, merde ! » ai-je lâché alors. J'avais saisi quelque chose du coin de l'œil. « Qu'est-ce que c'est que ça ? »

Une nappe de lumière brune s'est repliée et l'objet que j'avais cru distinguer a acquis de la netteté.

C'était le blouson de Ghuaji, accroché à un buisson.

J'ai juré abondamment et avec virulence. Soit Yhandim avait compris que nous avions caché un émetteur sur Ghuaji, soit le vêtement avait été abandonné là par accident. Rétrospectivement, je n'arrivais pas à me souvenir s'il portait son blouson quand nous étions arrivés au village, Vinaldi et moi.

Mais cela n'avait pas d'importance. Tout était fini. À moins que Ferraille ait une autre idée. Je lui ai posé la question sans grand espoir, mais j'ai quand même été déçu de l'entendre confirmer mes appréhensions.

« Notre situation est inchangée, s'est-il excusé. Sauf que nous avons peut-être couvert six kilomètres dans le mauvais sens. Désolé. »

J'ai lancé un coup de pied dans le siège voisin. Je ne les trouverais pas, ils allaient tous mourir. Avant cela, Quasi serait maltraitée, mais elle mourrait aussi, c'était certain ; en supposant qu'elle soit encore en vie. Quant aux alters, y compris Suej, ils étaient indubitablement promis à un sort funeste. Même Vinaldi serait tué. Dans l'ensemble, j'aurais préféré le conserver parmi mes relations.

Et moi j'étais largué dans une forêt omniprésente et sans limites où régnait tantôt le crépuscule, tantôt le noir complet, sans qu'on puisse jamais en connaître la véritable nature, et encore moins s'y sentir en sécurité. Et je n'avais absolument aucun moyen d'en sortir. J'ai caché mon visage dans mes mains et, penché en avant, j'ai baissé les yeux sur le tableau de bord. Je ne voyais plus rien.

Peut-être était-il temps de reprendre un peu de Raviss. Ou alors, j'avais intérêt à le garder pour la bonne bouche — pour le centième anniversaire de ma présence ici, par exemple.

« Jack, est calmement intervenu Ferraille. Vous devriez regarder dehors. »

Il y avait dans sa voix un je-ne-sais-quoi qui m'a incité à relever promptement la tête. À l'extérieur, la lumière était redevenue bleue et les arbres n'étaient plus seuls à nous cerner silencieusement.

Les enfants étaient de retour.

Mais cette fois, leur présence n'avait rien de réconfortant. Leurs prunelles irradiaient la froideur, la colère. Mais tout cela n'était pas dirigé contre moi. Du moins, telle était mon impression. Ils décrivaient autour de l'appareil un cercle qui paraissait sans fin. Je ne reconnaissais pas le jeune garçon qui m'était apparu en premier, mais il devait être là, quelque part dans la foule. Ils étaient tous là à me regarder fixement, avec leur visage gris et leur bouche ouverte sur un cri muet.

« Ce sont des enfants de La Brèche ? » s'est enquis Ferraille encore plus calmement. Comment les ordinateurs peuvent-ils avoir peur ? Ferraille n'avait pas du tout l'air rassuré.

« Je l'ignore, ai-je répondu. Ils ont quelque chose d'inhabituel. Ce sont eux qui m'ont amené jusqu'à l'appareil. Puis ils s'en sont allés.

— Et maintenant, qu'est-ce qu'ils font ? »

Les enfants les plus éloignés se tournaient dans la direction opposée. Leurs bouches se sont toutes closes en même temps et ils se sont mis en marche. D'autres venaient sans cesse se joindre à eux, en colonne par cinq. La file s'est enfoncée sous les arbres pour aller se perdre dans le crépuscule.

« Suis-les. »

Ferraille a fait pivoter l'appareil en planant à trois mètres. Les enfants n'ont pas paru chagrinés. Bien au contraire. Certains sont partis au pas de course, de plus en plus vite. Mais ils ne fuyaient pas devant nous : ils nous conduisaient quelque part.

« Bon, ai-je conclu. On passe à la vitesse supérieure. »

Ferraille a accéléré progressivement. Les enfants aussi. On aurait dit une meute de loups trouvant peu à peu son allure. Ferraille a écrasé la pédale d'accélérateur, si l'on peut dire, jusqu'à ce que nous atteignions l'allure respectable de soixante kilomètres heure.

Nous pistions toujours la colonne d'enfants fonçant entre les arbres ; Ferraille faisait des heures supplémentaires pour éviter les troncs tout en gardant le cap. À un moment donné, nous avons fugitivement survolé un volumineux objet rappelant un camion ; peut-être le spectre du véhicule qui nous avait introduits dans La Brèche, Vinaldi et moi ? Cette impression s'est graduellement renforcée à mesure que nous nous élancions dans la forêt : de petits indices familiers s'imposaient à moi par le biais d'un sixième sens dont je ne me savais pas doué.

Alors nous avons survolé le village et j'ai été certain que nous étions sur la bonne voie. Les ombres grises couraient toujours devant nous en se répandant entre les cabanes et de l'autre côté de la clairière, comme un fleuve de fumée avalant tout sur son passage. Tantôt ils semblaient se fondre en un seul être, tantôt, au contraire, ils revêtaient l'aspect d'une multitude innombrable. Mais toujours ils se creusaient une tranchée implacable en nous entraînant, Ferraille et moi, dans leur sillage.

« Je capte des pulsations infrarouges à une certaine distance », a enfin annoncé Ferraille.

J'ai su que la conclusion était proche. « Bon. Aux armes !

— À quelles armes pensez-vous plus particulièrement ?

— À tout ce qu'on a à bord. »

Ici les arbres étaient plus espacés — dans certains cas, plus de cinq mètres les séparaient. Cela a permis à Ferraille d'accélérer, et bientôt le paysage est devenu flou. Pourtant, nous n'avons pas dépassé les enfants. Quelle que soit notre vitesse, ils étaient toujours devant nous. Puis, tout à coup, ils ont totalement disparu ; la forêt environnante est redevenue déserte.

J'ai crié à Ferraille de ralentir et il s'est aussitôt exécuté. Notre vitesse a chuté si brusquement que j'ai failli finir incrusté dans le tableau de commande.

« Où sont-ils passés ? Tu vois quelque chose ?

— Non, mais il y a une colline droit devant. Peut-être les masque-t-elle.

— Fais-en le tour le plus silencieusement possible. » Il existait certainement des termes techniques pour décrire la manœuvre, mais moi, j'avais été troufion de base dans l'infanterie ; je ne les connaissais pas. En matière de stratégie élaborée, mon vocabulaire se limitait à « Feu ! » et « Sauve qui peut ! ».

L'appareil s'est remis à avancer tout doucement ; j'ai profité du délai pour noter qu'à cet endroit, l'éclairage dangereux était absent. J'espérais que les prisonniers étaient détenus ici depuis le début. Ferraille a amené le nez de l'engin tout près du rideau d'arbres. Sa carcasse a vibré sous l'effort et j'ai eu la sensation de loger dans la cervelle d'un chat aux aguets derrière sa proie.

Mais non, je me trouvais à bord d'une machine, et nous nous y prenions mal. On n'était pas dans un film, où les personnages n'entendent pas les monstres malins se dresser au-dessus des arbres. « Évidemment qu'ils peuvent nous entendre ! ai-je hurlé sans m'adresser en particulier à Ferraille. Allez ! On fonce ! »

Il avait manifestement prévu mon ordre : l'appareil a contourné l'éminence avant même que j'aie terminé ma phrase. Nous avons accéléré tellement vite que la partie inférieure de l'engin a chassé et que nous avons abordé l'autre flanc de guingois. Ma ceinture de sécurité m'a évité de m'aplatir par terre et j'ai gardé les yeux rivés au hublot.

En un clin d'œil j'ai aperçu Quasi et Vinaldi, tous deux cloués à un arbre. Puis Yhandim, qui tenait Suej par le bras en nous regardant venir. La clairière renfermait deux autres soldats, dont Ghuaji. C'est tout ce que j'ai eu le temps de découvrir avant que les premières balles ne se mettent à grêler l'appareil ; l'une d'elles a traversé le hublot pour venir se ficher dans la cloison, juste derrière moi.

Ferraille a précipité l'hélico en plein au-dessus de la clairière puis lui a fait décrire un virage serré. Je ne pouvais pas tirer par le hublot sans être atteint par le feu de l'ennemi ; je ne contrôlais plus rien.

« Tue tout le monde sauf Suej et les deux personnes clouées aux arbres ! »

L'appareil s'est incliné en poussant un rugissement et a opéré un quasi-tête-à-queue. Puis il a piqué du nez et rasé la clairière tandis que ses canons à impulsion déchargeaient par grandes rafales en forme de faux l'unique forme d'énergie fatale aux villageois de La Brèche. Par l'intermédiaire des écrans de contrôle, j'ai vu un des soldats inconnus s'affaisser, touché au dos par une aiguille de lumière orange.

De rien, je vous en prie.

L'engin est passé en trombe à quelques mètres de Quasi, ce qui m'a permis d'entrevoir son visage ; elle était terrifiée, mais vivante. Pour la première fois de ma vie j'ai eu envie de remercier le bon Dieu ; mais je n'avais pas son adresse électronique.

Parvenu à l'extrémité de la clairière, Ferraille a de nouveau viré de bord dans un hurlement de moteurs, cette fois en perdant simultanément de la vitesse et de l'altitude. Il restait cinq soldats, qui s'enfuyaient à toutes jambes, mais toujours en formation de combat. Yhandim et un autre entraînaient Suej en la tenant chacun par un bras. Ghuaji et les deux soldats restants fuyaient à reculons en faisant feu sur nous de façon ininterrompue. Le vacarme était tel qu'on se serait cru dans une boîte à biscuits métallique abandonnée dehors sous une tempête de grêle. Quand j'entends le bruit des balles, personnellement, j'ai envie de me planquer ; je ne rêvais que d'une chose : m'aplatir au sol, mais c'était impossible et je le savais. Il fallait que je sache ce qui se passait. Le verre des hublots volait en éclats tout autour de moi et l'habitacle s'emplissait de flammes ou de balles perdues. J'avais de plus en plus chaud et une partie de l'hélico était en feu, mais je me suis efforcé de ne pas y penser, préférant observer d'un œil inquiet les manœuvres de Ferraille au-dessus de l'ennemi en déroute.

Je me suis octroyé une seconde d'autosatisfaction : *Alors, on ne s'attendait pas à me voir débarquer à bord d'un hélico de combat, hein ?* Malheureusement, quelque chose clochait. Les soldats se dispersaient sous les arbres en fonçant çà et là selon un motif complexe, en se dirigeant tout droit vers les zones où les arbres poussaient trop serré pour laisser passer l'appareil. Pis, leurs silhouettes devenaient indistinctes.

« Vite ! ai-je crié à Ferraille. Ils s'effacent ! »

Mais il ne pouvait accélérer l'allure sans nous tuer tous les deux ; au lieu de cela, il a donc affiné sa ligne de mire. Partout jaillissaient des aiguilles d'énergie-impulsion qui allaient se perdre dans les ténèbres. Au passage elles mutilaient les arbres et frappaient le sol, allant jusqu'à perforer les feuilles ; pourtant, les hommes continuaient à leur échapper.

Yhandim n'était déjà plus qu'un chatoiement et Ghuaji suivait le même chemin. Les mains qui agrippaient les bras de Suej étaient à peine visibles, mais refusaient de lâcher prise.

« Ferraille, *il faut absolument que tu les arrêtes !* Sinon ils vont l'emmener avec eux ! *Elle va devenir comme eux !* »

Les soldats ont bifurqué sur la droite et dévalé un talus escarpé descendant vers le lit figé d'un cours d'eau.

L'appareil les a talonnés en oscillant, puis il a raté sa cible et est allé s'affaler dans un bosquet d'épaisses broussailles qui ont refermé leurs griffes sur nous. Grâce à une brusque accélération suivie d'un slalom à vous entortiller la colonne vertébrale, les fuyards ont réapparu dans notre champ de vision mais j'ai constaté avec horreur que Suej commençait à se dissoudre.

Quasi et Vinaldi m'étaient totalement sortis de l'esprit, comme les autres alters, et finalement, le reste du monde. Je ne pensais plus qu'à Suej.

Elle a alors tourné vers nous un visage déformé par l'horreur et les larmes. Trébuchant à chaque pas, elle se laissait entraîner vers le bas de la pente rocailleuse. Elle ignorait complètement ce qui se passait. Pour elle, nous pouvions aussi bien être une autre facette de l'ennemi. Un ennemi plus volumineux, plus dangereux encore. Si ça se trouvait, elle préférait même ses ravisseurs.

« Ferraille, TUE-LES ! » ai-je braillé en détachant d'un coup ma ceinture pour me jeter sur le hublot. J'ai passé la tête au-dehors et crié le nom de Suej, qui s'est répercuté entre les arbres telle une prière vide d'espoir.

L'espace d'un instant, elle n'a pas paru comprendre. Puis elle m'a reconnu. Le soulagement s'est fugitivement peint sur ses traits et elle a repris de la substance.

Je voyais ses cheveux blonds — coupés à la Ferme par ma main inexperte le jour où elle avait voulu ressembler à un personnage de la télévision —, ses yeux bleus écarquillés sous l'effet de la peur, ses traits pétrifiés par la perplexité et l'appréhension, et la petite robe d'été qui, toute constellée de boue, me rappelait cruellement l'après-midi où nous l'avions achetée.

Le regard toujours rivé sur moi, elle a soudain perdu l'équilibre et fait quelques pas précaires dans l'espace où courait l'ombre de Yhandim.

Deux éclairs orangés ont jailli de l'hélico tels deux anges regagnant le bercail. L'un a transpercé l'espace où se trouvait l'autre soldat et la main droite de Suej est devenue invisible.

Le second l'a atteinte en pleine poitrine.

« Non ! ai-je crié. Non, non, NON ! »

La main de Yhandim a glissé le long du petit bras de Suej. Elle est tombée à terre. Lui-même s'est envolé en fumée. La dernière chose à disparaître a été son sourire en forme de couronne mortuaire. Ferraille s'efforçant de faire demi-tour, j'ai momentanément perdu Suej de vue. J'ai poussé un ululement de détresse et abattu mon poing contre la paroi de la cabine ; j'avais tout oublié : les autres soldats, la fumée, le bruit. Le monde n'était plus qu'un grand cri de déni.

Ferraille a posé l'hélico non sans ébranler sa carcasse. J'ai bondi par l'ouverture et attendu qu'il touche terre. Puis j'ai ouvert le cockpit et dégringolé au bas de l'échelle sans me soucier de savoir si les autres soldats étaient encore visibles.

J'ai atterri durement et reporté mon regard vers le sommet de la colline ; j'avais la vue brouillée, je ne discernais pratiquement rien de ce que nous avions provoqué. Puis, peut-être à cause des larmes, j'ai cru apercevoir quelque chose.

Les enfants, rassemblés autour du corps de Suej. Le garçonnet et tous les autres, le visage empreint de compassion. La gorge serrée, incapable de faire un mouvement, je les ai regardés se pencher sur Suej et lui tendre la main comme pour l'aider à se relever. Puis ils se sont mis à disparaître un par un. Des centaines de lumières qui s'éteignaient, jusqu'à ce qu'il n'en reste plus une seule.

J'ai entamé l'ascension de la colline aussi vite que j'ai pu, dérapant sur les rochers glissants et me prenant les pieds dans les racines ; mais quand je suis arrivé en haut, le corps de Suej avait disparu.

18

Dans la clairière, Quasi et Vinaldi étaient toujours suspendus à deux arbres, seuls mais indemnes. Ils n'y avaient pas été cloués, seulement attachés. Je les ai libérés et j'ai serré la main que me tendait Vinaldi, mais le soulagement que je lisais dans leurs yeux ne m'a guère procuré de plaisir. Effrayée, Quasi avait manifestement besoin d'être réconfortée, mais je ne pouvais lui rendre ce service. Je me sentais vide. Alors au lieu de la serrer dans mes bras, je suis allé m'asseoir à l'écart, sur un rocher, et j'ai allumé une cigarette. Mes mains tremblaient et je ne voyais que le visage de Suej au moment où le rayon orange l'avait tuée.

Je ne l'ai pas entendue approcher, je n'ai pris conscience de sa présence qu'au moment où ses bras se sont refermés autour de ma taille. Je me suis raidi sous l'étreinte, mais elle n'a pas lâché prise et au bout d'un moment j'ai cédé. Je me suis laissé faire.

« On a tout vu, m'a-t-elle dit. Ce n'était pas de ta faute, Jack. »

Je me suis dégagé pour aller faire quelques pas, les yeux rivés au sol. Je n'avais pas assez confiance en moi pour la regarder en face, et dans l'état où j'étais, il ne me venait même pas à l'esprit qu'elle pût elle aussi avoir du chagrin. Elle aussi avait éprouvé de l'affection pour Suej ; beaucoup d'affection, même.

« Peut-être n'y avait-il pas d'autre issue possible », a-t-elle poursuivi d'une voix douce, tout en se frottant les poignets pour y rétablir la circulation. « Peut-être est-ce même *mieux* comme cela. Tu sais, si on en avait tellement après elle, c'était sûrement pour lui prélever des pièces détachées.

— Tu sais où sont les autres ? ai-je demandé avec brusquerie. David ? Jenny ?

— Jenny a été utilisée. » C'était Vinaldi. Il se tenait à quelques mètres. Le côté droit de son visage n'était qu'une vaste contusion et il se dandinait, mal à l'aise. Yhandim et lui avaient dû aborder leur contentieux. Il a repris la parole, l'air de celui qui apporte de mauvaises nouvelles, mais se sent le devoir de les annoncer. « C'est Yhandim qui nous l'a dit. Ils ont réussi à maintenir sa jumelle en vie jusqu'à ce qu'il ait retrouvé Jenny, et l'opération a eu lieu tout de suite, le jour où Hal a été tué. Il n'est rien resté d'elle. L'alter appelé David a été placé dans une autre Ferme, je ne sais pas où. Et le corps de Hal a été incinéré. Les deux autres alters sont morts. Leurs propriétaires n'ont pas voulu payer la rançon, alors Yhandim les a tués. À mon avis, ça ne lui a pas plu du tout. »

C'est à peine si j'ai entendu ses dernières phrases. Je ne savais plus ni que dire, ni que penser, ni où aller, et encore moins quoi faire. Rien ne me paraissait assez grand, ni aucune initiative assez extrême, ou au contraire assez futile, pour exprimer ce que j'avais dans la tête. Il s'était écoulé moins d'une semaine depuis que nous avions quitté la Ferme. Les alters étaient terrorisés, ce jour-là, mais ils avaient l'espoir de vivre enfin, de devenir des « gens à part entière ». J'avais extrait cinq êtres humains et demi de la tombe pour les introduire dans un monde où ils n'avaient trouvé que la mort — à l'exception peut-être de David, qu'on avait emmené Dieu sait où pour le jeter dans un tunnel où il n'aurait plus qu'à attendre le bistouri.

Voilà ce que je leur avais apporté. Voilà ce que leur avait valu leur association avec le sieur Jack Randall, tellement plein de bonne volonté. On me dit que Jésus m'aime, et c'est peut-être vrai, après tout ; dans ma vie, avec certaines personnes, j'ai entretenu des rapports encore plus bizarres. Disons *aussi* bizarres. Mon père pouvait se montrer très cruel, par exemple. Mais pas autant que ça. Et puis, même avec lui il y avait de bons moments, et sans commune mesure. Oui, je suis peut-être aimé de Jésus, mais parfois, je me demande si on ne devrait pas tenter une séparation à l'essai, lui et moi.

Quant à l'autre, là, Dieu… Il me pose un sacré problème, Lui. Si c'est Lui qui tient le volant, il faudrait Lui rappeler de regarder la route, de temps en temps.

« Il ne faut pas vous considérer comme seul responsable, Jack. D'une part, on ne peut pas toujours s'accuser de tout et n'importe quoi, et d'autre part, parce que ce n'est pas en perdant la boule que vous nous rendrez service dans notre situation actuelle, qui est loin d'être idéale.

— Comment se fait-il que vous soyez encore en vie ? Pourquoi Yhandim ne vous a-t-il pas supprimés purement et simplement ?

— Je l'ignore, a répondu Vinaldi en haussant les épaules, mais à mon avis, ces mecs filent un mauvais coton. Quand ils sont apparus et qu'ils m'ont mis la main dessus, ils vous ont d'abord pisté un moment — à propos, quand il le faut vous faites un sacré sprinter, chapeau ! —, puis ils m'ont amené ici et m'ont attaché à un arbre. Ils m'ont gentiment fait connaître leur amertume à l'idée que je m'étais sorti de La Brèche et pas eux, et ils ont un peu malmené Quasi, comme pour faire ce qu'on attendait d'eux, mais c'est tout.

— Ils sont restés presque tout le temps regroupés dans ce coin, là-bas, a observé Quasi. On les a beaucoup entendus crier.

— Et toi, ils ne t'ont rien fait d'autre ?

— Non. À mon avis, le sexe n'occupe pas une place centrale dans la vie de Yhandim, si tu vois ce que je veux dire. En fait, ils sont restés assis là à faire la gueule.

— Si ça se trouve, Maxen les a entubés, ai-je avancé.

— En tout cas ça tourne à l'aigre chez les fêlés, et si j'ai bien compris, leur contrat stipulait qu'ils devaient vous capturer aussi.

— Pourquoi ? s'est enquise Quasi en se tournant vers moi. Ils ont pris tous les alters. Alors qu'est-ce qu'il te veut, ce type ?

— Je suis sûr que Jack le sait, est intervenu Vinaldi. N'est-ce pas, Jack ? »

Je l'ai foudroyé du regard, ce qui me permettait de fuir celui de Quasi. L'hélico se déplaçait à petite vitesse dans la clairière ; cela me donnait quelque chose à suivre des yeux. Puis Ferraille l'a posé au centre de l'espace dégagé avant d'éjecter les deux supports lui permettant de tenir debout.

Vinaldi l'a contemplé un instant, puis il a éclaté de rire ; on n'entendait pas souvent ça dans La Brèche. Il a secoué la tête d'un air admiratif.

« Je reconnais que je m'attendais bien à vous revoir, Jack, et plutôt tôt que tard, mais là, vraiment, vous en faites un peu trop. Comment vous êtes-vous débrouillé pour dégotter un hélico de combat, le remettre en état et le faire *voler*, bon Dieu ?

— Vous connaissez ma méthode. La chance à l'état brut. Rien de plus con. »

Il n'a pas eu l'air très convaincu, mais je n'avais aucune autre explication à lui proposer.

« Qu'est-ce qu'on fait, maintenant ? a interrogé Quasi. Parce que c'était super, et tout et tout, mais j'aimerais bien sortir de là, moi.

— Je ne sais pas. Soit on reste ici et on passe un sale quart d'heure, soit on passe le même sale quart d'heure, mais ailleurs. En ce qui me concerne, ça m'est suprêmement indifférent.

— Jack ? » a coupé une voix. C'était celle de Ferraille, amplifiée par un des haut-parleurs extérieurs. Autrefois, ils servaient à avertir les villageois qu'on s'apprêtait à les annihiler.

Je n'en voulais pas du tout à Ferraille pour ce qui s'était passé. Je me suis efforcé de répondre calmement : « Quoi ?

— Je peux vous faire sortir d'ici, a-t-il annoncé tranquillement.

— Hein ? Comment ça ?

— Cet appareil est partiellement équipé de fonctions relatéralisatrices. C'était d'ailleurs le cas de tous les hélicoptères de combat — au cas où les gradés auraient dû ficher le camp en vitesse.

— Ça, a marmonné Vinaldi à l'arrière-plan, ça ne m'étonne pas.

— Ces fonctions ne sont pas très développées, a poursuivi Ferraille, mais si vous savez par où vous êtes entrés, selon toute probabilité, on peut ressortir au même endroit.

— On n'a pas besoin de tout le système de relatéralisation ?

— Non. Je suis programmé pour imiter un semblant de félinité. Mais ce n'est qu'une approximation — voilà pourquoi nous devons repérer un point d'entrée récent. Et nous mettre en route le plus vite possible.

— Qu'est-ce qu'on attend ? » a lancé Quasi, qui a aussitôt entrepris de gravir l'échelle. Vinaldi lui a emboîté le pas, mais je suis resté en bas.

« Je suis désolé, Jack, a repris tout doucement Ferraille.

— Ce n'était pas de ta faute. Disons que ça a foiré comme tout le reste, voilà. » J'ai reporté un instant mon regard sur les arbres, la lumière bleutée, le monde étrange qui nous entourait, en me demandant une fois de plus s'il avait changé ou pas. J'avais beau être plein de tristesse, de désarroi et de colère, pour une fois, je ne ressentais pas la Trouille. Il n'y avait peut-être plus assez de place pour elle dans ma tête.

« Ça n'a pas tourné comme vous vouliez, a-t-il subitement déclaré. N'empêche, vous avez bien agi. Vous avez fait votre possible pour les alters, Jack. Parfois, il faut savoir s'en contenter.

— Merci, mais pourquoi tu me racontes tout ça ? On va avoir des années à notre disposition pour se repasser le film.

— Faux, a répliqué Ferraille. Personnellement, je vais piloter cet engin jusqu'à la dernière seconde, mais je ne pourrai aller plus loin. Cette fois, on va devoir se dire adieu pour de vrai. »

Génial, me suis-je dit en escaladant les barreaux d'un pas pesant. À ce rythme, encore deux ou trois jours et il ne me resterait plus personne à perdre.

Ultime traversée éclair de la forêt, au cœur d'une nuit sans limite et entre des arbres qui n'en finissaient pas, profondément ensevelis sous un ciel que je n'avais jamais vu. J'avais laissé le siège du pilote à Vinaldi et pris place à côté de Quasi, au dernier rang de la cabine passagers. Nous n'échangions pas un mot, préférant regarder par les hublots ou carrément dans le vide, là où nous attendait notre avenir incertain.

Au bout d'un temps j'ai sorti ma main de ma poche pour chercher à tâtons celle de Quasi et la serrer bien fort. Elle a levé sur moi un regard surpris, puis m'a rendu mon étreinte.

J'ignorais moi-même ce que je voulais lui communiquer par là, ce qui passait entre nous. Rien, peut-être. Mais je m'en sentais tout réconforté.

Quand Ferraille a annoncé que nous approchions de notre point d'entrée j'ai regagné le tableau de bord et repéré la cible. Ce n'était pas très difficile : on discernait l'ombre rémanente que la camionnette projetait dans l'autre monde.

Ferraille a fait marche arrière, mesuré avec exactitude sa trajectoire finale et calculé rigoureusement le moment où il devrait déclencher l'effet de relatéralisation. Je me suis assis dans le siège du copilote et j'ai bouclé ma ceinture.

« Bonne chance », a lancé Ferraille. Vinaldi et Quasi lui ont également prodigué leurs souhaits. Pas moi. Pas question de lui dire adieu.

Car ma décision était prise : au moment précis où l'appareil, lancé à toute allure, a franchi la ligne de démarcation, j'ai plongé vers le tableau de commande et saisi le microprocesseur logé sous le rabat « QI ».

Il était temps de prendre un peu les choses en main.

Un visage couvert de neige. Une douleur à la tempe. Un petit gémissement tout proche.

« On est de l'autre côté », a dit Vinaldi d'une voix indistincte.

Je me suis redressé en position assise afin de regarder autour de moi. Nous nous trouvions au pied de la pente qui partait de la Ferme, près des restes du véhicule de Vinaldi. La lumière déclinait ; un coup d'œil à ma montre : cinq heures de l'après-midi. C'était difficile à croire, mais nous avions passé près de vingt-quatre heures dans La Brèche.

J'ai retourné à plusieurs reprises le microprocesseur dans ma main ; puis, avec un sourire, je l'ai glissé bien à l'abri dans ma poche avant d'aller porter assistance à Quasi. Gisant bras et jambes écartés dans la neige, elle marmonnait ; on aurait dit une étoile de mer réveillée trop tôt à son goût.

« Alors, on peut savoir où on est, maintenant ? » m'a-t-elle demandé en époussetant ses vêtements saupoudrés de neige. « Dans le Kansas, peut-être[1] ?

— À un peu plus d'un kilomètre de Covington Forge », ai-je répondu.

Elle a levé les yeux au ciel.

« Chouette ! J'espère que la prochaine étape est Detroit. Hé ! », a-t-elle ajouté en observant la camionnette de Vinaldi. « C'est là-dedans que vous êtes arrivés jusqu'ici ? » Le capot était si proprement enroulé autour de l'arbre que l'espace d'un instant, j'ai eu une brève vision de La Brèche : on aurait dit que le tronc avait poussé par en dessous pour finir par faire partie du véhicule.

« Oui », a répondu Vinaldi en passant la main à l'arrière pour en retirer une arme. Yhandim avait dû lui prendre la sienne. « Mais je doute qu'il puisse nous ramener.

— Sans blague. Vous n'avez pas choisi la voie la plus facile, dites donc, les gars. Nous, on n'a eu qu'à suivre un chat.

— Attendez-moi un moment », ai-je demandé en me dirigeant vers le bas de la pente.

Le chat en question était tapi dans l'ex-salle de contrôle de la Ferme. Il a filé à travers la pièce pour

---

1. Allusion au *Magicien d'Oz*, dans lequel Dorothy, après avoir été enlevée par l'ouragan, déclare à son chien Toto : « Tu sais, je crois que nous ne sommes plus au Kansas. » *(N.d.T.)*

s'enfoncer dans l'ombre, sous une table. Je me suis laissé tomber à genoux et j'ai attendu, les mains tendues, prêt à l'attraper. J'ai aperçu son bol, au pied d'un mur. Il avait manifestement contenu de la nourriture. L'animal a fini par sortir de sa cachette, flairer mes doigts puis décréter qu'il n'avait pas grand-chose à redouter de moi. Je ne sais pas comment font les chats, mais ils se trompent rarement.

J'ai défait la boucle de la laisse, ramassé le chat et repris le chemin de la porte. Au passage, j'ai remarqué un objet posé contre une cloison.

C'était une machine, à peu près de la taille d'un moteur de voiture, mais tellement ciselée qu'on aurait dit une maquette à l'échelle représentant un objet beaucoup plus grand. Elle était en marche, et fournissait la solution de l'énigme : voilà comment Maxen avait bricolé un pont vers La Brèche. Il avait mis la main, Dieu sait comment, sur un des latéralisateurs d'origine. Et moi qui croyais qu'on les avait tous détruits ! Mais non, ça ne marche pas comme ça. Si les militaires trouvaient la boîte de Pandore, ils seraient capables d'y ranger des cigares.

J'ai reposé le chat et je l'ai chassé. Puis j'ai pris mon arme. J'y ai introduit un chargeur neuf que j'ai vidé dans la machine. Le temps que s'éteigne l'écho du dernier coup de feu et que Vinaldi accoure aux nouvelles, j'avais acquis la certitude qu'elle ne fonctionnerait plus jamais. Je n'en ai ressenti que du soulagement, celui-ci se manifestant aussitôt sous la forme d'un bruit de porte claquée.

Quasi se tenait sur le seuil ; frigorifiée, elle caressait la tête du chat. Je l'ai rejointe et j'ai ramassé l'animal.

« La voiture de Ghuaji n'est plus là, a déclaré Vinaldi. Yhandim et les autres ont dû sortir avant nous. »

Je suis intervenu. « Il faut se mettre en marche.

« — Tu plaisantes, j'espère ? demanda Quasi en inclinant joliment la tête sur le côté. On est censés rire, c'est ça ?

— Non. Et tu as intérêt à suivre, sinon je te fais porter le chat. »

Nous sommes sortis de l'enclos par l'allée, en chassant à coups de pied une neige qui n'avait manifestement pas cessé de tomber depuis vingt-quatre heures. Marcher dans La Brèche et marcher dans le monde réel, ce n'est pas du tout la même chose ; je ne saurais décrire la différence, sinon que maintenant, on avait l'impression de faire une petite promenade après un examen, même si le monde dans son ensemble ne nous apparaissait pas sous un jour très favorable.

Nous avons bifurqué dans la route abandonnée et croisé à nouveau, dans l'autre sens, les fantômes de pompes à essence puis l'aire de pique-nique en friche. Quasi a rouspété à voix basse pendant tout le trajet. J'ai lancé un coup d'œil aux tables à pique-nique, mais sans rien remarquer de spécial.

« Il s'est passé quelque chose, hein ? m'a interrogé Vinaldi après être venu me rejoindre.

— Oui. » J'ai inspiré une profonde bouffée d'air piquant.

« C'est ça, continuez à parler par énigmes, les gars. Je vous assure, c'est très divertissant. Amusez-vous bien. Moi, je continue à patauger dans la neige. »

Quand nous avons rattrapé la grand-route, il faisait nuit et mon humeur s'était assombrie. Je ne pouvais m'ôter de la tête le souvenir de ces visages. Et le fait d'avoir survécu à La Brèche ne faisait qu'aggraver mon sentiment. Comme si j'avais affronté ma pire terreur pour découvrir, en ressortant de l'autre côté, que j'étais sauvé, certes, mais que le monde où je me retrouvais était complètement foireux et que tous mes proches étaient morts pendant mon absence. Même le paysage avait des allures de photographie ancienne, avec quelque chose d'impropre, de froissé, et pour tout dire de mort.

Et puis il y avait autre chose — une sensation que je sentais croître en moi. Une aspiration dont je ne pourrais bientôt plus nier l'existence.

Un besoin de vengeance radicale et extrême.

Nous avons parcouru encore quelques centaines de mètres ; Vinaldi gardait le pouce dressé en dépit de l'absence totale de voitures. Même le spectacle du premier « affairiste » de New Richmond faisant du stop n'a pas réussi à m'égayer. Quasi l'a vite vu et a cessé de se plaindre. Elle marchait un pas derrière moi, en me débarrassant régulièrement du chat, et je sentais que de temps en temps, elle me jetait un coup d'œil. J'espérais qu'elle ne me poserait pas de questions car je n'avais pas du tout envie de parler.

Au bout d'un certain temps, une voiture est passée, mais son conducteur a résisté à la tentation ; pensez ! Prendre en stop trois individus louches partis se promener en plein hiver dans un trou perdu ! Dix minutes plus tard une autre est arrivée, et celle-là a au moins ralenti ; mais elle est repartie dans un chuintement de pneus, emportant ses feux jaunes et nous laissant seuls avec le craquement de nos bottes sur la neige.

Enfin une voiture s'est arrêtée ; elle roulait dans l'autre sens, mais parvenue à notre niveau elle s'est garée sur le bas-côté. Des vitres ouvertes s'échappaient des flots tonitruants de « transe country ». Dans l'habitacle, quatre ivrognes baraqués, en chemise à carreaux en microfibre. Trois d'entre eux portaient la barbe ; on aurait dit qu'ils avaient un ragondin collé sur le menton. Le quatrième était tellement laid qu'il n'avait même pas besoin de barbe. Le conducteur nous a observés

avant de s'esclaffer joyeusement et de s'entretenir brièvement avec un des passagers sur la banquette arrière.
Puis il est descendu de voiture.

« Dis donc », a-t-il lancé en s'approchant d'un pas
mal assuré pour venir se planter, jambes écartées, à cinquante centimètres de Quasi. « Une fille comme toi…
Qu'est-ce tu fais là, à te balader avec deux pédés en
pleine nuit ?

— Je remercie le bon Dieu de ne pas être dans la
bagnole avec vous, figure-toi », lui a vertement renvoyé
Quasi avec son talent bien connu pour la diplomatie.

« C'est drôle que tu dises ça, a répliqué l'autre en
souriant, parce que c'est justement ce qu'on avait dans
l'idée, mes potes et moi. On se proposait de te réchauf-
fer un peu. » Derrière lui, une des portières arrière
s'est ouverte et l'imberbe a posé un pied dans la neige.
L'autre s'est retourné vers Vinaldi et moi. « Messieurs,
vous pouvez soit nous laisser faire tranquillement, soit
intervenir et ramasser la dérouillée de votre vie. » Haussant les épaules, il a consulté du regard ses compères
restés dans la voiture. « C'est régulier, non, les gars ?

— Très, a répondu l'imberbe d'une voix traînante.
Y'a pas plus régulier. »

Le connard en chef a opiné gaiement, puis croisé les
bras. « Alors, qu'est-ce que vous préférez ?

— Hum », a répondu Vinaldi d'une voix contenue
tout en détournant le regard. « Le choix est difficile.
Trop difficile pour un pédé dans mon genre : avec le
froid qu'il fait, j'ai le cerveau presque aussi congelé
que le vôtre. »

Une pause. « Quoi ? » a lâché l'autre.

Vinaldi a claqué des doigts, comme frappé par l'inspiration. « Hé ! Je viens d'avoir une idée — une troisième solution que j'aimerais bien vous soumettre.

— Qu'est-ce que tu déconnes ? Quelle idée ?

— Celle que je vais te faire entrer dans le crâne à coups de poing jusqu'à ce qu'elle ressorte de l'autre côté. » Soudain, Vinaldi est entré en mouvement — tellement vite que ses gestes se sont enchaînés sans qu'on puisse les distinguer les uns des autres. Le connard en chef a tenté de parer les coups, mais contre Vinaldi, il n'avait aucune chance. Celui-ci jouait des poings à une allure telle que même moi je ne pouvais pas suivre ; l'autre s'est retrouvé à terre avant que quiconque ait eu le temps de réagir. Le sang lui coulait des narines. L'imberbe a fait mine de descendre de voiture, mais, d'une ruade, je lui ai balancé la portière en pleine figure avant de la lui refermer sur le tibia.

« D'autre part, ai-je repris en sortant mon arme et en lui en enfonçant profondément le canon dans l'orbite gauche, nous disposons d'un véritable arsenal. Alors tout le monde dehors et vite. »

Pendant que Quasi montait à l'arrière du véhicule, Vinaldi et moi avons conduit les quatre types à l'écart de la route. Puis je me suis installé au volant tandis que Vinaldi prenait place à côté de la jeune femme, le siège avant étant impraticable : on aurait dit qu'on y avait disséqué un élan. J'ai fait demi-tour sur place ; Quasi agitait joyeusement la main en direction des quatre chemises à carreaux. Nous nous sommes mis en route. Je contemplais à travers le pare-brise les dernières lueurs du jour. Quand sont apparues au loin les lumières de Covington Forge, j'ai senti empirer la tempête sous mon crâne.

Le temps que nous rattrapions la 82, j'avais très mal à la tête et j'étais obligé de serrer le volant de toutes mes forces pour empêcher mes mains de trembler. Il n'y avait rien à faire que regarder la route, et nulle conversation ne venait supplanter celle qui se déroulait dans ma tête.

« Qu'est-ce qu'il y a entre toi et Maxen ? a demandé Quasi à cet instant. J'ai l'impression que ce type te voue une haine farouche.

— C'est rien », ai-je répondu avant d'allumer une cigarette. J'aurais dû laisser Vinaldi conduire : il m'a fallu trois tentatives pour en venir à bout.

« Mon cul ! » a rétorqué la jeune femme. On sentait bien que cela couvait depuis un moment et que maintenant, plus rien ne l'arrêterait. « En fait, tu veux dire que ça ne me regarde pas.

— Exactement.

— Eh bien tu te trompes. Ça me regarde, justement ! » s'est-elle exclamée, subitement furieuse, avec cet emportement digne d'une force de la nature que les femmes savent si bien afficher. « J'ai le *droit* de savoir. Une bande de tarés fait irruption dans ma vie, m'emporte dans la quatrième dimension et démolit mes chaussures, et tu prétends que ce ne sont pas mes affaires ?

— Personne n'a le droit de savoir sur moi ce que je ne veux pas dire, me suis-je forcé à articuler.

— Même les gens qui t'aiment bien ?

— Surtout ceux-là.

— Ils vous ont aidé, n'est-ce pas ? a brusquement demandé Vinaldi depuis la pénombre de la banquette arrière.

— Je ne sais pas de quoi vous voulez parler.

— Ben voyons. Je veux parler des gosses, et vous le savez très bien. Ce sont eux qui vous ont montré l'hélico.

— Quels gosses ? a demandé Quasi.

— Vous ne les avez pas vus parce que vous n'avez pas vécu la même chose que Jack et moi la dernière fois, dans La Brèche. Ou parce que vous ne connaissez pas leur existence. Ou alors, Jack et moi avons une

379

sacrée dose de Brèche dans les veines. On peut dire ça comme ça, hein, Jack ?

— Fermez-la, Johnny.

— *Quels* gosses ? a insisté Quasi.

— Quand cette petite fille… Suej, ou je ne sais quoi… Bref, quand elle est tombée, j'ai *vu* quelque chose. » Malgré moi, je me suis surpris à écouter Vinaldi. Moi qui croyais que cette ultime vision m'avait été exclusivement réservée, engendrée par le chagrin et la peur ! « Elle était entourée d'enfants — d'enfants de La Brèche — qui… qui n'avaient pas l'air normal. Ils vous ont guidé jusqu'à l'appareil, n'est-ce pas Jack ? »

Je n'ai pas répondu. Il a pris mon silence pour un acquiescement.

« Vous savez ce que c'était que ces gosses, hein ? Vous savez pourquoi ils avaient l'air anormal ? Vous n'avez donc pas vu leurs cicatrices ? Sur le cou ?

— Je vous en prie, Johnny. Taisez-vous. » Je tremblais de la tête aux pieds. Le pinceau des phares dessinait devant moi sur la route un tableau de Jackson Pollock composé de flous rouges et blancs sur fond noir.

« Non, Jack, je ne me tairai pas. Vous savez pourquoi ? Parce que vous êtes un enfoiré. Vous n'arrêtez pas de vous plaindre que vous avez tout raté. Vous pensez que tout est pourri, que vous avez gâché le monde entier par vos seuls méfaits. Vous passez votre temps à vous dire : "Puisque j'ai foiré cette vie-ci, autant attendre tranquillement la suivante." Mais laissez-moi vous dire que *ce n'est pas vrai.* Toute cette saloperie est arrivée à cause d'Arlond Maxen, et ce n'est pas de votre faute s'il vous déteste. Et s'il vous déteste, c'est justement parce que sur un point bien précis, vous n'avez *pas* foiré, et c'est pour *ça* que tous les alters sont morts, c'est pour ça que Hal est mort, et c'est pour ça que vous allez mourir à votre tour.

380

— Quoi ! a hurlé Quasi avant de reprendre un ton plus bas : Qu'est-ce que vous racontez, Johnny ? »

Je le savais, je ne pouvais pas l'empêcher de parler. Alors je me suis contenté de suivre la route en essayant de ne pas écouter.

Tout s'est passé deux mois avant la capitulation, la fin de la guerre dans La Brèche. Hal et moi faisions partie d'un commando profondément avancé à l'intérieur des terres. Les points cardinaux ne signifient pas grand-chose là-bas, mais disons que si le gros des troupes était au sud, nous, nous étions tellement au nord que nous sortions de la boussole. J'ignore comment Vinaldi a entendu parler de tout ça. Par la rumeur, prétend-il. Ce qui est sûr, c'est que personnellement, je n'en ai jamais parlé à personne, et Hal non plus.

À ce stade, tout le monde savait, je crois, que nous ne sortirions pas victorieux de la guerre. Les villageois étaient trop résistants, trop déterminés. La Brèche était de leur côté à eux, et plus on s'éloignait du point d'entrée, le seuil de latéralisation, plus les choses devenaient inexplicables, terrifiantes. Comme si l'on s'enfonçait de plus en plus profondément à l'intérieur de soi pour explorer des territoires qu'on n'était pas censé découvrir. Avec le temps, certains membres du commando s'étaient fabriqué des goutte-à-goutte improvisés qui leur distillaient en permanence du Raviss dans les veines.

Mais on avait ordre de poursuivre, alors on continuait à avancer. On rampait, on titubait, on courait... tout cela plus ou moins dans une même direction : de plus en plus loin de tout ce qu'on pouvait identifier comme réel. On nous avait parlé d'établir une jonction avec telle autre unité dépêchée dans la région, mais aucun d'entre nous n'y croyait plus vraiment. Nous ne pouvions même plus décrire la couleur de l'air ; avec le mélange de drogue et d'extrême étrangeté qui régnait autour de nous, nous avions de très minces chances d'agir de manière cohérente, ni même délibérée. Nous étions tout juste capables de veiller les uns sur les autres. Il ne fallait pas nous en demander davantage. Dans le monde où nous évoluions, tout voulait notre peau et le seul but que nous jugions digne de poursuivre, c'était de préserver le plus possible d'êtres humains.

Ce jour-là, on crapahutait dans une forêt incroyablement dense ; aucun d'entre nous n'en avait jamais vu d'aussi dense. Les arbres étaient plantés si serrés que dans certaines zones très étendues, les troncs se touchaient ; on se trouvait alors confrontés à une muraille continue qu'il fallait contourner au prix d'un détour d'un kilomètre. En outre, elle était tellement emberlificotée qu'on en avait du mal à réfléchir, comme si on ne pouvait plus y manipuler les parpaings de la pensée, devenus trop lourds. Il y régnait une chaleur intolérable, une véritable fournaise, et pour couronner le tout, nous portions sur des civières deux membres du commando blessés dans une escarmouche avec les villageois la semaine précédente. Nous leur avions confectionné des bâillons au moyen de bandages afin de les empêcher de hurler, mais nous entendions tous leur supplice résonner dans nos têtes. Ils puaient le sang, la merde et le dermoRépar, et l'un des deux, touché à la jambe, avait dans sa plaie des vers de La Brèche. Il disait qu'il les sentait le dévorer. C'était possible, mais on n'avait pas cherché à les enlever parce qu'ils bouffaient aussi la gangrène qui, sans cela, l'aurait tué encore plus vite que ses blessures. On était tous atteints dans notre chair à un endroit ou à un autre, avec ici ou là des sutures d'amateurs serpentant sur la peau. On n'avait pas mangé depuis quatre jours et, pis encore, on n'avait plus de cigarettes. Même le Raviss commençait à manquer, et le lieutenant était au bord de la panique.

On ne pourrait pas continuer longtemps comme ça, il le savait ; seulement, on se trouvait à des centaines de kilomètres de tout. Bref, on était une bande de zombies, des morts-vivants plus morts que vivants. On se foutait de savoir qui gagnerait la guerre. On se foutait même de savoir si on allait survivre. On allait se battre jusqu'à ce que le dernier d'entre nous tombe, et ce serait fini, voilà tout.

Hal et moi, on avançait tant bien que mal en milieu de colonne, une civière entre nous, si bien qu'on n'a pas été les premiers à découvrir le village. Hal boitait à cause de blessures aux cuisses causées par une mine, et le type qu'on transportait passait un sale quart d'heure. Il avait pris une balle dans la tête et on lui voyait la cervelle. Je délirais à moitié à cause de la faim, de l'épuisement et de la privation de nicotine ; alors quand j'ai entendu un des gars dire qu'on arrivait dans un village, j'en ai conclu que c'était une illusion.

Mais non. On s'est arrêtés. Le rideau d'arbres qui le cernait de toutes parts était impénétrable, même avec l'aide des jumelles (nous en étions à deux cents mètres). On a cru capter de faibles échos de cris, et même de chants, charriés par l'air épais parcouru de tourbillons.

Or, les villageois de La Brèche ne chantaient pas. Ça ne faisait pas partie de leur existence, point final. Ce n'étaient pas des gens très gais.

Le lieutenant a décidé de laisser un homme sur place pour garder les blessés et d'emmener les autres en reconnaissance. Il m'a fait signe de prendre la tête de la troupe. Comme d'habitude, quoi.

On s'est approchés en rampant ; tantôt on se planquait derrière des buissons, tantôt on se coulait sous des tas de feuilles murmurantes. Ce degré de prudence confinant à la démence était devenu chez nous un réflexe, un instinct. Nous n'y pensions même plus. On avait par-dessus tout envie de retrouver des camarades, mais aucune envie, en revanche, d'essuyer de nouveaux coups de feu. À mesure qu'on avançait, les chants devenaient plus distincts ; on a fini par reconnaître la mélodie. Une chanson qui passait tout le temps à la radio juste avant qu'on soit transportés dans La Brèche ; mais les paroles rendaient un son différent.

Quoi qu'il en soit, cela signifiait que les chanteurs étaient des camarades ; on s'est donc relevés péniblement pour couvrir le reste du trajet sans se cacher. Hal et moi ouvrions toujours la marche. Je ne sais pas à quoi il pensait — probablement à ses nouilles chinoises —, mais moi, je fantasmais sur une cigarette. J'en sentais presque la fumée m'emplir les poumons. Je projetais d'en fumer cinq à la fois.

Le village était sis au milieu d'une vaste clairière, et à une quarantaine de mètres devant nous, nous entrevoyions des soldats en treillis, ou ce qu'il en restait. Ils ne faisaient pas grand-chose, à part errer de-ci, de-là, le regard vitreux. Je leur ai trouvé quelque chose de bizarre ; du geste, j'ai arrêté les gars qui venaient derrière moi en leur intimant silence et discrétion.

Je mourais d'envie d'entrer dans le village, mais je pressentais quelque chose d'anormal. Alors au lieu d'emprunter l'accès frontal, j'ai mené les autres sur un des côtés et nous l'avons abordé par la tangente. Plus on approchait, plus il était facile d'identifier un autre son derrière le chant et les cris gutturaux. On aurait vaguement dit des pleurs — un groupe de personnes pleurant doucement.

Or, les larmes ne sont pas un phénomène très fréquent dans La Brèche. Soit on était mort, soit on se félicitait d'être encore en vie. J'ai consulté Hal du regard, puis nous nous sommes retournés vers le lieutenant. À court d'idées, il a haussé les épaules sans rien dire. Alors nous avons pénétré dans le village.

Notre première découverte a été une petite fille dont on avait sectionné les jambes à hauteur du genou ; ligotée sur une planche dressée contre le mur d'une maison, elle pleurait tout bas. Seule dans son coin, le regard perdu dans son monde intérieur, elle ne nous a pas vus. Les autres ne pouvaient en détacher leurs yeux, mais moi, j'ai passé la tête par la porte. Ce que j'ai vu à l'intérieur m'a donné la nausée. Moi qui croyais avoir tout vu !

Quand je suis ressorti, je savais que le monde avait changé pour toujours. J'ai appelé Hal d'un air absent et, respirant par la bouche à cause de l'odeur, on a fait quelques pas de plus sur le sentier. On voyait d'autres soldats à demi nus aller et venir, un peu plus loin, autour de quelques huttes, mais ce n'était pas sur eux que se fixait notre attention.

Il y avait des cadavres d'enfants de La Brèche partout sur le sol, jetés en travers des chemins ou basculés par les fenêtres des huttes ; des bambins à peine en âge de marcher, mais aussi de très jeunes adolescents. Certains paraissaient morts depuis peu, d'autres tellement boursouflés par la chaleur que leur ventre explosait. Beaucoup d'entre eux portaient une plaie bien particulière : une profonde entaille à la gorge. Le sol des sentiers était recouvert d'une croûte brune formée par leur sang séché.

Nous avons atteint un enclos de fortune où une dizaine d'enfants étaient accroupis à même le sol. Certains arboraient des moignons hâtivement cautérisés, d'autres perdaient tout leur sang tandis que le reste rivait sur le ciel un regard dénué d'espoir. Ils ont bronché en nous entendant arriver. La plupart avaient été aveuglés.

Nos camarades nous ont rejoints à ce moment-là. Horrifiés, ils se sont figés sur place. C'est alors que nous avons entendu un cri. En nous retournant, nous avons vu un soldat nous montrer du doigt. Il se tenait dans la zone dégagée, au centre du village, et il n'était pas seul. Laissant l'enclos derrière nous, nous nous sommes dirigés vers lui en longeant des murs éclaboussés de sang. Arrivés à dix mètres, nous nous sommes immobilisés, et voici ce que nous avons vu :

Une dizaine de soldats, le plus souvent nus et dégoulinant de sueur, certains portant toutefois d'étranges vêtements en lambeaux.

Une petite pile de corps enfantins dont le sang et les viscères avaient rougi la clairière.

Trois enfants vivants, deux filles et un garçon, maintenus à genoux par des cadres en bois grossièrement façonnés.

Et au centre de la scène, marquant le tempo de la chanson en hochant la tête, leur lieutenant. Il était le seul à porter encore l'uniforme — enfin, plus ou moins — bien qu'il eût le pantalon aux chevilles. Son pénis à l'air plongeait par à-coups dans une plaie béante pratiquée dans la gorge d'une fillette d'environ cinq ans qu'on maintenait devant lui, la tête levée pour qu'il puisse la regarder dans les yeux. Car elle était vivante.

Nous sommes restés paralysés un moment sous le regard des autres soldats. J'avais l'impression que le monde s'était arrêté de tourner.

Puis j'ai décroché le fusil que je portais en bandoulière et abattu le lieutenant d'une balle dans la tête.

Cet instant précis est présent dans ma tête à chaque instant de ma vie. Il en fait concrètement partie, au même titre que mes muscles, le temps qu'il fait ou la couleur de mes cheveux. Rétrospectivement, et peut-être sur le moment, il me semble que mon fusil s'est mis tout seul en position de tir en décrivant un arc parfait, et que sa crosse s'est calée juste comme il fallait au creux de mon épaule. J'ai su en appuyant sur la détente que ma balle atteindrait l'atome précis que je visais, comme si mon âme elle-même se chargeait de la véhiculer.

Toute ma vie tient dans ce coup de feu, et à ce moment-là je me suis pris pour un ange, ou quelque chose dans ce genre — pas pour un rédempteur, car je ne rachetais rien, surtout pas moi-même. J'étais simplement écrasé sous le poids du sort, d'un destin tombé des cieux qui m'aplatissait au sol. Parfois, quand je me réveille au beau milieu de la nuit sans savoir ce qui m'a tiré du sommeil, je songe que ce sont les échos de ce coup de feu, les échos de cet instant-là, et je me demande si cela cessera jamais.

Quasi pleurait tout bas sur la banquette arrière. J'aurais voulu lui tendre la main, lui dire que le temps avait passé depuis. Heureusement, Vinaldi n'avait pas décrit — sans doute l'ignorait-il — ce que nous avions trouvé dans les huttes. Les restes. Les laissés-pour-compte. Nous avons fait notre possible à coups de dermoRépar et de bandages, mais nos ressources étaient bien maigres. Puis nous avons laissé les soldats sur place, en les abandonnant aux mains de la forêt.

Vinaldi s'est tu, puis j'ai entendu un craquement et une inspiration ; il avait allumé une cigarette.

« Encore un petit détail, a-t-il repris. L'homme que Jack a abattu, ce lieutenant… c'était le frère aîné d'Arlond Maxen. Ils faisaient partie du même commando et Arlond, lui, s'en est sorti. »

Quasi a reniflé et regardé par la vitre. C'était une fille intelligente. Elle avait deviné le reste. Ses yeux ont cherché les miens dans le rétroviseur et elle m'a demandé : « Qu'est-ce que tu comptes faire, maintenant ? »

C'est à peine si je l'ai entendue. Je venais enfin de comprendre l'objectif second des Fermes ; elles n'avaient pas seulement été créées pour fournir des pièces détachées, des *alter ego*. Les hommes qui venaient nuitamment rendre visite à ces derniers ne se cachaient pas. L'un d'entre eux était propriétaire de toute la structure et le salaire des gardiens n'avait pour but que de garantir leur silence. Pourquoi n'étaient-ils jamais venus dans ma Ferme à moi ? J'avais été embauché sous un faux nom. Ils ne pouvaient pas savoir que c'était moi.

Mais cela n'avait pas d'importance. La réponse à la question de Quasi m'est venue tout naturellement.

« Tuer Maxen.

— Qu'est-ce que ça va changer ? a-t-elle dit tristement. Ça ne ressuscitera pas les morts.

— Ce n'est pas pour changer quoi que ce soit que je vais le tuer. Seulement parce que j'en ai envie. »

19

Nous avons abandonné la voiture à la Porte et réintégré New Richmond, Vinaldi et Quasi par l'entrée principale et moi en faisant le tour « par-derrière », comme toujours. Vinaldi est allé reprendre possession de son empire et s'assurer qu'il ne s'était rien passé de déplaisant pendant notre absence — trier son courrier, ce genre de trucs, quoi. Je lui ai demandé de répandre subtilement la rumeur que j'avais disparu et il m'a promis d'y veiller. Quasi est rentrée se doucher ; vu qu'elle était en congé sans solde depuis deux jours, elle a dû se remettre au travail. Je ne le lui ai pas demandé.

Moi, je suis retourné chez Howie et j'ai passé un bon moment à me concocter des décès plausibles. Le plus convaincant était l'overdose — ce qui m'a donné à réfléchir, d'ailleurs : cela en disait long sur mon mode de vie. Puis j'ai inséré le disque de Hal dans l'ordinateur en lui demandant d'ajouter en toute illégalité le nom de Jack Randall dans la liste des dossiers en attente de déclaration de décès. Cela ne pouvait revêtir un caractère formellement officiel, car il manquait le code de confirmation émis par le bureau du coroner, mais j'ai précisé que mon corps sans vie avait été retrouvé à la Porte. Les coroners se donnaient rarement la peine de se rendre sur place ; je savais par expérience qu'ils se contentaient d'apposer leur tampon sur le rapport. Dans mon cas, celui-ci serait automatiquement transmis au subréseau de la police, et à partir de là, la nouvelle se propagerait jusqu'aux rares personnes susceptibles d'être intéressées. Toutes s'en réjouiraient, et là encore cela m'a fait réfléchir. L'un dans l'autre, je n'ai pas passé un très bon moment à m'acquitter de cette tâche. Aux yeux du monde, j'étais désormais un fantôme.

Ensuite j'ai éteint l'ordinateur, mangé — enfin — un cheeseburger et entrepris de boire comme un trou. Le cheeseburger était excellent; il m'a sacrément ragaillardi.

On dira ce qu'on voudra, mais l'Histoire, c'est de la merde. Le règne de la crasse et de la puanteur. D'ailleurs, ça s'explique : c'est elle qui fournit l'énergie viscérale nécessaire pour créer l'instant présent. Le présent, c'est comme le corps : il a l'air propre parce qu'on le lave tous les jours, mais comme lui, il laisse partout de petits tas malodorants derrière lui : des présents passés, digérés, excrétés et disposés là à l'intention des narines de la postérité — et de nos incarnations futures.

Seul dans le bureau de Howie aux petites heures du matin, je me sentais entouré de centaines de tas de merde, chacun dégageant une odeur subtilement différente. Quand j'essayais d'en déterminer individuellement la provenance, je m'y perdais. Je ne me rappelais pas avec une clarté suffisante les étapes successives. Tout était trop compliqué. Il était temps d'effacer le disque dur et de tout reprendre à zéro.

À ma demande expresse, Howie m'avait provisoirement laissé seul. Je cherchais à me rappeler le moment où ma vie avait cessé d'avoir un sens. Un jour, les boucles de code s'étaient retrouvées si profondément nichées que je ne voyais plus rien d'autre.

Quand on est enfant, on n'accorde aucune valeur à la simplicité parce qu'on est trop occupé à se pencher dans les virages pour accélérer le mouvement tant on a envie d'être un grand, de mettre la main sur les choses réservées aux adultes. On bénéficie de choix limités et, en tant que tels, simples et gratuits. Les journées sont de simples successions d'activités que ne viennent pas encore morceler les exigences de l'avenir. Quand on est grand, il y a des tas de choses qu'on peut faire, des tas de façons de passer le temps. On peut fumer, par exemple. Boire. Se droguer. Travailler, aussi — en fait, on y est même obligé ; il faut bien payer les factures. Et puis il y a tout ce qu'on ne peut *pas* faire : foirer lamentablement, coucher avec tout le monde même si les gens sont consentants. On doit se satisfaire de ce qu'on a alors que fondamentalement, l'enfance, c'est croire qu'il y aura toujours du nouveau.

Les toxicomanies qu'on entretient, les devoirs à accomplir, tout ça nous prend tellement de temps qu'on n'a plus le loisir d'*être*, tout simplement. Toutes les pensées, tous les actes sont informés, sapés par toutes les autres pensées, tous les autres actes auxquels on est contraint de renoncer. Ainsi on peut être hanté par des gens qui n'ont jamais existé, des événements qui n'ont pas eu lieu, tellement cerné par les spectres que le monde réel finit par s'estomper. On continue à chercher le Pays imaginaire alors qu'on est devenu trop grand pour y croire et que de toute façon, le Pays imaginaire ne veut pas de nous.

L'innocence, c'est être libre de ne pas fumer obliga- toirement une cigarette toutes les demi-heures, libre d'aimer, libre d'échapper aux constantes retombées des événements funestes ou des méfaits qu'on a commis. Libre d'échapper au temps et à son sillage de feuilles mortes. Libre de ne pas flairer d'innombrables petits tas de merde.

Quand on est jeune, si on a des accès de mélancolie c'est parce qu'on n'est pas pris au sérieux, et aussi à cause du sexe opposé. Quelle violente nécessité biologique il y a dans cette aspiration ! Ce sentiment d'être à la traîne alors que les autres garçons ont l'air tellement au courant question cigarettes, bière et petites amies — ou, variante, alors que les autres filles sont mieux habillées, qu'elles ont un petit ami et de la poitrine. En fait, c'est moins le sentiment d'être à la traîne que la peur panique de suivre une allure imperceptiblement différente, moins vitale, une allure qui ne nous mettra *jamais* en contact avec les substances illégales excitantes dont on a tant entendu parler.

Et quand j'ai enfin pu faire ces choses, j'ai saisi toute la justesse de la leçon contenue dans *Pinocchio*, vu à la télévision, seul film à m'avoir vraiment fait peur quand j'étais petit. *Pinocchio* m'a parlé, malgré l'animation archaïque et l'image en seulement deux dimensions. Ma réaction préfigurait-elle ce que je ressens aujourd'hui ? Était-ce le pressentiment intuitif que les substances illégales finissent par vous changer en âne et vous condamner à labourer éternellement le même champ ? Pourtant, ça ne nous empêche pas de nous jeter dessus à la première occasion car c'est ça, justement, grandir ; et c'est seulement le jour où on se retrouve las et seul sous la pluie, dans la boue, le joug serré pareil à une excroissance osseuse, c'est seulement ce jour-là, donc, qu'on se rend compte de ce qu'on a fait.

J'ai tenté de faire plier le monde sans plier suffisamment moi-même. J'ai perdu du temps à chercher celle qui illuminerait la sombre forêt de mon existence sans voir qu'à mes côtés, Henna était le signal lumineux fléchant la sortie, et qu'elle avait dans les bras une force née de mon manque d'amour. Je m'étais présenté à elle tout débraillé, attristé de constater que la proie ne valait pas la traque, persuadé que ma compagne ne m'avait jamais percé à jour parce que je lui avais toujours menti. Mais naturellement, elle avait tout compris depuis le début. Et elle m'aimait quand même.

Maintenant qu'elle n'est plus là, il n'y a plus personne pour me retenir. Pinocchio a été sauvé, et à terme, il est devenu un vrai petit garçon. Les autres, c'est-à-dire nous, restons là à frissonner sous la pluie. Et à braire.

Howie a cru presque tout ce que je lui ai raconté — en me demandant tout de même quelle dose effective de Raviss j'avais absorbée. Puis il m'a questionné sur mes intentions, que je lui ai révélées.

« On peut savoir comment tu comptes t'y prendre, au juste ? » Il m'a tendu une bière. À côté résonnait le vacarme du bar, mais dans le bureau proprement dit, on se sentait à des kilomètres de tout.

« On donne un service funèbre pour Louella Richardson demain, ai-je annoncé avec entrain. Maxen y sera, histoire de soulager sa conscience. Il aura un invité imprévu, voilà tout.

— Comment vas-tu entrer ?

— J'ai mon idée. »

Howie a acquiescé. « Tu veux un coup de main pour les détails ? Genre, l'endroit où tu veux être enterré, par exemple ? »

Je lui ai souri. La vie était vraiment un drôle de truc. J'avais rencontré Howie lors d'une enquête pour meurtre et, à l'époque, exercé sur lui une pression énorme pour qu'il me file des renseignements. Mais il avait refusé d'entrer dans mon jeu avec une telle constance et une telle imagination que je m'étais pris d'admiration pour lui. Je m'étais mis à fréquenter systématiquement son bar quand j'avais envie de boire un coup, allant jusqu'à lui amener Henna et Angela à plusieurs reprises. À présent, c'était la seule personne au monde qui soit disposée à m'aider, aussi grotesques que soient mes ambitions. Vinaldi, lui, avait bien précisé avant de partir qu'il ne voulait rien avoir à faire là-dedans. C'était après Yhandim et les autres qu'il en avait, pas après Maxen.

« Non, ai-je répondu à Howie. Mais merci quand même. »

Il a haussé les épaules, puis vidé sa bière d'un coup.

« Bravo pour la coupe de cheveux, au fait », ai-je déclaré.

Il s'est passé la main sur la tête, l'air piteux. Il était nettement plus hirsute que d'habitude. On aurait dit qu'il avait un hérisson blond sur le crâne. « Tu parles ! Mais ça ne fait rien, j'ai un plan. Détaillé et soigneusement mis au point.

— À savoir ?

— Je vais les ratiboiser au cocktail Molotov, ces enfoirés. Ça leur apprendra que quand je dis : "C'est juste pour rafraîchir la coupe", je ne plaisante pas. » Là-dessus, il m'a exposé une théorie toute personnelle : les coiffeurs vous vaporisent sur la tête un quelconque produit chimique qui fait paraître les cheveux plus longs. Quand ils vous demandent s'ils ont assez coupé, à tous les coups on regarde dans la glace et on répond : « Non, vous pouvez y aller. » À la minute où vous sortez du salon, vos cheveux reprennent leur longueur et vous avez l'air conçu pour nettoyer la cuvette des chiottes. On ne peut pas accuser le coiffeur parce qu'on lui a donné l'autorisation de couper. De son côté, il a atteint son objectif : vous faire passer, vous et tous les autres clients, pour un crétin intégral. C'était une théorie intéressante et je l'ai applaudie.

Howie s'est attardé un moment, mais il a fini par reprendre le chemin du bar pour se mettre en quête de petits piments. Je me suis assis sous la lampe pour nettoyer longuement mon arme. Ce n'était pas absolument indispensable, mais à part ça, je ne voyais pas quoi faire. Puis j'ai commandé deux cheeseburgers de plus et troqué une occupation contre une autre.

Plus tard, j'ai entendu frapper à la porte derrière moi. Sur le seuil se tenait Quasi, avec une bouteille de vin et deux verres.

« Rassure-toi, je n'essaierai pas de te dissuader, m'a-t-elle déclaré. Je voulais juste m'assurer que tu allais vers une mort certaine avec la gueule de bois.

— Tu es très élégante. » C'était exact : en contemplant le motif de sa robe longue, je me suis rappelé qu'elle venait du magasin où nous avions acheté le premier et dernier vêtement de Suej. J'ai voulu parler mais elle m'a ôté les mots de la bouche.

« Non, ce n'est pas vrai. Je vais *bel et bien* essayer de te dissuader, en commençant par : Ne fais pas ça, Jack.

— Assieds-toi, Quasi. » Elle est allée s'installer sur la chaise de Howie et a posé les verres sur la table. Elle a attendu que j'ouvre la bouteille puis, voyant que je n'en faisais rien, elle s'en est chargée. Après avoir jeté le bouchon, elle a rempli les deux verres à ras bord. Ensuite, elle a allumé une cigarette et, se laissant aller contre le dossier de son siège, elle m'a dévisagé.

« Alors ? a-t-elle enfin demandé. C'est tout ce que tu me dis ? Tu ne me soutiens pas que Maxen mérite de mourir et que Dieu t'a chargé d'y veiller ?

— Quasi, cette conversation est inutile.

— Surtout si tu continues à jouer les paternalistes. J'y ai suffisamment droit avec mes clients.

— Au fait, pourquoi tu ne travailles pas, ce soir ?

— Parce que j'ai pas envie, merde ! Tu comprends ça ? Tu n'es pas très fort pour exposer tes motivations, je vois pas pourquoi je t'exposerais les miennes. »

J'ai soupiré. « Il est tard, Quasi.

— Bois un coup, tête de nœud. » Ses yeux ont lancé des éclairs menaçants. Incroyable, mais j'avais *réelle-*

ment peur d'elle. Être seul avec Quasi quand elle était de cette humeur-là, c'était un peu se retrouver dans un corral avec une bête sauvage originale mais pas tout à fait domptée.

« Je ne veux pas boire un coup.

— Si », a-t-elle insisté, doucereuse mais avec le plus grand sérieux. « Sinon tu ne tiendras pas jusqu'à demain matin. »

J'avais fini ma bière, et c'était plus simple que d'aller en chercher une autre au réfrigérateur alors j'ai pris un des deux verres et avalé une gorgée.

Quasi m'a adressé un clin d'œil dénué d'humour. « Très bien. La séance d'entraînement se déroule de manière satisfaisante. J'ai presque l'impression que tu comprends tout ce que je dis. Je me demande combien de temps il va me falloir pour te convaincre que tu fais une ânerie en voulant tuer Maxen.

— Tu ne comprends pas.

— Eh bien alors, explique-moi. » Son expression avait à nouveau changé. Elle était ouverte, vulnérable — manifestement, elle s'efforçait sincèrement de lire dans mes pensées.

« J'aurais dû le faire il y a longtemps. C'est la seule solution logique. L'autre possibilité est de passer le restant de mes jours en cavale.

— Tu mens ! » a-t-elle vociféré. Une fois de plus, elle m'a pris au dépourvu. Le brouhaha en provenance du bar voisin a paru s'atténuer un instant, comme si sa voix avait porté jusque là-bas.

J'ai hoché les épaules. « C'est comme ça.

— Alors explique-toi mieux. » J'ai détourné les yeux, irrité. « *Explique-moi* », a-t-elle répété, implacable. Puis, au volume maximum, à en faire trembler les murs : « ALORS, TU M'EXPLIQUES OUI OU MERDE ? »

Alors je me suis surpris à tout lui raconter, sans en avoir eu l'intention.

« Le cerveau est une erreur », ai-je commencé, ce qui lui a arraché un reniflement de dérision. « Un désastre en regard de l'évolution. Les mutations ont eu les yeux plus grands que le ventre. D'accord, on a des pouces opposables et on fait des traits sur des bouts de papier, mais ce qui va avec, c'est les brèches, les intervalles, les interstices — la fosse aux horreurs, les émotions refoulées, les camps de concentration et les types comme Maxen. Tout ça parce que le monde réel et La Brèche n'ont jamais su s'entendre.

— Jack, tu as ingéré trop de fromage reconstitué ; la dernière tranche a eu raison de l'éponge qui te sert de cerveau. Il va falloir que tu me déballes tout ça sinon je risque de croire que c'est un tissu d'âneries sans queue ni tête. »

À ce stade, ce n'était même plus à elle que je m'adressais, je crois. Peut-être à moi-même, ou alors à Henna.

Avec leurs excentricités, les gènes ont fabriqué le cerveau humain comme un enfant construit un Méga-Comm miniature. Ça ressemble à un appareil aérien, mais on n'a pas intérêt à essayer de le faire voler parce que dans les ailes, le moteur, la soute, les sièges, se trouvent des pièces qui ne s'ajustent pas bien. Des vis pas assez serrées. Des choses qui tombent dans les interstices et n'occupent pas la place qui leur revient. Des portes claquées par un coup de vent qui vous rendent tout à coup incapable d'identifier vos sentiments ; alors vous ne fonctionnez plus que sur du code collapsé et vous ne vous rappelez plus ce que tout ça voulait dire avant.

Nous habitons de gigantesques pensions pleines de chambres perpétuellement réattribuées. Les pensionnaires en sont nos sentiments ; certains sont fugaces, passagers, d'autres deviennent des résidents à long terme. Quelques-uns traitent correctement la maison, d'autres non ; certains ferment portes et fenêtres derrière eux, d'autres les laissent ouvertes. Le bon pensionnaire laisse la clef sous le paillasson en partant, pour que de nouveaux hôtes puissent prendre sa place. Mais parfois un événement provoque la fermeture hermétique des portes en vous bouclant à l'intérieur avec ce qui s'y trouve à ce moment-là.

J'ai une longue expérience des mauvais pensionnaires, ceux qui éclaboussent les murs, font des brûlures de cigarette sur la moquette et laissent les fenêtres ouvertes, permettant ainsi aux loups d'entrer. Parfois ils s'en vont sans payer la note ni nettoyer la cuisine ; leur désordre sert de fondations à la horde barbare qui vient après eux. Parfois aussi ils restent — ils fulminent dans les coins, refusent de faire suivre le courrier et résistent jusqu'au dernier souffle face au grand nettoyage de printemps.

J'aimerais croire que la pension abrite également de bons résidents, mais dans ce cas, ils ont été obligés de se replier peu à peu vers le grenier, dans des recoins dont ils ne sortent plus. Je ne peux jamais les voir : trop de brutes épaisses me barrent le passage, en bas, dans l'entrée.

N'ayant jamais été un propriétaire très autoritaire, je me suis dit un jour : il est temps de collecter mes loyers. Il fallait expulser certains locataires, retrouver une vie digne de ce nom. Et ce serait seulement en refermant pour de bon le chapitre « Arlond Maxen » que je pourrais récupérer les clefs de la baraque.

Là, je me suis tu. Je n'avais plus rien à ajouter. Quasi me regardait en ouvrant de grands yeux.

« Mouais, a-t-elle lâché en hochant la tête. Pas mal. Limite vide de sens, mais intéressant. À mon avis, il y a eu de longues soirées désœuvrées, là-bas, à la Ferme. »

Je l'ai regardée en secouant la tête. Je ne savais même pas ce que j'essayais de dire, et je n'avais aucune envie de développer. Je me bornais à passer le temps en attendant de pouvoir faire le nécessaire ; en attendant le lendemain. Dans l'intervalle, j'avais seulement envie de laisser mon regard se perdre dans le vide, et de fourbir mon arme en dressant un dernier bilan. Avec peut-être une Assemblée générale annuelle de la Jack Randall Inc., histoire de régler bien proprement les affaires en cours au cas où la séance serait ajournée *sine die*.

Quasi a penché la tête sur le côté en me dévisageant intensément. « Il ne t'est jamais venu à l'idée que tu n'étais pas le seul à avoir déconné dans la vie ?

— Tout est dit.

— Faux. Rien n'est dit, au contraire. On n'est pas obligé de repenser tout le temps au passé, merde ! Les choses peuvent changer. D'accord, les alters sont morts, Suej aussi — et tu n'es pas le seul à la pleurer. Mais ce n'est pas de ta faute. Tu as fait ce que tu pouvais et il se trouve que ça n'a pas suffi, point. Ce sont des choses qui arrivent. Oublie-les, oublie Maxen et tout le reste ! Il y a bien d'autres trucs qui t'attendent dans la vie.

— Quoi, par exemple ? » Si je posais la question, ce n'était pas dans l'espoir d'obtenir une réponse, mais seulement pour lancer des mots en l'air.

Quasi a marqué une pause, puis rempli son verre avec brusquerie. « Eh bien, moi, par exemple. » Elle a reposé la bouteille. Voyant mon regard interrogateur, elle a haussé les épaules. « Je commence à croire que j'ai un faible pour toi, nonobstant le fait que tu es un abruti irrécupérable. Sinon, je ne serais pas là à t'écouter débiter tes conneries psychomachin alors que, comme tu me l'as si élégamment fait remarquer, je pourrais être en train de gagner de l'argent. »

Elle m'a défié du regard en relevant un menton belligérant, et l'espace d'un instant j'ai *réellement* pris conscience de sa présence. Ce visage rayonnant d'intelligence, ces yeux si clairs, ce petit quelque chose d'animal dans le maintien… Ce n'était plus une amie, une femme, l'employée de Howie ou la fille de son père que j'avais devant moi, mais Quasi en tant que *personne* — une personne inexplicable, inimitable, irremplaçable.

Alors, avec la même lucidité, je me suis revu assis, le dos au mur, dans une pièce au 72e étage, cinq ans plus tôt. Ce jour-là j'avais fait une promesse à Henna. Mes promesses non tenues étaient innombrables. Tenir celle-là, c'était la moindre des choses.

J'ai secoué la tête. Quasi s'est jetée sur moi et m'a saisi par les revers de ma veste. Sa poigne était étonnamment ferme, son teint blafard et ses yeux pleins de flammes. Elle avait lu dans mes pensées.

« Elle est morte, Jack ; et si je comprends bien, cette fois-là c'était *bel et bien* de ta faute. Parce que tu n'as pas su lâcher le morceau à temps. Et voilà que tu t'apprêtes à refaire la même connerie ! Sauf que cette fois, c'est *toi* qui vas te faire tuer. Tu crois que c'est ce qu'elle aurait voulu ? Tu crois que ça va arranger les choses ?

— Tu n'as aucun droit d'utiliser Henna de cette façon-là ! » j'ai crié en détachant ses mains de mon blouson. « Ça ne te regarde pas, et Vinaldi n'aurait jamais dû te parler d'elle.

— On s'en fout, de Henna ! a-t-elle craché. Henna est *morte*. Ce n'est pas en son nom que je parle, mais en mon nom à *moi* ! *Moi* je ne veux pas que tu meures.

— Je me fous de ce que tu veux ou de ce que tu ne veux pas. » J'ai entendu mes paroles tomber comme des pièces de monnaie dans un puits sans fond.

« C'est parce que je suis une pute, c'est ça ? a repris Quasi. Parce que je vends mon corps pour gagner ma vie ? Ça vous plaît qu'une femme aime baiser, mais si elle en a connu d'autres vous n'en voulez plus, hein ?

— Ça n'a rien à voir », ai-je répondu doucement. Et il me semble bien que je disais la vérité.

« Tu parles. » Elle a vidé son verre d'un coup. « Eh bien, puisque c'est comme ça, finis le vin tout seul. » Elle s'est levée et a raflé ses cigarettes sur la table. Puis elle a posé sur moi un regard furibond. « Finalement, c'est peut-être mieux comme ça. Tu as raison, va te faire buter là-bas, demain. Sinon, c'est tout ce qui t'attend dans la vie : finir le vin tout seul. »

Elle s'est dirigée vers la porte et, brusquement, j'ai pris peur. Je me suis levé à mon tour.

« Ne t'en va pas comme ça. » J'ai voulu la rattraper par l'épaule mais elle s'est dégagée pour se remettre en marche. « On ne pourrait pas rester amis ? »

Son expression était inflexible et j'avais l'impression de voir cette Quasi-là pour la toute première fois.

« Ce n'est pas d'amis que j'ai besoin, Jack. Les amis, j'en ai. Je n'en cherche pas d'autres. Ce dont j'ai besoin, c'est de quelqu'un qui éclaire la forêt pour que je puisse trouver un endroit où m'installer. »

Je n'en croyais pas mes oreilles. « Pourquoi cette expression ?

— Qu'est-ce que ça peut te foutre ? a-t-elle rétorqué en haussant les épaules. Ce n'est qu'une formule, comme "Restons bons amis". » Elle m'a scruté comme pour mémoriser quelque chose sur mon visage. Lorsqu'elle a repris la parole, c'était d'un ton calme, voire terne. « Non, je ne veux pas être ton amie, Jack. Comme ami, tu serais une catastrophe. Pour commencer, tu ne vas pas tarder à être mort, et les morts ne rappellent jamais quand on leur laisse des messages. »

Sur quoi elle a saisi mon visage à deux mains et m'a embrassé farouchement, sur la bouche. Aucune tendresse, aucune clémence dans ce baiser-là. Au contraire, il était violent, sans compromis, un peu l'équivalent du coup de poing en pleine figure.

« Salut et va te faire foutre », a-t-elle lancé avant de sortir de ma vie.

Je suis resté jusqu'à six heures dans le bureau de Howie, puis je suis allé me raser aux toilettes, en jetant tous mes articles de toilette à la poubelle après usage — mousse, rasoir, peigne, brosse à dents… J'ai examiné mon reflet. Une créature venue d'ailleurs.

Le droïde du bar m'a appris que Howie était allé se coucher. Je lui ai commandé un café, que j'ai bu sur un tabouret du bar.

La salle était pratiquement déserte ; on ne voyait qu'un couple attablé dans un coin. Ces deux-là devaient prendre un café matinal avant de se rendre au travail. Ils se tenaient par la main, et quelque chose me disait qu'ils venaient de passer leur première nuit ensemble. La jeune fille avait encore les cheveux humides après être passée sous la douche : sa routine quotidienne avait été perturbée. Quant à lui, il avait les joues toutes roses : il s'était servi d'un rasoir trouvé dans sa salle de bains à elle ; il se sentait en proie à une étrange agitation, il portait la même chemise que la veille, il fleurait bon un déodorant qui n'était pas le sien. Ni l'un ni l'autre ne semblait savoir quoi dire, comment se comporter : ils percevaient tout à coup sous un autre angle une personne qu'ils voyaient tous les jours au travail, et ils s'efforçaient de l'assimiler. À quoi s'ajoutaient des souvenirs confus de la nuit et de toute cette chair exposée.

Il y avait aussi le chat récupéré à la Ferme abandonnée, qui dormait, roulé en boule dans un coin. J'étais content qu'il ait trouvé un foyer. Au moins, il ne manquerait jamais de petits piments.

Un moment plus tard, les tourtereaux se sont levés et, après une hésitation, se sont dirigés vers la porte main dans la main.

J'ai bien pensé laisser un mot à Howie, mais je n'ai pas trouvé de papier ; et de toute façon, je ne savais pas quoi lui dire. À sept heures, j'ai quitté le bar pour le plus proche ascenseur xPress. Les rues n'étaient pas très animées. Le seul commerce ouvert était un restaurant chinois dont la vitrine s'ornait d'une gamme de plats fatigués, posés sur des plaques chauffantes. Il s'appelait *Le jardin du bonheur*, mais ça ne lui allait pas très bien. Je l'ai rebaptisé *Jardin qui craint*. Schopenhauer s'y serait plu au temps de l'infection urinaire qui l'a tant fait souffrir.

Au 100e, j'ai montré mon laissez-passer bidon aux gardes, Ils n'avaient pas l'œil aussi perçant que ceux qui m'avaient arrêté en compagnie de Vinaldi ; ou alors, ils s'en foutaient. Quoi qu'il en soit, ils m'ont laissé passer et je suis monté jusqu'au 104e.

Golson dormait à moitié quand il a ouvert la porte, mais en me reconnaissant, il s'est réveillé.

« Dites donc, le baraqué, vous devenez une habitude dans le coin.

— Tu es seul ?

— Non. Sandy est revenue. Elle en redemandait, a-t-il ajouté avec un sourire en coin.

— Débarrasse-toi d'elle. » Je suis entré en l'écartant d'un coup d'épaule. Je commençais à me sentir chez moi ici. Golson m'a suivi en trottinant, comme d'habitude, tout en émettant de petits bêlements désapprobateurs dont je n'ai tenu aucun compte.

« Ah, non ! Je ne peux pas faire ça. J'ai promis de l'emmener au service funèbre sur mon carton d'invitation. C'est même pour ça que je l'ai ramenée chez moi hier soir. Elle a tenu ses engagements et ça m'étonnerait qu'elle laisse tomber comme ça. »

Quand je suis entré dans la pièce, Sandy était assise dans le lit, joliment échevelée. J'ai rabattu le drap et brandi mon arme.

« Rentre chez toi, Sandy. Il y a un risque pour que ce type n'en veuille qu'à ton corps. »

Puis je suis allé préparer un café explosif dans la kitchenette. Il était aromatisé à la cannelle mais bon ; en fumant assez de clopes, j'arriverais peut-être à en masquer le goût. Golson est resté dans la chambre, à regarder d'un air ahuri Sandy rassembler ses vêtements et s'en aller sans cacher sa contrariété, c'est-à-dire en claquant la porte assez fort pour ébranler la ville jusque dans ses fondations. J'ai souri. Les gens que je connaissais étaient-ils donc tous condamnés à se comporter éternellement de la même manière ? Les boucles de code à base de « IF-THEN » se répètent jusqu'à ce qu'on trouve une issue.

Quand Golson m'a rejoint à grandes enjambées furieuses, je sirotais ma première tasse de café. « Dites donc, vieux, a-t-il entamé sur un ton agressif. Vous y êtes allé un peu fort, là. Je suis sérieux. D'accord, je me la suis faite, mais le service est à neuf heures, et comment voulez-vous que je dégotte une fille assez classe d'ici là ?

— Tu as d'ores et déjà quelqu'un pour la remplacer.

— Ah bon ? Qui ça ? s'est-il enquis, plein d'espoir.

— Moi. Allez, habille-toi. »

20

Les admirables et les généreux, les talentueux et les puissants, bref, le dessus du panier, ou ce que New Richmond compte de plus privilégié.

Mais non, en fait. Simplement les plus riches. Quelques individus authentiquement méritants ont bien dû s'introduire subrepticement, par une porte dérobée — invités au service funéraire pour renforcer l'intérêt du cirque médiatique. Toutefois, on maintenait fermement à l'écart autocaméras et présentateurs, qui s'agitaient bruyamment dans le hall du 200e. J'aimerais croire que c'était par respect à l'égard de la défunte, mais en réalité, je soupçonne qu'on cherchait uniquement à stimuler leur curiosité. Les caméras, des appareils volants pilotés par des droïdes, paraissaient conserver leur calme, mais les « têtes parlantes » humaines, elles, étaient au bord de l'explosion tant leur excitation était grande.

Le reste de l'assistance se voyait entraîner vers le faîte d'un formidable escalier en colimaçon menant au 203e, où nous attendions au milieu du brouhaha dans une salle vaste comme un petit pays d'Europe. On nous avait laissé entendre qu'il s'agissait du hall d'entrée de la chapelle. Celle-ci occupait en hauteur deux étages du MégaComm et s'ornait d'un plafond reproduisant celui de la chapelle Sixtine. Storyboardé par la crème de la côte Ouest, il célébrait les exploits du héros par

excellence (rayon action-aventure), le plus indestruc-
tible de tous : Dieu. La religion ne s'était jamais vraiment démodée chez les riches, peut-être parce que pour
eux, de tous les simulacres d'humilité, c'était de loin
le plus accessible. Les gens qui m'entouraient, les nan-
tis de New Richmond, faisaient de leur mieux — mais
en vain — pour ne pas avoir l'air d'estimer le coût de
cette bande dessinée Renaissance recouvrant une voûte
de deux kilomètres carrés… Ce qui prouvait bien que
leur attitude n'était qu'une question d'apparence. Ce
plafond-là aurait fait passer pour des nains cinq mille
invités ; alors les quatre ou cinq cents personnes présentes, serrées les unes contre les autres au centre de
la salle, n'entretenaient plus le moindre doute sur leur
statut social comparé à celui du propriétaire des lieux.

Golson et moi restions à la périphérie de l'attroupement. Je ne tenais pas particulièrement à la compagnie
du jeune homme ; simplement, je n'avais pas d'autre
idée. Aucun plan. Attendre et voir, tel était mon mot
d'ordre.

Dans nos parages circulait un murmure contenu,
lourd de vive excitation. Golson était franchement en
transe ; son regard voletait au-dessus de l'assemblée
avec une ferveur quasi religieuse, elle aussi. Ces gens,
je le voyais bien, étaient des dieux pour lui, tous ces
vieux ridés, ces jeunes radieux que leur argent rendait
également luisants tandis que leur position sociale leur
conférait carrément une espèce de quatrième dimension. La quasi-totalité des manches arborait une tari-
Fente claironnant le coût du vêtement à qui voulait
l'entendre. Et manifestement, ceux qui voulaient l'entendre étaient très nombreux. Les rares individus s'étant
bizarrement refusés à cette déclaration publique s'attiraient la curiosité générale : fallait-il en déduire que
leurs vêtements étaient *moins* chers, ou, au contraire,
encore plus ? Aux plis qui creusaient certains fronts, je

voyais bien que la décision n'était pas facile à prendre. Je n'ai rien contre les riches, vraiment. Seulement, ils sont d'un ennui !

Les barrages de sécurité m'avaient donné pas mal de fil à retordre ; l'espace d'un moment d'angoisse, j'ai craint qu'on n'ait fait circuler ma photo parmi le personnel de surveillance, mais non : on ne m'a pas accordé un regard. Étant donné que j'accompagnais un détenteur d'invitation en bonne et due forme et que, par ailleurs, j'étais officiellement mort, comment aurais-je pu représenter une quelconque menace ? Golson n'appréciait toujours pas le tour pris par les événements, mais je l'ai rassuré : loin de nuire à sa réputation, ceux-ci allaient multiplier par deux ses chances de repartir en galante compagnie de la réception suivant le service funèbre. Cela lui a remarquablement remonté le moral… jusqu'au moment où il a compris ce que je voulais *réellement* dire par là.

Je ne repérais personne qui soit susceptible de m'attirer des ennuis dans l'assistance ; d'ailleurs, ça ne m'étonnait pas. J'avais extorqué à Vinaldi la promesse de ne pas se montrer avant l'après-midi. Maxen, lui, ne ferait son apparition qu'au moment du service proprement dit, pendant lequel il était censé prononcer l'éloge de la défunte ; quant à Yhandim et ses compères, ils étaient bien trop dépenaillés pour se faire admettre dans la zone centrale d'une cérémonie pareille. J'étais certain qu'ils rôdaient quelque part dans les environs, mais tant que je restais perdu dans la foule, ils ne m'inquiétaient pas outre mesure. Pour l'instant.

Au bout d'une demi-heure, un petit foyer d'agitation s'est créé à l'autre extrémité de l'assemblée : Yolande Maxen s'avançait en tenant par le bras la femme dont j'avais vu l'image animée sur le carton d'invitation de Golson. Sans doute Forma Richardson, la mère de la jeune disparue, qu'on présentait aux invités. J'ai allumé une cigarette — au grand dam de mon entourage immédiat — et regardé le petit cortège se frayer un chemin dans la foule. Golson n'était plus là; probablement parti en repérage.

J'ai été frappé par le visage de Yolande Maxen; quelque chose n'allait pas. Au lieu d'afficher la triomphale expression attendue ou de témoigner publiquement sa compassion à Forma Richardson, ses traits étaient creusés, vides de tout affect. Dans l'ensemble, la mère, elle, semblait tout ignorer de l'identité des personnes présentes. Peut-être était-ce à cause du chagrin. Ou alors, les Maxen avaient exclusivement invité les gens qu'ils souhaitaient intimider, et non d'authentiques amis de Louella. Puis j'ai vu un couple d'âge moyen se détourner, l'air dégoûté, après avoir serré sa main molle, en s'efforçant de ne pas laisser son affliction gâcher leur excitante journée, et j'ai préféré reporter mon regard sur la fresque du plafond.

Juste au-dessus de ma tête se trouvait la représentation d'une quelconque scène biblique qui ne me disait rien — pas plus, sans doute, qu'aux autres invités. Tout ça, c'était du passé. Là où, jadis, on avait la religion, il y a aujourd'hui le code informatique, l'un comme l'autre étant le signifiant d'événements survenant tout près de nous, mais hors de notre portée. Nous avions foi en un Dieu invisible? Maintenant, nous plaçons cette foi dans des flux d'électrons fusant dans des espaces infimes qui échappent à la vision. Donc, une fois de plus, notre faculté de compréhension doit s'en remettre à l'imperceptible, comme si l'humanité abritait un besoin fondamental d'inexplicable au cœur même de son existence, un besoin de voir sa destinée influencée par des forces intangibles. Peut-être nous faut-il des lieux où nul chemin ne conduit.

Dieu, le code, nos propres esprits. Et si nous n'avions pas lu le manuel d'assez près?

Sous mes yeux, le plafond de l'immense salle s'est progressivement effacé pour céder la place à une succession d'images non sollicitées. Le visage de Henna, celui d'Angela ; puis Shelley Latoya. C'est cette dernière qui a mis le plus de temps à se dissoudre ; je la revoyais me couler ce regard si particulier lorsqu'elle avait voulu prendre l'argent de sa sœur, lorsque j'avais offert un misérable exutoire à sa culpabilité. Ce visage a été remplacé par celui d'une fille que je n'avais jamais vue vivante : Louella Richardson. Bizarrement, j'en avais une vision différente de la photo de Golson, comme si ma représentation à moi pâtissait d'un éclairage altéré.

Et pour finir, j'ai vu Suej. Loin d'être triste, elle riait.

Un grincement sourd a souligné l'ouverture de deux gigantesques portes, tout au fond de la salle. Naturellement, l'entrée de la chapelle était située tout à fait à l'opposé, histoire de bien nous faire apprécier les proportions de l'ensemble. En fait, il était même étonnant qu'on ne nous ait pas réservé d'autres faveurs humiliantes — sofas en silicone, modèle réduit de la Voie lactée en diamants, etc. Ce serait peut-être pour plus tard, après le service. Auquel cas je manquerais le spectacle.

Car au moment de prendre place dans la file des endeuillés pour entamer l'interminable procession à travers la pièce, j'ai soudain su ce que je devais faire : ôter les voiles de Maxen devant la congrégation et montrer à tous que même les hommes-pixels peuvent pécher.

Parvenu au milieu de l'antichambre, j'ai repéré le chef de la police, McAuley ; je m'en suis éloigné le plus possible. De tous les individus présents, c'était lui le plus susceptible de me reconnaître. Heureusement, il était trop occupé à lécher les bottes de je ne sais quel dignitaire pour regarder dans ma direction. Quand nous avons pénétré dans la chapelle, je suis resté bien au fond ; puis j'ai pris place au bout d'un banc. Il faisait sombre et l'endroit était étonnamment exigu ; les invités en occuperaient jusqu'au moindre recoin. Devant moi, je pressentais des piétinements, des coups de coude : on se battait aussi courtoisement que possible pour les meilleures places. Mais ces bruits ne signifiaient rien pour moi. J'avais l'impression de battre en retraite à l'intérieur de mon propre crâne, où régnait un espace de sérénité.

Je rentrais au bercail. Si ça se trouve, cela ne coûte jamais qu'un effort minime : se dire qu'on vit depuis trop longtemps à la surface de son propre esprit, qu'il suffit d'en ouvrir toutes grandes les portes pour pénétrer dans ses profondeurs. J'avais pris la bonne décision, j'en étais sûr ; et si je calculais bien mon coup, je pouvais même la mettre en œuvre avant d'être abattu.

J'attendais que le service commence en laissant errer mon regard sur les murs de la chapelle, lambrissés de bois sombre et sali. Après toutes ces années de cavale, je n'en revenais pas de trouver enfin un tel havre de paix. Chaque pilier était taillé dans un tronc d'arbre qu'on avait verni sans lui ôter ses irrégularités ; il demeurait tel qu'en lui-même. J'étais certainement le seul à savoir que cette chapelle était tout à fait étrangère au christianisme, qu'elle était au contraire un hommage aux secrets que Maxen avait appris pendant son séjour dans La Brèche. Certes, il y avait des crucifix, des icônes aux endroits appropriés ; mais l'unique éclairage provenait de milliers de bougies alignées sur toutes les surfaces disponibles et la lumière qu'elles dispensaient, avec sa douceur et sa teinte jaune beurre, ne pouvait rappeler qu'un seul et unique endroit. Il ne manquait que quelques sources lumineuses bleutées cachées dans les coins pour que l'illusion soit parfaite.

Enfin chacun a trouvé sa place et le service a commencé. Moi, je me remémorais des moments passés accroupi derrière un arbre dans le calme précédant la tempête, en l'occurrence l'assaut, tandis que toutes les fibres de mon corps s'accordaient, attentives, à la mélodie de la vie et de la mort. Une petite chorale entonnait un cantique ancien et pétri de bonnes intentions, probablement choisi par la mère de Louella ; ses vers archaïques, sculptés mot par mot, résonnaient de part et d'autre de la chapelle tels des oiseaux désorientés cherchant le nid.

Alors le frère de Louella s'est levé et a gagné le pupitre, où il a prononcé un petit discours mettant l'accent, comme il convenait, sur la précieuse contribution apportée par sa sœur à la société, dont elle était un membre éminemment productif. Ses paroles étaient impeccablement répercutées çà et là par un ensemble de haut-parleurs, et la vieille dame assise à côté de moi a fondu en larmes. La manche de sa robe en a souffert. Mais cela n'avait pas d'importance : de toute façon, elle ne la remettrait plus. J'avais beaucoup de mal à croire qu'elle ait connu Louella. Si seulement Quasi était là ! Voilà ce que j'avais essayé de lui dire la veille : le corps passe à l'acte sous l'influence d'émotions qu'il ne maîtrise pas, et cela, je ne pouvais plus le tolérer. Il allait falloir que le monde réel apprenne à se comporter face à l'existence de La Brèche, sinon plus rien n'aurait de sens. Jamais.

Le chœur s'est à nouveau fait entendre. À la fin du cantique j'ai senti remuer mes voisins, et il m'a suffi de consulter rapidement le programme pour saisir : le grand moment approchait ; la déité, ou ce que New Richmond avait inventé de plus ressemblant, allait tendre la main à ses fidèles et leur distribuer les largesses puisées dans son fond de compassion toute faite. Les invités se sont redressés sur leurs bancs et ont tenté de percer du regard la pénombre noyant le fond de la chapelle. Alors, tandis que la dernière phrase musicale s'évanouissait dans le néant, une silhouette s'est dressée dans les premiers rangs pour se diriger vers le pupitre.

Comme tout le monde, au début je n'ai pu en détacher mon regard. Maxen était d'allure austère, lointaine ; mais c'est ainsi que nous aimons ces gens-là. En fait, nous ne faisons que rechercher papa toute notre vie, et il arrive que les papas ne soient pas gentils. Maxen était de taille moyenne ; il portait un complet foncé et ses cheveux grisonnants étaient coiffés en arrière. Ses lunettes conféraient un air oblique à ses yeux, qu'on aurait dits intouchables alors qu'il était là, en chair et en os, devant nous, comme s'il n'avait jamais existé que derrière une espèce d'écran. Il émanait de son pouvoir, de sa richesse, une telle aura de magnificence, même à cette distance, que je suis resté une seconde confondu ; j'ai douté que les individus de ma trempe puissent avoir un quelconque impact sur le monde où il évoluait, lui.

Le moment précis où je me suis mis sur pied m'a rappelé quelque chose, comme si l'écho de certain coup de feu tiré jadis s'était enfin répercuté sur toutes les montagnes du monde avant de réintégrer mon crâne pour de bon. Tout d'abord, l'assistance a dû croire que mon intervention faisait partie de la cérémonie funèbre, ou bien qu'un invité avait pété les plombs, tout simplement. Tête haute et épaules rejetées en arrière, je me suis avancé en plein milieu de la travée centrale.

Un silence total régnait dans la chapelle, où le bruit de mes pas résonnait tel un poing heurtant lentement une lourde porte en bois. Parvenu à mi-chemin, j'ai commencé à entendre des murmures et perçu un mouvement sur le côté. J'espérais avoir vu juste en prédisant que les vigiles n'oseraient pas tirer à travers la nef alors que la fine fleur de New Richmond trônait sur ses fesses de part et d'autre de l'allée ; j'ai continué à avancer sans quitter des yeux Maxen qui, lui aussi, me regardait fixement.

Lorsque nous n'avons plus été séparés que par quelques mètres, j'ai dégainé mon arme et, derrière moi, l'ambiance a changé. Mais il était trop tard. Deux petits pas et je me suis retrouvé trois marches au-dessous de Maxen ; le canon de mon pistolet le visait en plein front. Dans les angles de la nef, le remue-ménage s'est précisé : des vigiles surgissaient de nulle part, des fusils faisaient leur apparition sur leur épaule. Ils restaient en dehors du champ de vision des invités, mais je sentais dans mon dos les points rouges des visées laser. Leur ligne de mire était parfaitement dégagée, mais ils attendaient un signal. Maxen avait veillé à ce qu'ils soient bien entraînés, bien disciplinés, à l'image de la ville tout entière. En outre, s'ils me tiraient dessus, il existait un risque non négligeable que les balles passent à travers mon corps pour aller se loger dans celui de Maxen où, se déplaçant plus lentement, elles causeraient des dégâts considérables au seigneur et maître. Un risque qu'aucun d'entre eux n'était prêt à prendre.

« Dites-leur, ai-je lancé à Maxen. Dites-leur que si un seul d'entre eux tire, j'aurai largement le temps de répandre l'arrière de votre crâne sur ce mur, là. »

Maxen baissait vers moi un visage impassible. De cinq ans seulement mon aîné, il semblait pourtant composé de plaques tectoniques. Son expression lasse et stoïque me rappelait vaguement celle de sa femme.

« De toute façon, vous allez m'abattre, Randall. Alors à quoi bon ?

— Non, je ne vais pas vous abattre. Telle était bien mon intention, mais j'ai changé d'avis. Je vais faire bien pire. Raconter une petite histoire à ces gens puis, au contraire, vous laisser la vie sauve.

— Dans ce cas, c'est vous qui mourrez.

« — Ce sont des choses qui arrivent », ai-je répliqué en haussant les épaules.

Maxen a jeté un rapide regard aux quatre coins de la nef en montrant ses paumes ouvertes. J'ai gravi les dernières marches en lui braquant toujours mon pistolet en pleine figure, puis je me suis retourné pour faire face à la congrégation.

Devant moi, cinq cents paires d'yeux dont pas une ne cillait. J'ai passé un bras autour du cou de Maxen en lui enfonçant le canon de mon arme sous le menton, où il s'est niché comme s'il avait attendu ce moment toute sa vie. Peut-être avions-nous *effectivement* attendu ce moment toute notre vie, eux — Maxen et le pistolet — et moi. L'assistance a laissé échapper un hoquet ; foudroyée, elle n'avait plus à sa disposition que ce type de réaction inconsciente. J'avais la tête pleine de bruit blanc, comme si mes circuits cramaient les uns après les autres.

« Louella Richardson n'a pas trouvé la mort dans un accident », ai-je annoncé en m'efforçant de résumer les choses aussi simplement que possible. Le micro a capté ma voix, qui a tonné dans toute la chapelle. « Elle a été tuée pour le plaisir. Par un homme à la solde de M. Maxen. »

Je ne sais pas à quoi je m'attendais au juste, mais j'en ai été pour mes frais. L'assemblée est demeurée profondément silencieuse. Les cinq cents paires d'yeux continuaient à me regarder mais je ne notais aucun changement d'expression sur tous ces visages. Maxen se tenait contre moi, plein de raideur ; je sentais sous mon poignet le dessous bien rasé de son menton.

J'ai fait une nouvelle tentative. « Cet homme a tué quatre autres femmes, ainsi que plusieurs de mes amis. Seulement, la seule victime ayant vécu au-dessus de la ligne des 100 était Louella, ce qui explique votre présence ici aujourd'hui. Vous croyez qu'Arlond Maxen se soucie le moins du monde de ce qui est arrivé à cette jeune fille ? Pas du tout ; il se sent coupable, voilà tout. C'est de sa faute si tous ces gens sont morts, et il a pensé que s'il faisait un geste, ses démons le laisseraient tranquille. »

Toujours rien. J'ai scruté les visages alignés à mes pieds. Me serais-je mis par erreur à parler dans une langue étrangère ? Personne ne bronchait. Pas de brouhaha scandalisé — pas de brouhaha du tout, d'ailleurs. Apparemment, mes paroles n'avaient aucun sens pour ces gens.

Ahuri, j'ai lâché Maxen et je me suis appuyé contre le pupitre. J'ai ouvert la bouche pour parler, mais il n'en est rien sorti que ceci, tandis qu'une lumière blanche naissait dans ma tête :

« Et puis, il y a cinq ans, il a fait assassiner ma femme et ma fille. »

J'avais attendu tout ce temps pour comprendre, et une fois la révélation passée, je me suis rendu compte que je n'avais plus rien à dire.

« Ils s'en foutent, Jack. » Je me suis retourné pour voir d'où venait la voix. C'était Johnny Vinaldi, et il était assis à l'extrémité de la sixième rangée. « Henna, tes copains, *tous* les individus résidant en dessous des 100... pour ces gens-là, ce ne sont que des pions sans importance dont on se débarrasse sans scrupule. »

Cette fois, la congrégation a réagi ; pourtant, sa surprise ne pouvait égaler la mienne. Vinaldi s'est levé et m'a regardé en secouant la tête. « Certes, Maxen ici présent se soucie quelque peu du sort de Suej. Car Suej était l'alter de sa fille. Voilà pourquoi il tenait tant à la récupérer. Et la vraie Suej est morte ce matin, Jack ; un prêté pour un rendu, quoi. Mais à part ça, ici, personne n'en a rien à foutre de tes histoires. S'ils sont venus, ce n'est pas pour pleurer Louella Richardson. C'est pour vénérer ce type, là. »

J'ai brusquement compris que si Maxen n'avait jamais rendu visite à ma Ferme, c'était parce qu'elle abritait l'alter de sa propre fille, ce qui lui paraissait sans doute inconvenant. En cet instant, j'ai songé que dans sa tête à lui, il devait y avoir encore plus de compartiments que dans la mienne — des pièces minuscules et hermétiquement closes.

« Qu'êtes-vous venu faire ici ? » me suis-je enquis très calmement. J'éprouvais une telle sensation d'irréalité que la tête me tournait légèrement. Seul le vacarme des coups de feu, je le savais, pouvait rendre un peu de réalité à toute la scène.

Vinaldi m'a adressé un sourire sans humour. « Ce que vous auriez dû faire vous-même. » Il a tendu le bras et visé Maxen. Puis il lui a logé une balle en plein visage.

Maxen a pivoté sur ses talons sans s'effondrer encore. Le temps qu'il atteigne le sol, Vinaldi lui avait vidé son chargeur dans le corps. Dans le silence général, les lunettes de Maxen ont glissé sur le parquet ; ses yeux à nu fixaient désormais le néant.

Bombes éclairantes et grenades lacrymogènes se sont mises à exploser dans tous les coins. Pistolet mitrailleur en main, six employés de Vinaldi ont surgi des zones d'ombre en arrosant tout sur leur passage, laissant derrière eux le cadavre des vigiles dont ils s'étaient débarrassés — ceux-là mêmes qui auraient normalement dû nous cribler de balles, Vinaldi et moi. Ils ont ensuite pris pour cible les autres vigiles de Maxen et en ont eu la plupart, mais ces derniers n'ont pas été les seuls à tomber. Ils ne le faisaient peut-être pas exprès, mais les invités mouraient quand même, s'abattant au sol comme des troncs d'arbre dans une forêt jusque-là vierge de toute violence, avec autour d'eux le visage fantomatique des survivants. Quelques-uns se rappelleraient le jour où la jungle s'était levée pour venir les chercher chez eux, mais cela ne changerait pas grand-chose.

Sa mission accomplie, Vinaldi s'est laissé entraîner par le bouclier humain venu l'entourer de toutes parts. Des éclairs orangés emplissaient la nef obscurcie par la fumée. Je me suis fondu dans le chaos ambiant plein de feu et de cris.

Tout ébahi d'être encore en vie, je me suis dirigé vers l'attroupement le plus dense, cherchant inconsciemment refuge là où l'on criait le plus fort, là où la panique induisait l'aveuglement. J'ai avancé lentement dans la forêt de bougies, entre des individus qui, de toute leur petite vie de privilégiés, n'avaient jamais connu de pire moment, alors que pour moi, c'était à peine s'ils existaient. J'avais l'impression que l'édifice tout entier était la proie des flammes, comme si brusquement, toutes les fenêtres s'ouvraient en grand. J'ai aperçu Golson mais lui ne m'a pas vu, trop occupé qu'il était à consoler une invitée — par hasard jeune et séduisante. Des gens se précipitaient, les habits tout déchirés ou bien en feu. J'ai vu une tariFente afficher un nombre de dollars rapidement décroissant à mesure que son support vestimentaire se consumait.

Quand j'ai atteint l'antichambre, un groupe d'invités lancés au pas de course se dirigeait déjà vers la sortie. Je me suis à nouveau mêlé à la foule lorsqu'elle s'est déversée tel un fleuve en crue dans l'escalier monumental menant à l'entrée du domaine Maxen, au 200ᵉ. Décidément, il n'y aurait pas grand monde à la réception.

Au lieu de partir vers l'ascenseur xPress, comme les autres, je me suis extrait du flot général pour rebrousser chemin jusqu'à un escalier de secours que je connaissais, à quelque deux cents mètres de là. Je me sentais invulnérable, et manifestement je l'étais car personne ne m'a barré la route. J'ai croisé la mère de Louella

Richardson, toute seule dans le couloir. Ses mains tremblaient mais son visage s'était éclairé. Elle regardait droit devant elle. Malgré cela, elle ne m'a pas reconnu.

La porte de l'escalier de secours n'était pas gardée — sans doute parce les hommes de Maxen étaient tous mobilisés par la pagaille générale, à l'étage au-dessus. Je me suis retourné pour inspecter mes arrières. Tout au fond, pêle-mêle, une masse de gens dont s'échappaient des hurlements. Une succession de visages flous qui se fondaient les uns aux autres. Tout cela dans une contrée aussi étrange que lointaine.

J'ai ouvert la porte, et aussitôt une main m'a saisi au collet.

21

« On peut savoir comment tu as réussi à monter ? »
ai-je demandé alors que je croyais avoir épuisé toutes
mes capacités d'étonnement. Devant moi, dans la
pénombre de la cage d'escalier, se tenait un Howie
armé jusqu'aux dents et remonté à bloc. Je ne l'avais
jamais vu dans cet état.

« Par l'escalier. Si on peut dire. » Avec ses cheveux
tout hérissés — à quarante ans ! — et son embonpoint
non négligeable ceint d'armes en tout genre, il aurait
dû être ridicule. Eh bien non. Au contraire, il était assez
terrifiant.

« Comment as-tu su que je passerais par ici ?

— Mais je n'en savais rien. Simplement, il y a des
types à nous postés à toutes les issues, au cas où. C'est
par le plus grand des hasards que tu es justement tombé
sur moi.

— Tu savais qu'il allait se passer quelque chose ?

— Ouais. Vinaldi est venu me voir hier soir. À partir de maintenant, je vais collaborer un peu plus étroitement avec lui.

— Félicitations, ai-je commenté distraitement. Tu
aurais pu m'en parler.

— Non. Tu aurais tout foutu en l'air, et par-dessus
le marché, tu aurais trouvé le moyen de te faire tuer.
Écoute », a-t-il ajouté en me posant une main sur
l'épaule. « Je ne dis pas que j'étais d'accord à cent pour

cent. Mais je bosse pour Vinaldi. Et il y a plus. Je ne voyais pas comment faire éclater cette histoire au grand jour sans que tu y laisses ta peau. Tu allais tenter de te payer Maxen à toi tout seul. Ces mecs-là t'auraient coupé en deux, crois-moi. Donc, Vinaldi l'a fait à ta place, et voilà : tu es toujours là. »

Voyant son expression s'assombrir, j'ai compris qu'il y avait autre chose.

« Mais ? lui ai-je soufflé.

— Le problème, c'est que Yhandim et les autres vont vouloir te retrouver, toi et toi seul. Ils ne travaillent plus pour Maxen, et toi, ils te haïssent encore plus que Johnny. Ils sont potes depuis près de vingt ans, tu comprends. Et tu en as buté trois. Sans compter que les autres ne peuvent plus retourner dans La Brèche, maintenant. Alors tu ne peux pas savoir à quel point ils bandent pour toi. »

J'ai deviné ce qu'il allait ajouter. Il a fait la grimace par avance. « Il faut que tu files. Que tu foutes le camp de New Richmond, peut-être pour toujours. »

À ce moment-là on a entendu un cri dans le couloir, à une cinquantaine de mètres. J'ai serré la main de Howie.

« Merci. » Si seulement j'avais trouvé les mots pour lui dire au revoir…

Mais finalement, c'est lui qui a dit ce qu'il fallait. « Fous-moi le camp d'ici. »

Je ne me le suis pas fait dire deux fois.

J'ai dévalé trois étages en faisant sonner les marches sous mes pieds ; on aurait dit un jouet à ressort remonté à fond. Sur quoi j'ai ouvert à la volée une porte donnant sur le 197e et je suis resté un moment à tressaillir sur place en m'efforçant de décider de la suite des événements. La solution évidente était de me diriger vers le plus proche xPress, mais il fallait bien l'admettre : si

Yhandim était à mes trousses, c'est là qu'ils iraient me chercher en premier, lui et ses compères.

Malheureusement, rien d'autre ne me venait à l'esprit. Il y avait trop longtemps que ça durait. Je me suis élancé quand même vers l'ascenseur.

Le 197ᵉ… C'est à ça qu'aurait ressemblé le jardin d'Éden si on avait connu les nanoengrais, à l'époque. J'ai emprunté en fonçant tête baissée une allée qui traversait un jardin public. Les buissons étaient tellement policés qu'ils devaient avoir le droit de vote. J'ai manqué de peu déquiller un petit groupe de vieux, pénétré en coup de vent dans l'xPress et abattu le plat de ma main sur le bouton.

L'ascenseur s'est immobilisé au 160ᵉ ; j'ai attendu un quart de seconde pour en sortir, redoutant d'entendre des coups de feu ou un autre son tout aussi démoralisant. Mais non. J'ai passé la tête par l'ouverture et vu que c'était un étage de boutiques chichiteuses. Face à moi s'étendait, en direction de l'est, une longue avenue. À sept ou huit cents mètres devait se trouver un autre xPress, qui, lui, me ramènerait sous la ligne des 100.

Cette fois j'ai foncé tête haute, un peu pour esquiver les méandres de badauds, mais aussi dans l'espoir que cela contribuerait à la bonne oxygénation de mes poumons. Les passants me dévisageaient sans se cacher. Sans doute avaient-ils des gens pour courir à leur place quand le besoin s'en faisait sentir.

Au bout de deux ou trois minutes, je me suis rendu compte que je courais dans le mauvais sens ; au carrefour suivant, j'ai obliqué dans une autre rue, elle aussi bordée de boutiques. Je ne pensais qu'à ce que j'allais faire en descendant du prochain ascenseur. Quand j'ai vu Ghuaji, je n'en étais plus qu'à cinquante mètres et je me dirigeais droit sur lui.

Lui-même courait vers moi comme un dératé ; l'image même de l'enragé. Un côté de son visage était ensanglanté et sa patte folle freinait sa progression. Il avait un teint de cadavre fraîchement déterré. Mais rien de tout cela ne l'a empêché d'épauler son fusil et de me tirer dessus à travers la foule.

Des cris se sont élevés, deux ou trois personnes se sont affaissées, mais j'étais déjà en train de bifurquer dans une allée, entre un glacier et un bijoutier de pacotille. Nouvelle détonation dans mon dos. À l'expression d'une jeune femme que je croisais, j'ai cru comprendre que j'avais l'enfer sur les talons. Je ne me suis pas retourné pour vérifier. S'il me rattrapait, je le saurais bien assez tôt.

Puis le bon Dieu m'a tendu une perche sous la forme d'un frimeur en trimoto qui roulait à petite allure en cherchant à impressionner une bande de filles qui pouffaient — des MégaCommiennes qui n'auraient jamais eu l'idée d'aller faire du lèche-vitrines sur Indigo Drive. Je l'ai expulsé tellement vite de sa trimoto qu'à ce jour, il croit sans doute en tenir encore le guidon. J'ai enfourché l'engin et foncé pleins gaz au beau milieu de la rue, la main chevillée au klaxon. Les flots se sont divisés devant moi et j'ai longé comme une fusée des centaines d'yeux exorbités.

Vous en faites pas pour moi. Ça ne vous regarde pas. Continuez à faire votre shopping comme si de rien n'était.

Je suis arrivé à l'xPress en quatre minutes de diverses violations du code de la route. Par miracle, la porte était ouverte ; j'y suis entré à trimoto, à la grande consternation d'un jeune couple déjà présent dans la cabine.

« On n'a pas le droit de faire monter ces engins dans les ascenseurs, a commenté le type. C'est défendu par le code de circulation. »

À l'extérieur a retenti une rafale de mitraillette et les balles ont tinté contre le métal de l'ascenseur.

« Vous avez envie de voir vos organes transgressés par du petit plomb ? » lui ai-je demandé. L'autre a fait non de la tête, manifestement terrifié. « Alors appuyez sur le bouton Descente, et vite. »

Il a obtempéré et les portes se sont refermées presque aussitôt ; malheureusement, elles étaient vitrées : je ne pouvais ignorer que Ghuaji se trouvait à cent mètres à peine dans l'allée. Pis, Yhandim courait à ses côtés en trimballant lui aussi une arme de gros calibre. Jusqu'ici, je n'avais eu que des contacts limités avec lui, et je tenais à ce qu'il en aille ainsi le plus longtemps possible.

La descente en xPress a été longue. Le jeune couple a exprimé le vif désir d'en sortir très vite, mais je les ai incités à rester en leur montrant mon arme. Ils ont admiré sa facture et finalement admis qu'il serait dommage de me dire adieu avant de m'avoir vu m'en servir.

L'ascenseur a majestueusement poursuivi sa course jusqu'au 80e ; j'ai contemplé par la vitre cet immense atrium et ses dix galeries étagées couvertes de plantes grimpantes ; on aurait dit un jardin suspendu décrit par la Bible. Je n'y étais guère venu que deux ou trois fois par le passé ; pourtant, c'était un des lieux préférés de Henna. Je regrettais de ne pas y avoir passé plus de temps. Jamais au bon endroit. Comme toujours.

Tandis que la cabine ralentissait, j'ai regardé à mes pieds — sans grand espoir. Et je ne me trompais pas : un type à la tête ceinte de diodes m'attendait à l'arrivée. Je ne savais vraiment pas comment Yhandim avait pu descendre plus vite que l'xPress, mais on ne pouvait nier l'évidence. Il existait peut-être des accès dont j'ignorais l'existence. Il a lentement levé son visage vers moi et nos regards se sont croisés. J'ai lu dans le sien une haine devant laquelle moi-même je devais m'avouer vaincu.

Ghuaji a relevé la tête quelques secondes plus tard. Ils étaient entourés de quelques-uns de leurs congénères.

J'ai enfoncé le bouton Ouverture au moment où nous atteignions l'étage immédiatement supérieur. L'xPress a gémi sous l'effet de la décélération mais il s'est arrêté et a ouvert ses portes. J'ai chassé les deux jeunes gens, puis tiré à bout portant dans le panneau de commande en espérant que mes poursuivants ne comprendraient pas tout de suite pourquoi la cabine n'arrivait pas. Puis je suis sorti, couché sur le guidon, et j'ai longé le balcon à petite vitesse. La trimoto vacillait. Quelques secondes plus tard ont retenti des coups de feu ; mon plan n'avait pas marché ; juste au-dessus de ma tête, les balles ont arraché des morceaux de plafond d'une taille décourageante.

Debout sur les pédales, je me suis élancé dans le couloir à vitesse maximale, jusqu'à apercevoir un escalier. J'ai obliqué aussitôt et je l'ai dévalé par bonds successifs. Je commençais à avoir sérieusement envie d'une cigarette, tout en jugeant que ce n'était pas le moment. J'en ai allumé une quand même — qu'est-ce que j'en avais à foutre de mon espérance de vie, de toute façon ?

J'ai négocié virage après virage dans la cage d'escalier jusqu'à en avoir un début de vertige ; puis j'ai débouché au 65ᵉ et carrément défoncé la porte, ce qui était aussi idiot que douloureux ; heureusement, il n'y avait personne de l'autre côté. J'ai filé le long de l'avenue principale, vers l'ascenseur menant aux étages inférieurs, en maudissant intérieurement la disposition du MégaComm d'origine : un vrai dédale pour rats de laboratoire. Parvenu à deux cents mètres de l'xPress, j'ai vu une plate-forme de police venir rapidement vers moi en planant à quelques mètres du sol, dans une rue secondaire. Je ne savais pas s'ils en avaient après moi parce que c'était moi, ou simplement à cause de mes violations du code de la route ; mais ça ne faisait pas une grande différence, de toute manière. Pilotant d'une seule main, j'ai tiré en plein dans le générateur de la plate-forme. Plus par coup de bol que par véritable habileté au tir, je l'ai eue. Elle s'est mise à toussoter, puis elle s'est abattue sur le flanc comme un avion en papier mal foutu, en déversant son chargement de flics sur le trottoir.

J'ai abandonné la trimoto juste devant l'ascenseur ; elle me permettait de me déplacer rapidement, d'accord, mais elle me rendait aussi quelque peu voyant. Une fois à l'intérieur, j'ai essayé de reprendre mon souffle en bourrant la cloison de coups de poing. J'ai arrêté la cabine deux étages trop tôt et gagné un autre xPress, qui m'a amené jusqu'au 24ᵉ. Quand j'en suis sorti à toute vitesse, j'ai entendu des cris dans la rue derrière moi, mais je ne me suis pas retourné pour voir de qui ils venaient.

J'ai obliqué dans la boutique où j'achetais mon Raviss et appelé le propriétaire à grands cris. D'un hochement de tête empreint de lassitude, il a fait signe qu'il me reconnaissait. Il s'est écarté pour me laisser entrer dans l'arrière-boutique, où un escalier dérobé dont quasiment personne ne connaissait l'existence m'a permis de descendre encore un étage. Je me suis retrouvé dans un ancien lotissement où *aucun* être sain d'esprit n'aurait eu l'idée d'habiter. J'espérais que Yhandim me croirait en route pour le rez-de-chaussée, ce qui me laisserait un peu de temps.

Le 23ᵉ est plongé dans une obscurité totale et uniquement composé d'entrepôts vidés de tout contenu qui, jadis, abritaient les locaux réservés au personnel du MégaComm. On n'y trouve que des cinglés et autres paumés repoussés jusque-là comme du bétail indésirable par l'aiguillon des autres étages. Je me suis dirigé vers le centre exact ; des feux étaient allumés au coin des rues. Pas franchement rassurant ; c'est avec une joie non dissimulée que j'ai aperçu la lumière de l'xPress, droit devant. Pourvu qu'une cabine arrive vite ! Je n'avais pas tellement envie de m'attarder dans les parages.

« On ne bouge plus ! » a crié quelqu'un. J'en ai eu une crise cardiaque mais ça ne m'a pas empêché de continuer à courir. Là-dessus une balle a sifflé à hauteur de ma jambe et j'ai compris que ça ne me servirait pas à grand-chose. J'ai fait volte-face.

Deux types aux alentours de la soixantaine. Le premier avait le visage clouté et percé d'anneaux, une vraie pelote d'épingles. L'autre gardait les traces d'un grave incendie.

« Quoi, qu'est-ce qu'il y a ? » ai-je fait d'une voix étranglée. Je haletais tellement que j'en avais du mal à parler. J'avais l'impression de m'être fêlé toutes les côtes d'un coup et je sentais mes jambes trembler. Ma main droite était passée dans mon blouson, prête à dégainer.

« Mais rien, fiston, m'a répondu Gueule-brûlée d'une voix caverneuse rappelant le grondement d'un train dans le lointain, y'a juste que c'est une rue à péage, ici.

— Je n'ai pas d'argent. »

Pourquoi fallait-il toujours que je me retrouve dans la même galère ?

« Alors tu t'es planté dans les grandes largeurs », a dit le type tout percé, qui zézayait et n'avait pas l'air d'avoir inventé la poudre.

Enfonçant les mains dans les poches de mon blouson, j'ai senti sous mes doigts le disque dur de Hal. Question troc, il ne me servirait pas à grand-chose. Dans l'autre poche, le microprocesseur contenant la personnalité de Ferraille. J'ai envisagé une seconde l'éventualité de m'en défaire, mais je me suis vite ravisé. Il m'avait trop secouru. Je ne pouvais pas le perdre encore une fois.

« Et si je mentionne le nom de Howie Amos au passage, ça change quelque chose ? » ai-je hasardé en sentant monter la panique. Je perdais du temps. En pagaille.

Gueule-brûlée a secoué négativement la tête. En dernier recours, j'ai sorti mon portefeuille de ma poche intérieure.

« Tenez. Vous n'avez qu'à prendre ça. »

L'autre en a rapidement examiné le contenu. Il ne me restait guère plus de dix dollars, mais il a trouvé ma vieille perso-Carte.

« Ça fera l'affaire. » Les deux hommes se sont écartés. Je me suis bien gardé de leur dire que s'ils s'en servaient, ils attireraient promptement l'attention de la police. Autant chier directement sur la tête de McAuley. Ils s'en apercevraient bien assez tôt ; de toute façon, pour eux, l'heure de la retraite avait sonné. J'ai enfoncé le bouton d'appel de l'ascenseur et bondi à l'intérieur de la cabine ; là, je me suis affalé contre la paroi, joue collée au métal, et je suis resté comme ça tout le temps du trajet.

C'est seulement quand j'ai posé le pied au 8e que je me suis souvenu : dans mon portefeuille, il y avait aussi ma seule et unique photo de Henna et Angela. Mais voilà : je ne pouvais pas faire marche arrière. Il faudrait se contenter des souvenirs.

J'ai longé au pas de course des rues bordées de réverbères en longeant tous les endroits que je connaissais si bien, notamment l'entrée de la rue conduisant chez Howie. Tandis que je fonçais dans l'avenue principale en direction du restaurant donnant accès à la conduite d'aération salvatrice, j'ai eu l'impression que le temps s'écoulait à l'envers, comme si la vidéo de ma vie était arrivée en bout de course une heure plus tôt avant de se rembobiner, en passant en revue tous les endroits que j'avais fréquentés, pour regagner un certain point et s'arrêter à nouveau. Ou alors, prendre un nouveau départ.

En tournant à l'angle juste avant la dernière ligne droite, j'ai dérapé et failli perdre l'équilibre, mais j'ai réussi à rester debout et pris tant bien que mal la direction du restaurant de Howie. Arrivé à une dizaine de mètres, j'ai vu que quelque chose n'allait pas : pas de tables en terrasse, pas de lumière à l'intérieur. J'ai filé un coup de pied dans la porte : fermé. J'ai regardé autour de moi : personne. Alors j'ai tiré un coup de feu dans la serrure. Puis j'ai poussé le battant et je me suis engouffré dans l'obscurité, non sans veiller à claquer la porte. Je priais le ciel pour que Yhandim et les autres soient partis dans le mauvais sens. Dans le cas contraire, au moins cet itinéraire-là m'offrirait-il quelques précieuses minutes supplémentaires. Ce n'était pas grand-chose, mais au train où ça allait, ça pouvait faire toute la différence.

Je me suis faufilé entre les tables et les chaises empilées pour gagner les toilettes, l'oreille aux aguets. Mais nul son ne m'est parvenu de la rue. Pourtant je me tenais prêt ; j'avais en réserve une dose de précipitation suffisante pour me tirer de là à temps.

Ce que je ne m'attendais pas à trouver, en revanche, c'était une lampe allumée au-dessus d'une table, contre le mur du fond. Elle projetait une douce flaque de lumière jaune sur une zone d'environ deux mètres carrés et révélait un homme adossé à la cloison.

« Howie m'a dit que vous passeriez par ici, a dit l'homme.

— Salut, Johnny. » Je lui ai braqué mon arme en plein cœur. « Vous avez deux minutes pour m'expliquer pourquoi vous avez tué ma femme et ma fille pour le compte de Maxen. Après ça, je vous fais sauter le caisson. »

« À quel moment avez-vous compris ? » Johnny s'est lentement rassis. Moi, je suis resté où j'étais, l'arme toujours au poing, et sans cran de sécurité.

« Je ne sais pas. Je viens peut-être d'en avoir la révélation. Ou alors je le sais depuis un moment. Vous étiez au courant, pour le frère de Maxen. Et je ne crois pas à cette histoire de rumeur. À mon avis, c'est lui qui vous a tout raconté. Et cette prétendue volonté de vous racheter… Puis il y a une certaine expression que vous avez prononcée ; rétrospectivement, les termes en étaient plutôt choisis. Ce n'est pas vous qui avez placé un contrat sur la tête de Henna et Angela, mais c'est vous qui l'avez exécuté. »

Johnny n'a pas répondu. Le temps passait, mais tout à coup, ça n'avait plus d'importance. Il *fallait* que je comprenne. Plutôt mourir que de rester à jamais dans le noir.

« Alors, Johnny… pourquoi ?

— Maxen est venu me trouver. À l'époque, je n'étais qu'un petit truand, vous savez ce qu'il en est. J'essayais de m'élever, mais il n'y avait aucun débouché nulle part. McAuley était de mèche avec la vieille garde, j'étais coincé. Là-dessus, des types bossant pour Maxen viennent me chercher et m'amènent devant leur patron. Il me dit qu'il veut une part du marché de la came, que le fric légal ne lui suffit plus.

— Alors vous vous êtes associés.

— Son offre ne paraissait pas très négociable. Je me suis retrouvé dans une toute petite pièce avec plusieurs canons braqués sur la tête, et j'ai songé que je n'avais pas grand-chose à perdre. Si je disais non, il me butait sur-le-champ. Si je disais oui, je pouvais, à terme, tenir en laisse tout New Richmond !

— Sauf que vous-même auriez été tenu en laisse.

— On est *tous* tenus en laisse, Jack.

— Donc, il a mis la police dans votre poche. »

Vinaldi a poussé un soupir. « On ne peut pas dire que j'avais carte blanche, mais disons que mes concurrents directs attiraient l'attention plus que moi. Je me suis mis à nettoyer étage après étage, en les ajoutant à notre patrimoine au fur et à mesure. Maxen injectait du capital quand j'en ressentais le besoin et travaillait au corps les pontes de la police en cas de dérapage. Tout baignait dans l'huile. Jusqu'à ce que vous veniez vous en mêler. »

Il m'a dévisagé, l'air torturé.

« Pourquoi a-t-il fallu que vous fourriez votre nez là-dedans, Jack ? Tout était pourtant comme avant — en un peu plus organisé, peut-être. Maxen et moi, on aurait pu verrouiller toute la ville et personne ne s'en serait trouvé plus mal. Il y aurait eu moins de gens pour ramasser une balle perdue, comme ça se produisait quotidiennement, on se serait fait du fric et tout aurait été au poil. Si vous étiez venu me trouver plus tôt, j'aurais pu vous mettre dans le coup — financièrement. Vous étiez bon flic. On aurait trouvé à vous employer. Qu'est-ce qui vous a pris de fureter comme ça ? Si seulement vous ne vous étiez pas intéressé de si près à nous ! »

Je n'avais pas le temps de le lui expliquer, et de toute façon, je n'aurais pas été très convaincant ; même moi je n'aurais pas cru à mes propres arguments. La vérité, c'était que je n'en savais rien.

« Sans doute parce que je suis un con, ai-je répondu. Ou alors parce que moi aussi je croyais me racheter. »

Vinaldi a secoué la tête. « Tout d'un coup, on a eu des problèmes ; Hal et vous, vous remuiez trop de vase. Ce n'était pas tellement un problème pour moi : tout le monde sait bien de quel bord je suis. Mais pour Maxen, si. Lui ne pouvait pas se permettre de laisser dire qu'à la tête de la pègre, il y avait en réalité le type le plus respectable de la ville. »

Ça, je comprenais. Les gens aiment à croire que Dieu et le Diable sont deux êtres distincts. Soudain muet, Vinaldi s'est passé la main sur la figure. Ses yeux étaient mi-clos, et quand il a achevé son geste j'ai vu que ses doigts tremblaient.

« Alors Maxen est venu me trouver. Il voulait que je lui démontre ma loyauté. Il voulait la preuve que j'étais à fond avec lui. Il prétendait qu'il fallait faire un exemple. Il vous haïssait déjà parce que vous aviez buté son frère dans La Brèche, mais tout Maxen qu'il était, il savait que ça devait finir comme ça. Si vous ne l'aviez pas descendu, son frère serait passé en cour martiale de toute façon. Sauf que là, vous mettiez en danger tout ce que Maxen possédait, alors il n'avait pas le choix. Et il a voulu que ce soit moi qui le fasse, Jack. Ça devait être ma mission spéciale. »

Vinaldi a bruyamment vidé ses poumons, puis il m'a regardé droit dans les yeux. « Vous m'avez facilité la tâche, Jack. Vous m'avez enlevé Phieta. Pour vous, vous n'étiez peut-être qu'un petit malin comme les autres qui se balade avec une épouse à son bras pour la galerie et baise à droite et à gauche quand elle a le dos tourné. Mais moi je l'aimais, cette femme. Je n'étais pas au courant. C'est Maxen qui m'a montré des photos. C'était ma femme, Jack, et elle me trompait avec vous. Elle ne m'aimait déjà plus, mais je refusais de la laisser partir. Vous savez ce qui s'est passé après qu'elle vous a fait sortir de la ville pour vous déposer à la Ferme ? Elle s'est suicidée. »

La ville tout entière a paru se taire autour de moi, comme si rien de ce qui s'y déroulait n'avait plus d'importance, comme si plus rien n'avait d'impact sur moi. Je ne pouvais qu'écouter en continuant à viser Vinaldi au cœur.

« Maxen m'a donc montré les photos, puis il m'a rempli les veines de Raviss et deux de ses hommes m'ont accompagné jusqu'à votre étage. Ils m'ont attendu dehors et m'ont ramené une fois que tout a été fini. Je ne me suis rendu compte qu'une fois chez vous, dans votre salle de séjour, que Maxen m'avait délibérément filé une overdose. Je ne savais pas ce que je faisais, Jack. Ça devait être une exécution nette et sans bavure. Et puis les murs se sont effacés, je me suis retrouvé dans La Brèche et ça s'est passé comme vous le savez. »

Ma main tremblait, mon index glissait sur la détente. Le torse de Vinaldi était la plus grosse cible au monde.

« Vous y retournez, hein ? Vous retournez au 72ᵉ, non ?

— Comment vous le savez ? a-t-il demandé en me scrutant intensément.

— Par un gamin que j'ai rencontré là-bas. Il vous a vu près de la fenêtre. »

Il a brusquement baissé la tête. « Je ne garde aucun souvenir de la scène, a-t-il repris tout bas. Enfin, la plupart du temps. Il m'arrive aussi d'en rêver, et quand je me réveille, je descends jusque chez vous. Je reste devant la porte. Vous avez raison sur un certain nombre de points, Jack, et notamment celui-ci : parfois, on commet des actes qui n'ont leur place dans aucune cervelle. Des choses qui ne se laissent pas oublier. Je vous ai engueulé devant Quasi en vous reprochant de tout voir en noir, de croire que tout était souillé, mais au fond, c'est vous qui aviez raison. J'ai sali ma propre vie et je ne me souviens même pas comment. Tout ce que je sais, c'est que le mal est fait et que rien ne pourra jamais le défaire. »

Alors seulement je l'ai regardé en face ; j'ai vu le petit muscle qui tressautait sur sa joue. Toute la haine que j'avais nourrie à son endroit a repris place d'un coup dans ma tête en y imprimant une image de son visage, incandescente à force de clarté. Ce visage, je l'ai vu avec une telle netteté que j'ai compris : c'était le mien. Quand mon doigt s'est crispé sur la détente, j'ai éprouvé un intense soulagement.

La détonation a claqué dans l'obscurité.

J'ai laissé mon menton retomber sur ma poitrine en écoutant le souffle creux de Vinaldi, qui m'avait vu déporter ma main à la dernière seconde et tirer dans le plancher. J'ai attendu un instant que les derniers échos s'éteignent et nous laissent à nouveau seuls.

« Pourquoi avez-vous tué Maxen ? Parce qu'il avait décrété qu'il n'avait plus besoin de vous et fait venir Yhandim pour vous éliminer ? Parce que les types de La Brèche descendaient vos associés et vos filles ? Ou pour une autre raison ?

— Jack…, a-t-il murmuré.

— Foutez-moi le camp. »

Il s'est relevé et a marché vers la porte.

« Bonne chance, m'a-t-il dit.

— Si je vous retrouve sur mon chemin je vous tue. C'est compris ? »

Il a opiné, ouvert la porte et disparu.

J'ai gagné les toilettes et ôté le panneau mural ; puis je me suis glissé dans le conduit en refermant hermétiquement l'accès derrière moi, dans l'espoir de retarder un tant soit peu l'inévitable. Puis je me suis élancé à toutes jambes dans le conduit, non sans récolter quelques plaies et bosses auxquelles je n'ai pas prêté attention. Je crois que je n'avais plus de ressources à gaspiller avec ce genre de préoccupations. J'écoutais le cliquetis mental du puzzle qui se dessinait, j'appréciais les perspectives nouvelles qui en résultaient et je me demandais dans quelle mesure cela modifiait la situation.

Mais à ce moment-là, j'ai entendu un faible tintement métallique derrière moi : ils avaient trouvé le panneau. Puis a retenti le cri de Ghuaji indiquant qu'il avait repéré le bruit de mes pas dans la conduite, à moins d'un kilomètre d'eux. Je n'avais pas escompté leur échapper bien longtemps, mais j'en ai quand même éprouvé un choc.

C'étaient de bons soldats. Je les avais semés mais ils m'avaient retrouvé ; et maintenant, ils allaient remplir leur mission.

Mon père disait beaucoup de choses, mais une seule suscitait mon admiration : « Tant qu'il reste un spectateur dans les gradins, tant qu'on n'est pas seul dans le stade, dis-toi bien que la partie n'est pas terminée. » Il disait ça à chaque fois qu'il perdait son boulot. En général, on était déjà en train de faire nos valises pour tenter notre chance ailleurs, et je n'ai jamais vraiment compris ce qu'il entendait par là. En tout cas, pas à l'époque. En revanche, tandis que je détalais à fond de train, ce jour-là, dans les entrailles nauséabondes et moites de New Richmond, je n'ai que trop bien saisi le sens de ses paroles. Car j'ai refusé d'abandonner la partie ; j'ai galopé dans une infinie succession de couloirs secondaires en suivant un itinéraire volontairement aberrant, jusqu'à retrouver le puits d'accès principal ; là, j'ai empoigné l'échelle par les côtés au lieu de saisir les barreaux, et positionné mes pieds de même : ainsi je glisserais et je descendrais plus vite.

Mais j'entendais toujours les bottes de mes poursuivants marteler le sol derrière moi ; au moment où j'ai atteint le niveau du sol et lâché l'échelle, j'ai songé que j'avais peu de chances de m'en tirer. En un sens, il était injuste que cela finisse ainsi, avec tout le chemin que j'avais fait. Tout ce que je voulais, moi — tout ce que j'avais toujours voulu —, c'était fuir le vacarme, trouver un petit havre de paix. Tout à coup, je voyais dans cet instant ultime un destin programmé. J'ai aussi vu le visage de ces hommes qui n'en savaient même pas assez pour me haïr rationnellement, qui se contentaient d'exécuter les ordres. J'ai vu les expressions qui se succédaient de manière aléatoire sur leurs traits tandis qu'ils me cernaient, en ces toutes dernières secondes de mon existence ; j'ai senti des canaux entailler ma chair telles des lances de glace. Je me suis vu mourir dans les boyaux de New Richmond, et finalement, ce n'était pas trop mal, comme mort ; curieusement, je me suis senti plus proche de mon père que de qui que ce soit d'autre. Il avait peut-être foiré sur toute la ligne, mais au moins il n'avait jamais abandonné la partie — jusqu'au moment où il avait choisi d'en finir pour de bon.

Alors j'ai entrevu quelque chose au-devant de moi et toutes ces images se sont envolées, comme si elles n'avaient jamais existé.

Je regardais vers le bout du tunnel en me demandant vaguement s'il y avait par là un nouveau passage à découvrir, une série de brèches, peut-être, d'interstices trop ténus pour que les autres les dénichent. Paralysé par l'indécision, je balayais frénétiquement du regard les parois métalliques et sans aspérité… pour me rendre compte que je n'aurais *pas* dû les voir, justement !

En effet, au loin brillait une petite lumière, pareille à une unique chandelle palpitant dans le noir. Elle a paru se rapprocher et, bientôt, elle s'est muée en halo orangé. Mais en réalité, elle grandissait ; elle n'avait pas bougé de sa position, c'est-à-dire à quelques mètres de moi.

Et ce halo contenait quelque chose. Une silhouette.

J'ai dégluti ; j'avais l'impression d'avoir une brique coincée dans la gorge. J'ai fait volte-face. J'entendais mes poursuivants descendre l'échelle, ce qui confirmait ma quasi-certitude : j'étais dans l'impasse.

Je me suis retourné vers la source lumineuse. Il me semblait que je n'avais pas d'autre choix. Peut-être savait-on que mon heure était venue, auquel cas « on » était venu me chercher et « on » s'apprêtait à me guider. J'espérais que ce n'était pas Hal. J'avais beaucoup d'affection pour lui et j'escomptais bien le retrouver tôt ou tard — de préférence tôt —, mais je ne tenais pas à manger des nouilles chinoises jusqu'à la fin des temps.

Tout d'abord, la silhouette en question m'est apparue sous la forme d'un ensemble d'ailes battant toutes au même rythme, mais assez vite elle a acquis une certaine solidité. Quand j'ai vu à qui j'avais réellement affaire, ma mâchoire s'est décrochée, comme pour faciliter le passage de l'irrépressible flot de larmes qui me montait aux yeux. Il se passait quelque chose. Les oiseaux n'étaient plus déments. Mes lèvres tremblaient si fort qu'elles ont formé un prénom à peine audible.

« Suej ? »

Elle a souri et j'ai remarqué qu'elle n'avait plus de cicatrice au visage. Il ne lui manquait plus rien. Elle était parfaite.

« Il faut faire vite, Jack. »

J'ai tout oublié de mes poursuivants : par-dessus sa robe d'été, elle portait un blouson en haillons évoquant les vêtements des enfants de La Brèche.

« Qu'est-ce que tu fais là ? ai-je soufflé. Comment t'es-tu débrouillée pour sortir ?

— J'ai trouvé des amis. On est en train de changer les choses. La Brèche se referme et je suis la passerelle. » Elle avait l'air fier, serein. J'ai fait un pas en avant. J'avais tellement envie de la serrer dans mes bras ! Mais elle m'a arrêté du geste. J'ai observé sa paume, émerveillé par la lueur qui en émanait.

« Tu dois repartir dans l'autre sens, a-t-elle repris, et descendre au rez-de-chaussée.

— Mais la sortie est par là ! »

Elle a secoué la tête. « Non, rebrousse chemin. Ah, autre chose : tu n'auras plus besoin de Ferraille. Il faut que tu t'en défasses.

— Ça, pas question. »

436

Mais elle m'a interrompu avec une assurance que je ne lui avais jamais vue : « Il le *faut*. Ensuite, il faudra t'enfuir. Et *ils* m'ont chargée de te dire : tu ne connaîtras jamais l'ampleur de ton intervention. »

J'ai secoué la tête à mon tour ; je ne voulais plus m'en aller. Mais son expression ne me laissait pas le choix. Comme si c'était moi l'enfant, comme si elle détenait une vérité hors de ma portée.

Brusquement, j'ai entendu que les pas sur l'échelle s'étaient beaucoup rapprochés.

« Dis-moi ce que tu es *maintenant* », ai-je promptement demandé.

Suej a de nouveau souri et levé les mains. Puis elle a disparu.

Je me suis rejeté dans le conduit comme si on m'y avait attiré d'un coup. Aussitôt j'ai entendu un cri au-dessus de ma tête. D'un bond malhabile, je me suis laissé tomber au niveau inférieur. J'ai reconnu l'endroit où je m'étais retrouvé lors de ma dernière expédition sous Raviss, puis les balles ont commencé à résonner tout autour de moi ; j'ai plongé dans le plus proche tunnel et repris ma course effrénée.

J'ai traversé des lieux encore inconnus de moi, je suis passé sous des linteaux, j'ai franchi des portes bizarres. J'ai distingué au passage un écriteau rouillé annonçant « BAGAGES » mais je ne me suis pas arrêté. Je me suis rappelé les recommandations de Suej et j'ai tiré de ma poche le processeur-Ferraille. Je l'ai tenu un instant au creux de ma main. Je n'avais pas du tout envie de m'en séparer, mais ce n'était plus moi qui commandais, je le sentais. Alors je l'ai délicatement posé par terre et je suis reparti en courant.

J'ai repéré un coin qui me semblait familier, grimpé quelques marches à toute vitesse et débouché dans une des tuyères.

Mes poursuivants gagnaient du terrain et je craignais bien de ne pas m'en tirer. Mais je tenais au moins à essayer.

J'ai longé une interminable paroi métallique grêlée par un siècle d'usure; j'entendais l'air siffler à mes oreilles tant je fonçais, non sans trébucher et manquer régulièrement perdre l'équilibre. Et toujours, dans mon dos, ces hommes qui me pourchassaient avec une seule idée en tête. De temps en temps, une balle filait en gémissant dans le tunnel. Ils ne m'avaient pas encore touché, mais ça ne tarderait plus.

J'étais le fantôme dans la machine, et ce fantôme cherchait la sortie. La porte donnant sur l'extérieur, là où il y aurait un ciel au-dessus de sa tête.

Je courais encore et toujours, mais mes poumons n'en pouvaient plus. Mes jambes commençaient à céder, les muscles fondaient, se transformaient en feu trop peu substantiel pour me porter. Sur mes talons, les bruits de pas étaient de plus en plus sonores, de véritables coups de tonnerre, et j'avais eu une vie trop longue, trop insondable : j'étais à bout de ressources. Je courais, certes, mais je n'allais pas tarder à tomber; mes pieds perdaient la cadence et les parois entrevues du tunnel tourbillonnaient autour de moi pour se fondre dans les ténèbres.

Alors mes pieds ont cédé pour de bon et j'ai titubé; j'avais donné le meilleur de moi-même, mais j'avais perdu la partie. J'ai écarté les bras afin de me raccrocher à quelque chose, n'importe quoi du moment que je ne m'étalais pas à plat ventre.

Alors, dans ma chute, j'ai senti une petite main saisir la mienne.

Elle était tiède et tendre, et la voix qui l'accompagnait m'a parlé à l'oreille avec fermeté. C'était une voix qui contenait la mienne, et aussi celle de Henna.

« Allez, viens, papa. Il est temps de partir. »

Loin de protester, j'ai raffermi mon étreinte sur les petits doigts qui se pressaient dans ma paume et je me suis laissé entraîner tandis que la voix me pressait d'avancer. Mes jambes ont retrouvé de la vigueur ; quant à la douleur qui me cisaillait la poitrine, soit elle s'est dissipée, soit elle est devenue si tonitruante que je ne l'entendais même plus. De la déroute où j'avais sombré, mon corps a extirpé un semblant d'ordre et s'est remis à fonctionner de manière cohérente.

Au lieu de m'effondrer, j'ai trouvé un rythme nouveau. J'ai couru vers le bout du tunnel comme un enfant vers la mer, jusqu'à ce que les parois forment un flou ininterrompu ; je n'avais conscience de rien en dehors de ce petit noyau de tiédeur dans ma main et de la voix qui m'attirait constamment vers l'avant. J'ai su peu à peu que mes poursuivants perdaient du terrain, qu'ils étaient toujours là mais dénués d'importance. Car la haine était leur seul moteur. Or, il en est de plus puissants.

Je cavalais derrière Angela comme si ce devait être mon dernier sprint ; je me sentais ridiculement heureux, et cela était bien, je n'en doutais pas. Je savais aussi — enfin ! — qu'il ne faut jamais se coucher pour attendre les ténèbres, s'en aller doucement, sans rien dire, en baissant les bras, vers la mort. Au contraire il faut courir, fuir, car la seule et unique vraie raison d'avoir peur, c'est le risque de ne *plus* fuir, justement — de ne plus *agir*, d'être parvenu au terme avant que tout le reste ne s'arrête.

Je sentais chaque seconde s'étirer jusqu'au point de rupture tant elle s'efforçait de contenir tout ce qui s'était passé avant elle. Rien n'était perdu, rien n'était futile. Tous mes actes, mes regards, toutes mes exhalaisons, tous les mots que j'avais prononcés, tout cela brillait, énorme, infini, devant moi ; et tout cela m'appartenait. Ce n'est pas ma vie qui a défilé devant mes yeux, mais moi qui ai défilé devant ma vie. Quasi avait vu juste. Les souvenirs, c'est un livre qu'on a lu et égaré, rien de plus — et surtout pas une bible sur laquelle fonder le reste de son existence.

J'ai aperçu une lumière et fini par remarquer de curieux échos tout autour de moi. J'entendais toujours les pas de Yhandim et de ses acolytes, mais loin, très loin. Ils me rattraperaient tôt ou tard, mais au moins étais-je sûr de sortir de New Richmond. J'ai parcouru les derniers mètres au petit trot, haletant et vacillant sur mes jambes ; je perdais à nouveau le rythme. Ma joie s'effaçait progressivement, comme si j'avais jusque-là puisé dans une réserve de carburant pratiquement épuisée. Exactement l'effet que le Raviss aurait dû avoir. Dommage qu'il soit si difficile de s'en procurer.

La petite silhouette d'Angela palpitait devant moi ; elle me conduisait vers le haut d'un escalier que je n'avais jamais vu. Au fond, un rectangle lumineux ; j'avais dû remonter d'un niveau, sortir des tuyères et reprendre le chemin de ma sortie habituelle.

Les gardes postés à la porte me regardaient venir bouche bée. D'ailleurs, j'étais moi-même assez impressionné par ma performance ; je m'attendais presque à une salve d'applaudissements. Mais en m'approchant, j'ai vu que ce que j'avais pris pour de l'admiration était en réalité de la terreur.

Le bruit qui m'emplissait les oreilles depuis si longtemps s'accentuait encore et se répercutait sur les murs au point que la ville entière semblait trembler sur ses bases. Les vigiles avaient tourné les talons et pris la fuite avant même que je n'arrive à hauteur de la porte.

Je suis sorti de New Richmond sans ralentir l'allure ni lâcher la menotte d'Angela. Puis j'ai traversé tout le rez-de-chaussée, hors d'haleine et monté l'escalier dans le même état, quelques mètres à peine derrière les fuyards, pour déboucher enfin à la Porte et m'apercevoir que tout le monde prenait ses jambes à son cou.

Je me suis arrêté net au milieu du chaos ambiant — çà et là, des centaines de personnes sortaient en courant des bâtiments disposés au pied des murs de la ville. L'espace d'un moment, je n'ai pas compris ce qui se passait, hormis que j'avais dû lancer une nouvelle mode ; alors un lointain grondement m'a révélé ce que, inconsciemment, je crois que je savais déjà.

Me sentant tiré par la main, j'ai laissé Angela m'entraîner loin de la masse de New Richmond, à l'abri du danger. Dans ma tête, j'entendais encore des pas me courir après, même si je savais que Yhandim et les autres se trouvaient toujours dans les tuyères et qu'en cet instant précis, ils étaient ébranlés jusqu'à la moelle par des forces qui venaient de se réveiller.

Au bout de deux cents mètres, nous nous sommes immobilisés ; j'ai cherché Angela du regard. Une petite silhouette s'est jetée dans mes bras — comme ma fille avait l'habitude de le faire jadis. Je l'ai serrée bien fort et c'était comme si elle se trouvait réellement là, contre moi. J'ai frotté mon museau contre le sien, flairé l'odeur de sa mère et entendu le rire de ma fille.

Puis mes bras n'ont plus enserré que le vide.

Les gens me dépassaient toujours en courant, quittant précipitamment des immeubles qui ne tarderaient plus à s'écrouler. Moi, je contemplais béatement l'énormité de New Richmond et de ses innombrables pièces emplies de vie. Les antiques moteurs à pulsion sont finalement entrés en action et j'ai su que je n'avais plus rien à craindre de mes poursuivants au plus profond des tunnels. Les *choses* qui s'en étaient prises à moi n'existaient plus.

J'ai crié le nom de Ferraille. Je venais de saisir ce qu'il avait fait : au rez-de-chaussée, le vieux droïde de maintenance avait trouvé le processeur et le mental de Ferraille m'avait une nouvelle fois sauvé la vie ; alors j'ai reculé de quelques pas mal assurés. Je riais aux éclats tandis que le MégaComm s'ébranlait telle une montagne qui se réveille après un trop long sommeil.

Il y a eu un moment d'hésitation, comme si les machines d'antan s'efforçaient péniblement de se rappeler leur tâche, puis la ville s'est élevée d'un bloc dans les airs. Elle est montée de plus en plus haut vers le ciel, jusqu'à se libérer totalement de la terre ; elle partait en quête de nouvelles voies, de nouveaux parcours, de la nouvelle vie qui s'ouvrait devant elle.

22

Aujourd'hui le ciel est frangé de gel, mais d'un bleu indiquant que si l'hiver n'est pas tout à fait fini, le printemps n'est plus très loin. Franchement, dans un cas comme dans l'autre ça m'est égal. Qu'il pleuve ou qu'il fasse beau, je suis content de retrouver les intempéries.

J'ai attendu, sous le jaillissement des arrivées d'eau et le crachotement des câbles, que la ville ait complètement disparu, puis je suis descendu en stop jusqu'en Floride du nord, et plus précisément jusqu'à la plage où ma mère et moi avions l'habitude d'aller. Les deux jours suivants, je me suis borné à longer le rivage en dormant dans les dunes, sous le ciel ; puis j'ai pris mon courage à deux mains et retrouvé la résidence de mes grands-parents. Elle avait pris un coup de vieux et je l'ai trouvée dans un sale état ; elle était inoccupée mais j'y ai déniché une pièce encore vivable et je m'y suis installé.

Quand j'ai été prêt, j'ai trouvé du travail dans un bar de St. Augustine ; un soir où il n'y avait pas foule, j'ai regardé les informations sur l'écran plat accroché au fond de la salle. Un ou une terroriste isolé(e) avait attaqué un centre de soins médicaux dont la nature n'était pas précisée. On ne connaissait pas l'identité de l'individu, qui s'était contenté d'enlever un des « patients » avant de s'évanouir dans la nature.

Tout d'abord, j'ai à peine osé sourire, puis j'ai cédé à une hilarité si sonore et si prolongée que les clients se sont écartés.

J'ai souhaité bonne chance à Suej et David en espérant les revoir tous deux un jour.

Quasi est arrivée hier après-midi. J'étais assis au bord de la vieille piscine vide, à l'arrière de la résidence, à me rappeler le temps où le bassin contenait de l'eau. Elle a fait irruption derrière moi et m'a donné un coup sur l'occiput. Un *grand* coup.

Elle m'en voulait toujours à mort, mais affichait la même détermination inébranlable. Elle prétendait que Suej lui était apparue en rêve en lui annonçant qu'elle me trouverait ici. Profitant de ce que New Richmond se posait temporairement à Seattle, elle avait déserté et fait tout ce chemin rien que pour venir m'engueuler. Je l'ai laissée vociférer, et quand le souffle lui a manqué, je lui ai pris la main pour l'entraîner vers la plage par l'ancienne promenade en planches.

Nous avons marché au bord de l'eau jusqu'à ce que le jour décline. Il n'y avait pas de lumière dans les vieux bâtiments qui se profilaient, l'air abandonné, au-delà des dunes, mais les oiseaux filaient au-dessus du rivage ainsi qu'ils l'avaient toujours fait et un vol de pélicans nous a survolés dans un sens puis dans l'autre.

J'ai appris que Howie se portait comme un charme, de même que Vinaldi, et que le MégaComm poursuivait son errance. Chaque fois qu'il atterrissait quelque part, les gens du coin tentaient de l'amarrer afin d'y pénétrer, mais Ferraille ne voulait rien savoir; invariablement, il redécollait. Les habitants, eux, ne semblaient pas se soucier du changement. En fait, ils étaient même tout heureux d'avoir repris la voie des airs.

Les brèches sont en train de se refermer.

Je ne saurai jamais dans quelle proportion les événements se sont déroulés selon la volonté précise de Ferraille ; le droïde avait-il été modifié par accident longtemps auparavant, lorsqu'il était dans La Brèche ? Avait-il conclu un pacte avec les enfants à l'époque ? Toujours est-il que, si New Richmond devait vraiment avoir à sa tête une instance dirigeante, les résidents permanents ne seraient jamais à la hauteur de certain petit processeur translucide désormais à l'œuvre dans son ventre. Il faut parfois savoir accepter les cadeaux, et Ferraille en était un. Si nous devons remettre notre destinée entre les mains d'une entité invisible, alors c'est à Ferraille, plus qu'à tout autre, que j'accorde ma confiance.

Que va-t-il arriver ? L'avenir nous le dira. Il nous le dit toujours.

Quasi me tape encore dessus de temps en temps, mais avec le sourire. Avant-hier soir, nous nous sommes retrouvés à minuit assis sur la plage, ivres de vin et de paix.

« Alors ? » a-t-elle dit en se laissant aller contre moi. J'ai senti le doux contact de son épaule sur ma joue. « Qu'est-ce qu'on va faire, maintenant ? »

J'ai déposé un tendre baiser au coin de ses lèvres et passé mon bras derrière son dos.

« C'est très bien, tout ça, a-t-elle repris avec un petit sourire félin, mais tu es sûr d'en avoir les moyens ?

— Ma foi, je n'ai pas de carte de crédit », ai-je répondu en secouant tristement la tête. J'avais décidé de jouer son jeu.

Elle a fait la moue. « Ce n'est pas possible.

— Si. Je l'ai donnée. »

Elle m'a dévisagé un instant, puis repris son air dédaigneux. « J'accepte le liquide.

— Si j'en avais, il serait tout à toi. »

Elle a soupiré et levé les yeux au ciel. « Bon, bon, d'accord », a-t-elle finalement déclaré en m'entourant de ses bras avant de coller son visage contre le mien. « Je me contenterai de quelques révélations intéressantes sur la condition humaine. »

J'ai haussé les épaules. « Genre : "Tant qu'il y a de la vie… ?"

— Ça ira. »

Il y a une semaine, Quasi m'a acheté un livre dans une vieille librairie d'occasion de St. Augustine. Ça parle des plantes, ça donne leurs noms et ça raconte d'où elles viennent. Je suis plongé dedans. Je mémorise toutes les appellations savantes. Quand nous allons nous promener, je regarde si j'en repère certaines.

Quand j'en trouve, je les nomme — pour Henna, pour Quasi et pour moi.

*Du même auteur
chez Calmann-Lévy :*

La Proie des rêves

Composition par Asiatype

Achevé d'imprimer en septembre 2007 au Danemark par
NORHAVEN
Viborg
Dépôt légal 1re publication : octobre 2007
Numéro d'éditeur : 90783
LIBRAIRIE GÉNÉRALE FRANÇAISE
31, rue de Fleurus – 75278 Paris Cedex 06

31/1895/7